101, AVENUE HENRI-MARTIN

Née dans le Poitou, Régine Deforges est élevée dans des institutions religieuses. Très tôt les livres seront son univers d'élection. Tour à tour libraire, relieur, éditeur, scénariste, réalisateur et écrivain, sa volonté de liberté d'expression lui vaut bien des déboires. Elle est en 68 la première femme éditeur, mais le premier ouvrage qui paraît, attribué à Aragon, est saisi quarante-huit heures après la publication.
En 1974, elle publie un catalogue d'ouvrages anciens : Les Femmes avant 1960 *et, en 1975, ses entretiens avec l'auteur d'*Histoire d'O : O m'a dit. *En 1976 paraît son premier roman,* Blanche et Lucie, *l'histoire de sa grand-mère, suivi du* Cahier volé *puis en 1982,* Les Enfants de Blanche, La Bicyclette bleue, *Prix des Maisons de la Presse 1983, et* Léa au pays des Dragons. *En 1983, le deuxième volume de* La Bicyclette bleue *:* 101, avenue Henri-Martin *et en 1985, le troisième et dernier volume de cette grande fresque romanesque qui se déroule entre 1939 et 1945 :* Le Diable en rit encore. *Sa première œuvre érotique,* Les Contes pervers, *est écrite et réalisée au cinéma en 1980, avec succès. La même année, Régine Deforges publie* La Révolte des nonnes, *roman historique.*

En cet automne 1942, le domaine de Montillac a bien changé. La vie est dure. Le bonheur a fait place aux deuils, l'insouciance aux privations. Au plus noir de l'Occupation, Léa Delmas va découvrir la délation, la lâcheté, la collaboration. Ses proches vont subir la torture, d'autres trahir. Elle va choisir farouchement le camp de la liberté : la Résistance.
Au mépris de tout danger, dans le Paris des faux plaisirs et des vraies horreurs, elle va s'opposer à l'occupant et tenter de sauver ceux qu'elle aime... Seuls, son appétit de vivre, sa jeunesse, sa fougueuse sensualité lui permettront de tenir tête...

Paru dans Le Livre de Poche :

O M'A DIT.
BLANCHE ET LUCIE.
LE CAHIER VOLÉ.
LOLA ET QUELQUES AUTRES.
CONTES PERVERS.
LA RÉVOLTE DES NONNES.
LES ENFANTS DE BLANCHE.
LA BICYCLETTE BLEUE.
POUR L'AMOUR DE MARIE SALAT.
LE DIABLE EN RIT ENCORE.

RÉGINE DEFORGES

101, avenue Henri-Martin

La Bicyclette bleue**

ÉDITIONS RAMSAY

L'auteur tient à remercier pour leur collaboration, le plus souvent involontaire, les personnes suivantes : Paul Allard, Henri Amouroux, Pierre Becamps, M.R. Bordes, Richard Chapon, Colette, E.H. Cookridge, Jean-Louis Crémieux-Brilhac, Jacques Debû-Bridel, Jacques Delarue, Jacques Delperrié de Bayac, David Diamant, Claude Ducloux, Georgette Elgey, Jacky Fray, Henri Frenay, Jean Galtier-Boissière, Alice Giroud, Richard Grossmann, Jean Guéhenno, Georges Guingouin, Philippe Henriot, Joseph Kessel, Jean Lafourcade, Claude Mauriac, François Mauriac, Henri Michel, Jean Moulin, Robert O. Paxton, Gilles Perrault, Eric Picquet-Wicks, Edouard de Pomiane, le colonel Rémy, Maurice Sachs, Georges Sadoul, Régine Saux, Simone Savariaud, Michel Slitinsky, Lucien Steinberg, Geneviève Thieuleu, Pierre Uteau, Pierre Veilletet, Dominique Venner, Pierre Wiazemsky.

A ma fille, Camille

Résumé du 1er volume

Pierre et Isabelle Delmas, en ce début de l'automne 1939, vivent heureux sur leurs terres du vignoble bordelais, à Montillac, entourés de leurs trois filles, Françoise, Léa et Laure, et de Ruth la fidèle gouvernante. Léa a dix-sept ans. D'une grande beauté, elle a hérité de son père son amour pour la terre et les vignes où elle a grandi auprès de Mathias Fayard, le fils du maître de chais, son compagnon de jeu secrètement amoureux d'elle.

1er septembre 1939. Aux Roches Blanches, propriété des Argilat, amis des Delmas, on fête les fiançailles de Laurent d'Argilat avec sa cousine, la douce Camille. Il y a les oncles et la tante de Léa avec leurs enfants : Luc Delmas l'avocat, avec Philippe, Corinne et Pierre; Bernadette Bouchardeau et son fils Lucien; Adrien Delmas, le dominicain, qui fait figure de révolutionnaire au sein de la famille. Il y a aussi les soupirants de Léa, Jean et Raoul Lefèvre. Seule Léa ne partage pas la liesse de cette journée : elle est amoureuse de Laurent, et ne peut supporter ces fiançailles. Elle fait la connaissance de François Tavernier, élégant et cynique, ambigu et sûr de lui. Léa, par dépit, se fiance à Claude d'Argilat, le frère de Camille. Le même jour, la guerre éclate : c'est la mobilisation générale.

Léa assiste désespérée au mariage de Camille et

Laurent. Malade, soignée par le médecin de la famille, le docteur Blanchard, elle repousse la date de son mariage. Son fiàncé mourra dans les premiers combats. Léa part pour Paris, chez ses grand-tantes, Lisa et Albertine de Montpleynet. Elle y retrouve Camille et François Tavernier, pour qui elle ressent un mélange de haine et d'attirance. Elle y rencontre Raphaël Mahl, écrivain homosexuel, opportuniste, inquiétant, et Sarah Mulstein, jeune Juive allemande qui a fui les nazis.

Laurent part au front, et Léa lui promet de veiller sur Camille qui attend un enfant et dont la santé est très mauvaise. Malgré cela, toutes deux vont fuir l'Occupation, sur les routes de l'exode, sous les bombardements, dans des conditions dramatiques. Au hasard des chemins, Léa, éperdue, croise Mathias Fayard qui lui donne un moment de tendresse, et François Tavernier, qui lui révèle le plaisir physique. La signature de l'Armistice permet aux deux jeunes femmes de rejoindre le Bordelais où va naître le petit Charles, avec l'aide d'un officier allemand, Frederic Hanke.

Le jour du retour est jour de deuil : Isabelle, la mère chérie de Léa, est morte sous un bombardement. Son père s'enfonce lentement dans la folie, tandis que, dans la propriété réquisitionnée, une vie précaire s'organise, faite de privations et de difficultés. Léa, Camille et le petit Charles rencontrent chez les Debray, qui le cachent, Laurent, évadé d'Allemagne : celui-ci va entrer dans la clandestinité. Au sein des villages, des familles, les clivages se font jour : entre pétainistes convaincus et partisans d'une lutte pour la liberté. Instinctivement, Léa est de ces derniers. Inconsciente du danger, elle sert de courrier pour les combattants clandestins. Quant à Françoise, sa sœur, elle aime un occupant, le lieutenant Kramer. Mathias Fayard entretient avec Léa une liaison difficile, d'autant que son père convoite le domaine. Repoussé par Léa, il part pour le S.T.O.

Epuisée par le poids des responsabilités, Léa revient à Paris, chez Lisa et Albertine de Montpleynet. Elle partage son temps entre la transmission des messages pour la clandestinité et les mondanités du Paris de l'Occupation. Avec François Tavernier, elle tente d'oublier la guerre chez Maxim's, à L'Ami Louis ou dans le petit restaurant clandestin des Andrieu. Elle voit aussi Sarah Mulstein qui lui ouvre les yeux sur les camps de concentration et Raphaël Mahl qui se livre à la plus abjecte collaboration. Dans les bras de François Tavernier, elle assouvit son désir de vivre. Mais Montillac a besoin d'elle : le manque d'argent, l'avidité du père Fayard, la raison chancelante de son père, les menaces qui pèsent sur la famille d'Argilat l'obligent à faire face seule. Dans les caves de Toulouse, grâce au père Adrien Delmas, elle retrouve Laurent et se donne à lui. Au retour, le lieutenant Dohse et le commissaire Poinsot l'interrogent. Elle ne devra son salut qu'à l'intervention de son oncle Luc. Son père refusant l'idée d'un mariage avec le lieutenant Kramer, Françoise s'enfuit. C'est plus que n'en peut supporter Pierre Delmas, qu'on retrouve mort. Le père Adrien, l'oncle Luc, Laurent et François Tavernier sont brièvement réunis pour les obsèques. Après une dernière étreinte en communion avec les saveurs de la terre de Montillac, Léa se retrouve seule avec Camille, Charles et la vieille Ruth, face à son destin précaire.

Prologue

C'EST dans la nuit du 20 au 21 septembre 1942 que le temps jusque-là très chaud se mit à la pluie et qu'un vent, froid pour la saison, souffla sur l'estuaire de la Gironde et remonta le long de la Garonne.

Tout l'été, des orages violents, quelquefois accompagnés de grêle, avaient inquiété les vignerons. L'année s'annonçait médiocre.

Quatre heures sonnèrent à l'horloge de la cathédrale Saint-André.

Dans leur cellule du fort du Hâ, Prosper Guillou et son fils Jean furent réveillés par des coups frappés à leur porte. Dans l'obscurité, ils allèrent se soulager à tour de rôle puis s'assirent sur leurs paillasses en attendant la lumière et le quart d'eau teintée qui leur servait de café. Jean pensait à sa femme Yvette internée à la caserne Boudet et dont il était sans nouvelles depuis ce jour de juillet où, à cinq heures du matin, la Gestapo et la police avaient fait irruption dans sa ferme des Violettes à Thors. Il revoyait l'arrestation de ses parents et de ce couple de militants communistes, Albert et Elisabeth Dupeyron, venu chercher des armes destinées au groupe F.T.P. de Bordeaux.

Gabriel Fleureau, ouvrier ébéniste, poussa un cri et se réveilla en sursaut. C'était comme ça chaque nuit, depuis les interrogatoires que lui avaient fait subir les deux salauds de la brigade du commissaire Poinsot. Avec application, ils lui avaient cassé tous les doigts de la main droite. Il n'avait pas parlé. Puisant tout son courage dans l'amour qu'il éprouvait pour Aurore, la jeune fille qui déposait régulièrement, quai de la Salinière, dans le magasin de meubles tenu par M. Cadou, des tracts que Bergua et lui-même étaient chargés de distribuer. Il ne savait pas que son amie avait été arrêtée. Avec précaution, il bougea ses doigts meurtris.

Sur la paillasse voisine, René Antoine se soulevait en grognant. L'image de son petit Michel, âgé de dix ans, tendant les bras vers lui en criant : « Papa! », emmené et emprisonné avec Hélène, sa mère, à la caserne Boudet, le poursuivait. Ils avaient sans doute été dénoncés, pour que les Allemands découvrent le stock d'armes caché à Bègles au fond de son jardin.

C'était aussi l'avis de René Castéra. Son père, sa mère et son frère Gabriel avaient été arrêtés le 8 juillet, lui le 14. Depuis deux ans, la famille abritait des juifs et des clandestins, et apportait son aide aux familles d'emprisonnés. Comme René Antoine, il était sans nouvelles des siens.

Dans une autre cellule du rez-de-chaussée, Albert Dupeyron réconfortait Camille Perdriau qui n'avait que vingt ans. Cela lui évitait de trop penser à sa jeune femme Elisabeth arrêtée en même temps que lui.

Alexandre Pateau serrait les poings au souvenir des mauvais traitements infligés à sa femme Yvonne devant le petit Stéphane âgé de quatre ans. Résistants tous les deux, ils avaient été surpris dans leur maison de Saint-André-de-Cognac et amenés à Cognac puis au fort du Hâ.

Quant à Raymond Bierge, il se demandait quel était le salaud qui les avait dénoncés, sa femme Félicienne et lui, comme cachant chez eux du matériel d'imprimerie. Pourvu que la grand-mère s'occupe bien du petit!

Jean Vignaux, de Langon, s'étonnait de se souvenir d'une manière si précise de la jeune fille dont ses meilleurs amis, Raoul et Jean Lefèvre, étaient amoureux, la ravissante Léa Delmas. La dernière fois qu'il l'avait vue, elle pédalait, cheveux au vent, sur la route menant au domaine de Montillac.

Dans les cellules, les lumières s'allumèrent une à une. Les prisonniers clignèrent des yeux et se levèrent lentement.

Depuis la veille, ils savaient.

Toute la nuit le vent avait soufflé par rafales s'infiltrant sous les portes et par les planches disjointes des baraques du camp de Mérignac, apportant un peu d'air aux hommes allongés sur d'inconfortables sommiers métalliques à peine recouverts de mauvaises paillasses crasseuses. Il était cinq heures du matin, les prisonniers ne dormaient pas.

Lucien Valina, de Cognac, pensait à ses trois enfants, surtout au petit Serge qui venait d'avoir sept ans et que Margot, sa femme, gâtait trop. Avec quelle brutalité les Allemands les avaient jetés dans une camionnette! Où étaient-ils maintenant?

Gabriel Castéra songeait à son père Albert qu'il avait embrassé quelques heures auparavant, quand on était venu le chercher pour le conduire dans ce baraquement un peu à l'écart des autres. Le souvenir des larmes sur les joues du vieil homme lui était intolérable. Heureusement, il y avait René, son frère aîné.

Jean Lapeyrade avait le cœur serré quand il regardait René de Oliveria et ce jeune garçon dont il ignorait le nom et qui avait joué de l'harmonica une partie de la nuit pour masquer sa peur. Comme ils étaient jeunes! « Berthe, où es-tu? »

« N'élevez pas le petit dans l'esprit de revanche et de haine », avait écrit Franc Sanson à sa femme.

Dans le camp régnait un remue-ménage inhabituel. Par la porte brutalement ouverte, Raymond Rabeaux vit les camions de la Wehrmacht entourés de dizaines de fantassins vert-de-gris. L'air froid et humide le surprit. Il faisait encore très sombre. Les lampes tempête tenues par les gardiens éclairaient de grandes flaques d'eau. Des Allemands mettaient en face de la porte un fusil mitrailleur en batterie. L'harmonica s'était tu.

Depuis la veille, ils savaient.

L'adjoint du directeur Rousseau qui parlait avec un officier allemand se dirigea vers la baraque.

« Allez, sortez à l'appel de votre nom, ne faites pas attendre ces messieurs, dépêchez-vous. Espagnet, Jougourd, Castéra, Noutari, Portier, Valina, Chardin, Meiller, Voignet, Eloi... »

Un à un, les détenus sortirent et, poussés par les soldats, s'alignèrent, relevèrent le col de leur veste et enfoncèrent leur béret ou leur casquette.

30/6391/4

IMPRIMÉ EN FRANCE PAR BRODARD ET TAUPIN
Usine de La Flèche (Sarthe).
LIBRAIRIE GÉNÉRALE FRANÇAISE - 6, rue Pierre-Sarrazin - 75006 Paris.
ISBN : 2 - 253 - 04312 - 5

« Avancez, montez dans les camions. Jonet, Brouillon, Meunier, Puech, Moulias... »

Franc Sanson avec la souplesse de ses vingt-deux ans sauta le premier.

Dans le camp montait comme une rumeur. Derrière les fenêtres de chaque baraquement se tenaient les prisonniers mystérieusement prévenus. Un, puis deux, puis dix, puis cent, puis mille se mirent à fredonner *L'Internationale.* Un grondement énorme enflait les poitrines et s'échappait vers ceux qui partaient, maintenant leur courage et leur dignité. La boue, la pluie, les aboiements des gardiens, la peur même étaient annulés par l'air magnifique porteur d'espoir.

Il était sept heures du matin. Les camions partis de la caserne Boudet, du fort du Hâ et du camp de Mérignac, roulaient sur la route de Souges. Au passage du convoi, des femmes se signaient, des hommes se découvraient. A l'entrée du camp militaire, les camions ralentirent. A l'intérieur, les prisonniers étaient perdus dans leurs pensées, indifférents aux quatre soldats qui pointaient leurs armes sur eux. Les cahots du chemin défoncé les jetaient les uns contre les autres.

Les camions s'arrêtèrent. Les soldats écartèrent les bâches, baissèrent les hayons et sautèrent dans le sable.

« *Schnell... Schnell... Aussteigen*[1]... »

Les détenus regroupés dans un coin se regardaient et machinalement se comptaient. Soixante-dix. Ils étaient soixante-dix... Soixante-dix hommes qui depuis la veille savaient qu'ils allaient mourir.

1. Allez... vite... descendez.

A la suite d'un attentat commis à Paris contre un officier allemand, Karl Oberg, le chef de la S.S. et de la police, et Helmut Knochen avaient exigé du gouvernement de Vichy une liste de cent vingt otages. Quarante-six prisonniers des camps de Compiègne et de Romainville remplissaient les conditions requises. Wilhelm Dohse, de la Gestapo de Bordeaux, avait complété la liste.

« Gabriel!...
– René!... »
Les deux frères Castéra se précipitèrent dans les bras l'un de l'autre. Chacun avait tant espéré être le seul à mourir...
Un officier rondouillard se planta devant les otages et lut quelque chose; la sentence, sans doute. Que leur importait. Soudain, une voix jeune couvrit celle de l'Allemand :
« Allons, enfants de la patrie...
– ... le jour de gloire est arrivé...
– ... contre nous de la tyrannie...
– ... l'étendard sanglant est levé... »
D'abord timide, le chant éclate à la face des ennemis. Ils ne comprennent pas les terribles paroles mais savent qu'à cause d'elles, du troupeau frileux naît une horde qui crie vengeance.
« ... Entendez-vous, dans nos campagnes, mugir ces féroces soldats... »

Tous les cinq mètres se dresse un poteau. Il y en a dix le long d'un talus de sable devant lesquels viennent d'eux-mêmes se placer dix hommes. On les ligote aux poteaux, ils refusent d'avoir les yeux bandés. Un vieux prêtre tremblant les bénit. Le peloton d'exécution se met en place. Un ordre claque... la première salve est tirée... sous l'impact des balles, les corps tressautent et lentement s'affaissent...

Les voix ont marqué un imperceptible arrêt, puis reprennent plus fortes encore dans le matin pluvieux.

« Aux armes, citoyens... »

Soixante-dix fois, le coup de grâce est donné.

Les corps des suppliciés sont jetés dans une vaste fosse creusée derrière le talus.

La pluie a cessé. Un pâle soleil éclaire de ses rayons la sablière. Une odeur de champignons et de pins se mêle à celle de la poudre. Au pied des poteaux, le sang miroite mélangé à l'eau des flaques lentement absorbée par le sable.

Mission accomplie, les soldats repartent. Il est neuf heures du matin, dans la lande de Souges, près de Bordeaux, le 21 septembre 1942.

1

APRÈS la mort de Pierre Delmas, sa sœur, Bernadette Bouchardeau, avait tenté de reprendre en main les affaires de la maison. La bonne volonté de la brave femme était évidente, tout autant que son incapacité à gérer un domaine tel que celui de Montillac.

Assise au bureau de son frère, elle éparpillait les papiers en gémissant à l'adresse de Camille d'Argilat qui s'était proposé de l'aider :

« Mon Dieu, qu'allons-nous devenir? Je ne comprends rien à ces chiffres. Il faut demander à Fayard, le régisseur.

– Allez vous reposer, madame, je vais essayer d'y voir plus clair.

– Merci, ma petite Camille, vous êtes bien brave, dit-elle en se levant... Léa devrait se ressaisir, ajouta-t-elle en retirant ses lunettes, moi aussi j'ai de la peine, mais je fais un effort. »

Camille dissimula un sourire.

« Vous êtes sans doute plus forte.

– Sans doute », acquiesça Bernadette Bouchardeau.

« Que cette femme est bête », pensa Camille.

« Bonne nuit, mon enfant. Ne vous couchez pas trop tard. »

La porte se referma sans bruit. Des pas pesants dans l'escalier, le craquement de la dixième marche puis, de nouveau, le silence de la maison endormie, silence troublé parfois par une rafale du vent froid de novembre qui faisait frémir les murs et trembler les flammes dans la cheminée. Camille, debout au milieu de la pièce chaude, regardait le feu sans le voir. Soudain une bûche se cassa et retomba en projetant sur le tapis des étincelles et des braises. La jeune femme sursauta et se précipita pour prendre les pincettes et ramasser les brandons. Elle en profita pour jeter un cep dans le foyer, qui provoqua un crépitement accéléré et joyeux.

Elle resserra la ceinture de sa robe de chambre et se rassit devant le bureau de Pierre Delmas.

Camille travailla durant toute une partie de la nuit, ne redressant la tête que pour frotter sa nuque douloureuse.

Trois heures sonnèrent à la pendule.

« Tu n'es pas encore couchée! s'exclama Léa en entrant.

– Toi non plus, apparemment, dit Camille avec un tendre sourire.

– Je suis venue chercher un livre, je n'arrive pas à dormir.

– As-tu pris les cachets que t'a donnés le docteur Blanchard?

– Oui, mais ils ne servent qu'à m'abrutir dans la journée.

– Dis-le-lui, il t'en donnera d'autres. Tu dois dormir.

– Je voudrais bien et en même temps j'ai peur. Dès que je m'endors, l'homme d'Orléans arrive, le visage couvert de sang. Il s'avance vers moi... tente de m'attraper et me dit : « Pourquoi m'as-tu tué, petite « salope, petite putain? Viens, ma jolie, viens, je vais « te montrer combien c'est bon de faire l'amour avec « un mort. Je suis sûr que tu aimes ça. Hein?... « ordure, tu aimes ça, la charogne, tu... »

– Arrête, cria Camille en la secouant par les épaules, arrête! »

L'air hagard, Léa passa sa main sur son front, fit quelques pas et se laissa tomber sur le vieux canapé de cuir.

« Tu ne peux pas savoir... C'est épouvantable surtout quand il me dit : « Assez joué. Maintenant, nous « allons retrouver ton père : il nous attend en compa- « gnie de ses amis les vers... »

– Tais-toi...

– « ... et de ta chère maman. » Alors, je le suis en appelant ma mère. »

Camille s'agenouilla et la prit dans ses bras, la berçant comme elle berçait son fils, le petit Charles, quand un mauvais rêve le précipitait, hurlant, dans son lit.

« Là, calme-toi. N'y pense plus. Nous l'avons tué toutes les deux. Rappelle-toi... j'ai tiré dessus la première. Je croyais qu'il était mort.

– C'est vrai, mais c'est moi, et moi seule, qui l'ai tué.

– Tu n'avais pas le choix, c'était lui ou nous. Ton oncle Adrien t'a dit qu'à ta place, il en aurait fait autant.

– Il a dit ça pour me faire plaisir. Tu le vois, lui?... un dominicain?... Tuer un homme?

– S'il le fallait, oui.

– C'est ce que Laurent et François Tavernier m'ont dit. Mais je suis convaincue qu'Adrien est incapable d'une telle chose.

– Assez parlé de ça. J'ai terminé la mise au clair des comptes de ton père. La situation n'est pas brillante. Je ne comprends rien à la façon de travailler de Fayard. En se restreignant, on devrait pouvoir s'en tirer.

– Comment veux-tu qu'on se restreigne davantage? s'exclama-t-elle en se levant. Nous ne mangeons de la viande qu'une fois par semaine et quelle viande! Si nous étions moins nombreux, nous y arriverions, mais là... »

Camille baissa la tête.

« Je sais bien que nous sommes une lourde charge pour toi. Plus tard, je te rembourserai tout ce que tu as dépensé pour nous trois.

– Tu es folle, ce n'est pas ça que je voulais dire!

– Je sais, fit Camille avec tristesse.

– Oh! non, ne fais pas cette tête-là. On ne peut rien te dire.

– Pardonne-moi.

– Je n'ai rien à te pardonner, tu fais ta part de travail... et même la mienne en ce moment. »

Léa écarta les doubles rideaux. La clarté lunaire éclairait de sa lueur froide les graviers de la cour tandis que le vent tentait d'arracher les dernières feuilles du grand tilleul.

« Tu crois que la guerre va durer encore longtemps? demanda-t-elle. Tout le monde semble trouver normal que le gouvernement de Vichy collabore avec l'Allemagne...

– Non! Léa, pas tout le monde. Regarde autour de nous. Tu connais, au moins, une dizaine de personnes qui continuent la lutte...

– Qu'est-ce qu'une dizaine face à des centaines de milliers qui crient chaque jour : « Vive Pétain »?

– Bientôt, nous serons des centaines, puis des milliers à dire non.

– Je n'y crois plus... Tous ne pensent qu'à manger à leur faim et à ne plus avoir froid.

– Comment peux-tu dire cela! Les Français sont encore sous le coup de la défaite, mais leur confiance dans le Maréchal s'effrite. Même Fayard me disait l'autre jour : « Madame Camille, vous croyez pas qu'il « va un peu loin, le vieux? », et pourtant, Fayard...

– Il voulait te rouler dans la farine. Je le connais, c'est un finaud. Il cherche à savoir ce que tu penses pour s'en servir quand ça lui sera nécessaire. Pour lui, TRAVAIL, FAMILLE, PATRIE, ça veut dire quelque chose.

– Pour moi aussi, mais pas tout à fait la même.

– Fais attention. Son unique but est de nous prendre Montillac. Il ne reculera devant rien. En plus, il est persuadé que son fils Mathias est parti à cause de moi.

– C'est un peu le cas, non?

– Ce n'est pas vrai, s'écria Léa avec colère. Au contraire, j'ai essayé de le retenir. Ce n'est pas de ma faute s'il n'a rien voulu savoir, s'il a préféré aller en Allemagne pour gagner de l'argent plutôt que de travailler à Montillac.

– Ma chérie, tu exagères, tu sais très bien pourquoi il est parti...

– Non!

– ... Parce qu'il t'aimait.

– Et alors, la belle affaire! S'il m'aimait, comme tu le dis, il devait rester ici pour m'aider et empêcher son père de nous voler.

– Il pouvait aussi rejoindre le général de Gaulle, mais je comprends qu'il soit parti.

– Tu es trop indulgente.

– Ne crois pas ça. Je comprends parce qu'il s'agit d'amour... Je ne sais pas ce que j'aurais fait, dans les mêmes circonstances que Mathias ou Françoise... J'aurais peut-être agi comme eux.

– Tu dis des bêtises. Jamais tu ne te serais laissé engrosser par un Allemand comme cette pauvre Françoise.

– Ne parle pas comme ça de ta sœur.

– Ce n'est plus ma sœur. C'est à cause d'elle que papa est mort.

– Ce n'est pas vrai, le docteur Blanchard a dit que son cœur était fatigué depuis des années et que, malgré les supplications de ta mère, il avait toujours refusé de se soigner.

– Je ne veux pas le savoir. Si elle n'était pas partie,

il serait encore vivant », s'écria Léa en cachant son visage dans ses mains, les épaules secouées de sanglots.

Camille contint le mouvement de tendresse qui la portait vers son amie. Comment Léa pouvait-elle ignorer à ce point les sentiments des autres?

« C'est ce qui fait sa force, disait Laurent. Elle ne veut voir que l'immédiat. Elle avance et se pose les questions après. Pas par manque d'intelligence, mais par excès de vitalité. »

Léa se retint de taper du pied comme lorsqu'elle était enfant. Elle se retourna vers Camille.

« Arrête de me regarder comme ça. Va te coucher, tu ne vois pas la tête que tu as?

– Tu as raison, je suis fatiguée. Toi aussi, tu devrais aller dormir. Bonne nuit. »

Camille s'approcha pour l'embrasser. Léa se laissa faire avec indifférence et ne rendit pas le baiser. La jeune femme ne dit rien et quitta la pièce.

Furieuse contre Camille et contre elle-même, Léa remit un cep dans la cheminée, prit dans un placard bas de la bibliothèque la couverture écossaise dans laquelle aimait à s'envelopper son père, éteignit la lampe et s'allongea sur le divan.

Elle ne resta pas longtemps à regarder les flammes. Bientôt leurs mouvements l'endormirent.

Depuis la mort de son père, souvent Léa avait passé la nuit dans cet endroit aimé, le seul où ses fantômes familiers ne venaient pas l'assaillir.

Le froid réveilla Léa. « Il faudra que je pense à descendre mon édredon », se dit-elle. Elle ouvrit les rideaux et eut la curieuse impression d'être dans les nuages, tant le brouillard était épais. Cependant, derrière ce voile, on devinait la lumière. « Il va faire beau », pensa-t-elle. Avec des gestes précis, elle ralluma le feu et resta un moment à se réchauffer.

Machinalement, elle compta les coups égrenés par l'horloge. Onze. Onze!... Il était onze heures!... pourquoi l'avait-on laissée dormir si longtemps.

Dans la grande cheminée de la cuisine, une haute flambée de sarments éclairait de ses lueurs chaudes la vaste pièce obscurcie par le brouillard qui ne se levait pas. Sur la table recouverte de toile cirée bleue, il y avait son bol vide et sa serviette dans laquelle était enveloppé un morceau de brioche. En un geste gourmand, Léa plongea ses narines dans la mie odorante. « Ça, c'est Sidonie qui l'a faite », pensa-t-elle. Sur un coin de la cuisinière, se trouvait l'antique cafetière d'émail bleu. Léa se servit du café qui n'avait de café que le nom. Heureusement, le lait en masquait le goût.

Tout en mangeant, elle se demandait : « Quel jour sommes-nous pour qu'il y ait de la brioche? » La réponse lui fut apportée, quand levant les yeux, elle vit en gros le nombre 11. 11 novembre... Sidonie avait voulu fêter à sa façon la fin de la guerre de 14. Avec un sourire sans joie, Léa haussa les épaules. Quand verrait-on la fin de cette guerre? Plus de deux ans qu'elle durait!... Aujourd'hui, 11 novembre 1942, la France était toujours coupée en deux; de plus en plus nombreux, les jeunes gens refusaient d'aller travailler en Allemagne et se réfugiaient dans les montagnes ou les forêts, formant des bandes à la recherche d'un chef, vivant le plus souvent de la générosité de l'habitant et quelquefois du pillage. Dans son secteur, Laurent d'Argilat était chargé de regrouper ces réfractaires et de les incorporer aux réseaux de résistance qui s'étaient constitués. Laurent... Elle ne l'avait pas revu depuis l'enterrement de son père. Une fois, Camille, sa femme, l'avait rejoint à Toulouse, la laissant malade de jalousie. Et Tavernier, que devenait-il, celui-là? Il aurait pu, au moins, prendre de ses nouvelles. Il était son amant, non? A cause de lui, elle avait eu la plus belle peur de sa vie : être enceinte. Cette fausse alerte lui avait fait mieux comprendre le désarroi de sa sœur Françoise, dont le bébé n'allait pas tarder à naître. Françoise qui lui avait écrit une lettre, la suppliant de venir pour la naissance de son enfant. Enfermée dans son chagrin et dans sa haine, Léa n'avait pas répondu.

« Camille, Ruth, Léa, tante Bernadette, criait Laure en entrant dans la cuisine.

– Qu'y a-t-il? demanda Léa en se levant.

– Laure, c'est toi qui cries ainsi? » questionna Ruth en entrant à son tour. Essoufflée, la plus jeune sœur de Léa n'arrivait pas à parler.

Par la porte donnant sur la ruelle, Fayard entra, suivi de sa femme.

« Vous avez entendu?...

– Entendu quoi? Parlez, dit Ruth.

– Les Boches...

– Quoi, les Boches? s'écria Léa.

– Ils ont envahi la zone libre », fit Laure d'une traite.

Léa retomba sur sa chaise. En face d'elle, Camille, qu'elle n'avait pas vue entrer, serrait contre elle son enfant qui, croyant à un jeu, se mit à rire aux éclats.

« On a entendu ça à la T.S.F., dit Fayard.

– A Radio-Paris, ils ont dit que l'indemnité journalière d'occupation était fixée à cinq cents millions. Comment on va faire pour trouver tout cet argent? » ajouta sa femme.

2

La maison des demoiselles de Montpleynet avait beaucoup changé depuis le dernier séjour de Léa à Paris. Les deux appartements situés sur le même palier reliés par une porte de communication et qui, autrefois, débordaient de vie, étaient maintenant livrés au froid. Les deux sœurs et leur bonne logeaient dans quatre pièces; les seules qu'elles avaient les moyens de chauffer un peu. Les trois chambres au fond du couloir et l'appartement tout entier d'Albertine, étaient abandonnés, les meubles protégés par des housses, les volets clos, les cheminées glacées. Les demoiselles avaient pris le parti de ce resserrement. Elles avaient baptisé « le logis froid » tout ce qu'elles ne pouvaient pas chauffer et n'y mettaient jamais les pieds.

« Comprends-nous, nous ne pouvions pas la laisser seule, malade, dans cet hôtel, jamais ta mère ne nous l'aurait pardonné, dit Lisa de Montpleynet en essuyant ses yeux avec son mouchoir humide.

– Inutile de revenir là-dessus, nous avons fait notre devoir de parentes et de chrétiennes », ajouta sèchement sa sœur Albertine.

Debout dans le petit salon parisien de ses tantes, Léa avait du mal à contenir sa colère.

Une lettre affolée d'Albertine – ce qui ne lui ressemblait guère – avait précipité Léa dans le premier train en partance pour Paris après une attente d'une demi-journée dans l'encombrement de la gare Saint-Jean de Bordeaux. A son arrivée rue de l'Université, Estelle, gouvernante et bonne à tout faire des demoiselles de Montpleynet, enveloppée dans des châles bariolés, l'avait étreinte avec un évident soulagement, répétant comme pour mieux s'en convaincre :

« Enfin vous, mademoiselle Léa, enfin vous...

– Que se passe-t-il, Estelle, où sont mes tantes? Sont-elles malades?

– Mademoiselle Léa, si vous saviez...

– Léa, enfin te voilà », s'était exclamée Lisa, un manteau de fourrure par-dessus sa robe de chambre.

Peu après, Albertine était apparue, suivie d'un homme portant une trousse de médecin. Sa tante l'avait accompagné jusqu'à la porte en lui disant :

« Au revoir, docteur, à demain. »

Léa avait regardé avec étonnement les trois femmes.

« Mais enfin, me direz-vous qui est malade?

– Ta sœur Françoise », avait répondu Albertine.

Cette réponse avait laissé Léa sans voix. Puis, à la surprise, avait succédé la colère. La dureté de ses propos avait fait éclater en sanglots la sensible Lisa.

« Léa, Léa, c'est toi », dit une faible voix derrière une porte qui s'ouvrit lentement.

Dans l'embrasure se tenait Françoise, son ventre rebondi mal dissimulé par une couverture.

Albertine se précipita.

« Que fais-tu debout? Le docteur t'a interdit de te lever. »

Sans écouter sa tante, Françoise s'avança vers sa sœur en tendant les bras. La couverture glissa de ses épaules révélant l'énormité de son ventre accentuée par la chemise de nuit trop étroite et la maigreur de son visage.

Elles tombèrent dans les bras l'une de l'autre.

« Oh! Léa... Merci d'être venue. »

Léa la conduisit dans sa chambre, à peine plus chaude que le petit salon.

Dès qu'elle fut allongée, la jeune femme saisit la main de sa sœur qu'elle porta à ses lèvres en murmurant :

« Tu es venue...

– Calme-toi, ma chérie, tu vas te faire du mal, dit Albertine en arrangeant les oreillers.

– Non, ma tante, le bonheur ne peut pas faire de mal. Léa, raconte-moi tout. Tout ce qui s'est passé à Montillac. »

Deux heures plus tard, les deux sœurs bavardaient encore.

Léa n'arrivait pas à quitter le lit chaud et douillet dans lequel elle se prélassait depuis qu'elle était réveillée. L'idée de se lever et de s'habiller dans le froid, lui était insupportable. Ah! rester au lit, bien au chaud jusqu'à la fin de l'hiver... jusqu'à la fin de la guerre...

Elle se souvenait, avec surprise, d'avoir pris plaisir, hier soir, à évoquer avec Françoise les moments heureux de leur enfance. Durant quelques instants, elles s'étaient découvert une complicité qu'elles n'avaient jamais connue auparavant. Elles s'étaient quittées avec l'impression de s'être retrouvées, mais elles avaient soigneusement évité d'aborder la question qui les préoccupait : la naissance de l'enfant et l'avenir de Françoise.

On frappa à la porte. C'était Estelle avec le plateau du petit déjeuner.

« Quoi! du thé, du vrai sucre! s'exclama Léa en se redressant. Comment faites-vous?

– C'est la première fois depuis trois mois. En ton honneur! Nous l'avons eu grâce à l'ami de Mme Mulstein... un écrivain, paraît-il.

– Raphaël Mahl?...

– Oui, c'est ça. Un monsieur qui a bien mauvais genre. Je l'ai aperçu l'autre jour à la terrasse des Deux-Magots avec un jeune officier allemand qu'il tenait par la taille en lui parlant dans le cou. Tout le monde se détournait d'eux avec honte. »

Léa eut du mal à dissimuler un sourire que la vieille domestique n'aurait pas compris.

« J'ai raconté la scène à mesdemoiselles en leur disant qu'elles ne devaient plus recevoir ce monsieur, continua Estelle. Mlle Lisa m'a répondu que je voyais le mal partout, que M. Mahl était un parfait gentleman et que grâce à lui, on ne mourait pas tout à fait de faim. Quant à Mlle Albertine, elle m'a dit qu'il ne fallait pas se fier aux apparences. Qu'en pensez-vous, mademoiselle?

– Je connais très peu M. Mahl, Estelle. Je dirai quand même à mes tantes de se montrer prudentes avec ce personnage.

– J'ai mis une bouilloire d'eau chaude dans la salle de bain et j'ai allumé le radiateur électrique. Il ne chauffe pas beaucoup, mais ça dégèle un peu l'atmosphère.

– Merci, Estelle, j'aurais bien pris un bain.

– Un bain!... Il y a des mois que la baignoire n'a pas été remplie. Mesdemoiselles vont au bain public une fois par semaine.

– Ah! je voudrais bien les voir, elles ne doivent pas oser se déshabiller pour entrer dans l'eau.

– Ce n'est pas gentil de vous moquer, mademoiselle Léa. La vie est dure ici. Nous avons froid, nous avons faim. Nous avons peur aussi.

– De quoi avez-vous peur? Vous ne risquez pas grand-chose.

– Qui sait, mademoiselle? Vous vous souvenez de la

dame du premier avec laquelle vos tantes prenaient quelquefois le thé?...

– Mme Lévy?

– Oui. Eh bien, les Allemands sont venus l'arrêter. Elle était malade, ils l'ont tirée de son lit et l'ont emmenée en chemise de nuit. Mlle Albertine a prévenu M. Tavernier...

– Tavernier?...

– ... pour lui demander de se renseigner.

– Et alors?...

– Quand il est venu, quelques jours après, il était tout pâle avec un air qui faisait peur.

– Qu'a-t-il dit?

– Qu'on l'avait emmenée à Drancy puis de là dans un camp en Allemagne avec mille autres personnes, principalement des femmes et des enfants. Depuis le départ de Mme Lévy, l'appartement est occupé par une actrice qui mène grand train et qui reçoit des officiers allemands. Ils font un raffut du diable. Personne n'ose se plaindre de peur des représailles.

– Quand M. Tavernier est-il venu ici pour la dernière fois?

– Il y a trois semaines environ. C'est lui qui a insisté auprès de vos tantes pour qu'elles reçoivent Françoise chez elles. »

Léa sentit les battements de son cœur s'accélérer. François s'occupait de ses tantes et de sa sœur...

« Je vous laisse, mademoiselle, il paraît que rue de Buci, il va y avoir un arrivage de poisson à midi. Il ne faut pas que j'arrive trop tard si je veux avoir autre chose que les arêtes. »

Léa fit une rapide toilette, enfila sur sa robe de lainage bleu un chandail noir et une veste, mit d'épaisses chaussettes et ainsi accoutrée, alla dans la chambre de sa sœur.

Assise dans son lit, enveloppée de liseuses et de châles de couleur rose qui rehaussait son teint, Françoise, le visage reposé, soigneusement coiffée, regardait Léa en souriant.

« Bonjour, tu as bien dormi? demanda-t-elle. Moi, il y a des mois que je n'ai aussi bien dormi. C'est grâce à toi. »

Sans répondre, Léa l'embrassa.

« C'est bien que tu sois là... Je vais me rétablir très vite. Je ne veux pas manquer la première de la pièce d'Henry de Montherlant, *La Reine morte.*

– Quand a-t-elle lieu?

– Le 8 décembre, à la Comédie-Française.

– Le 8 décembre! Mais, c'est après-demain.

– Et alors? Le bébé c'est dans plus d'un mois et je me sens très bien. Attendre un enfant, ce n'est pas une maladie. Tu verras quand ce sera ton tour.

– Jamais, je l'espère.

– Pourquoi? C'est tellement merveilleux d'attendre un enfant de l'homme que l'on aime. »

Devant le visage fermé de Léa, Françoise comprit qu'elle avait été trop loin. Elle rougit en baissant la tête. Puis, rassemblant tout son courage, leva les yeux et dit d'une voix qui tremblait :

« Je sais ce que tu penses. J'ai essayé de me convaincre que j'avais tort d'aimer Otto. Je n'y suis pas parvenue. Tout en lui me plaît : sa bonté, son amour de la musique, son talent, son courage, et même qu'il soit allemand. La seule chose que je souhaite c'est que la guerre finisse. Tu comprends, n'est-ce pas? Essaie de comprendre. »

Léa ne parvenait pas à penser à cette situation avec calme et cohérence. En elle, quelque chose de profond se révoltait contre cet amour qui la choquait. En même temps, elle comprenait très bien tout ce qu'Otto et Françoise avaient en commun. S'il n'avait pas été allemand, il aurait fait un beau-frère tout à fait charmant.

« Que comptes-tu faire? demanda-t-elle.

– L'épouser dès qu'il rentrera de Berlin et qu'il aura

obtenu l'autorisation de ses chefs. Promets-moi d'assister à mon mariage. Je t'en prie, promets-le-moi.

– Tout dépendra du moment. Si c'est pendant les vendanges ou au printemps, je ne pourrai pas.

– Tu t'arrangeras, dit Françoise en souriant, heureuse de n'avoir pas eu un refus formel. Otto est merveilleux, il m'écrit tous les jours, il s'inquiète tellement pour moi et le bébé. Il m'a laissée sous la garde de Frederic Hanke. Tu te souviens de lui, il t'a aidée à accoucher Camille.

– Eh bien, en cas de pépin, il pourra toujours remplacer la sage-femme. »

Cela fut dit avec une ironie si méchante que Françoise ne put retenir ses larmes. Léa eut honte de sa brutalité. Peut-être aurait-elle demandé pardon à sa sœur si sa tante Albertine n'était entrée à ce moment-là.

« Léa, on te demande au téléphone... Françoise?... Qu'as-tu?

– Rien, ma tante... un peu de fatigue. »

« Allô, qui est à l'appareil?

– Vous êtes bien Léa Delmas?

– Oui, c'est moi. Qui êtes-vous?

– Vous ne me reconnaissez pas? N'auriez-vous point d'oreille?

– Non. Dites-moi qui vous êtes ou je raccroche.

– Toujours vive, je vois. Allons, belle amie, un petit effort.

– Je n'ai pas envie de faire d'effort et je trouve ce genre de plaisanterie stupide.

– Ne raccrochez pas! Rappelez-vous Le Chapon fin, les cerises de Mandel, *La Petite Gironde,* l'église Sainte-Eulalie, la rue Saint-Genès...

– Raphaël!...

– Vous en avez mis du temps!

– Pardonnez-moi, mais j'ai horreur de ces mystères

téléphoniques. Comment avez-vous su que j'étais à Paris?

– Je suis toujours très bien renseigné en ce qui concerne mes amis. Quand nous voyons-nous?

– Je n'en sais rien. Je viens à peine d'arriver.

– Je passe à cinq heures pour le thé. Ne vous occupez de rien, j'apporterai tout ce qu'il faut. Contentez-vous de faire chauffer l'eau.

– Mais...

– Comment vont votre charmante sœur et mesdemoiselles vos tantes?... Transmettez-leur mes hommages. A tout à l'heure, ma chère. Je me réjouis de vous revoir. »

Raphaël Mahl raccrocha, laissant Léa abasourdie. Comment avait-il su? Elle frissonna de la tête aux pieds, envahie par un sentiment de malaise.

« Ne reste pas immobile dans cette entrée glaciale, tu vas attraper froid, ma chérie. »

La voix de Lisa la fit sursauter.

« Il y a longtemps que vous avez vu Raphaël Mahl?

– Je ne sais pas... une quinzaine de jours, peut-être.

– Il a vu Françoise, alors?

– Non, elle est arrivée le lendemain de sa visite et, depuis, elle n'a pas bougé d'ici. Mais pourquoi toutes ces questions?

– C'est Raphaël Mahl qui me téléphonait et je me demandais comment il savait que j'étais à Paris.

– C'est un hasard.

– Avec quelqu'un comme lui, je ne crois pas au hasard. »

Lisa haussa les épaules en un geste d'ignorance.

« Ah! j'oubliais, il vient pour le thé.

– Mais nous n'avons rien!

– Il a dit qu'à part l'eau, il apportait tout. »

Le dernier coup de cinq heures achevait de tinter à l'horloge du salon, quand vibra la sonnerie de la porte d'entrée. Estelle, qui avait mis sur sa blouse habituelle un impeccable tablier blanc orné d'un volant, ouvrit la porte. A moitié caché par un monticule de paquets enrubannés, Raphaël Mahl entra.

« Vite, ma bonne Estelle, aidez-moi, sinon toutes ces friandises vont tomber sur le tapis. »

En bougonnant, la domestique le débarrassa.

« Raphaël, vous êtes superbe!

– Léa! »

Ils se regardèrent longuement avant de s'avancer l'un vers l'autre, comme si leur œil voulait rassembler, en un instant, une foule de détails.

Tout les opposait – leur conception de la vie, de l'amitié, de l'amour –, mais une attirance amicale contre laquelle ils ne luttaient pas les poussait l'un vers l'autre. Des deux, c'était Raphaël qui se posait le plus de questions sur ce qu'il appelait : « la partie de lui-même non atteinte par la pourriture ». Lui, le tricheur, le menteur, le voleur, l'indicateur de police, le collaborateur de la Gestapo, le juif, chroniqueur occasionnel de *Je suis partout,* de *Gringoire,* du *Pilori* et des *Nouveaux Temps*! Son antisémitisme choquait presque les éminents directeurs et rédacteurs de ces publications qui faisaient pourtant profession de « bouffer du juif »... Il se sentait, vis-à-vis de Léa, tel un grand frère qui veut protéger sa petite sœur contre les salissures de la vie.

« Belle amie, comment faites-vous pour m'enchanter l'œil et l'âme chaque fois que je vous vois? »

Elle rit de ce rire un peu rauque qui troublait les hommes et agaçait les femmes, et l'embrassa sur les deux joues.

« Je suis sûre que j'ai tort, mais j'ai plaisir à vous revoir.

– Pourquoi dans la même phrase dites-vous une

chose agréable et une autre qui l'est beaucoup moins? Allons, je suis bon prince, je ne retiens que le plaisir. Vous disiez, quand je suis entré, que vous me trouviez superbe? Je suis d'un chic, n'est-ce pas?... Mais ce dont je suis le plus fier c'est de mes chaussures. Pas mal, qu'en pensez-vous? Elles m'ont coûté une fortune. Je les ai fait faire sur mesure chez Hermès.

– Où avez-vous trouvé cet argent? Vous avez dévalisé une vieille dame, vendu votre corps à un capitaine allemand rose et gras ou bien prostitué un deuxième classe à la peau tendre?

– Vous n'êtes pas si loin. Que voulez-vous, chère amie, l'homme se crée un bonheur à sa mesure et le plus souvent l'argent est sa petite mesure... Ayant mesuré que sans argent le bonheur, enfin, le pauvre bonheur que je suis susceptible de connaître, me fuirait, j'ai décidé de m'en procurer. Rien de plus facile en ce moment. Tout est à vendre : les corps et les consciences. Moi, selon les circonstances, je vends l'un ou l'autre, ou les deux si l'acheteur est très généreux.

– Vous êtes ignoble.

– Le bien est si imparfait qu'il ne m'intéresse pas. C'est une grande erreur, charmante amie, de considérer que l'homme est un être raisonnable... Le pouvoir de penser ne confère pas la raison. J'ai toujours eu la conviction qu'éprouver du plaisir à des choses raisonnables était le principe de la médiocrité. Il faudra qu'un jour, j'écrive un *Eloge de la médiocrité*. Cela fera du bruit dans la République des lettres. En attendant l'élaboration de ce chef-d'œuvre, permettez-moi d'aller présenter mes respects à mesdemoiselles vos tantes et à madame votre sœur. »

Dans la chambre de Françoise, sur une table ronde recouverte d'une nappe brodée, on avait disposé le service à thé des grands jours.

« Vous avez dévalisé toutes les pâtisseries et les confiseurs de Paris, s'écria Léa en entrant dans la chambre devant les assiettes débordantes de chocolats, de petits fours, de gâteaux et de fruits confits.

– Vous ne croyez pas si bien dire, j'ai eu un mal fou à rassembler tout ça : les petits fours glacés viennent de chez Lamoureux, rue Saint-Sulpice, ceux à la crème, de chez Guerbois, rue de Sèvres, le gâteau au chocolat, bien entendu de chez Bourdaloue, les sablés de chez Galpin, rue du Bac, j'ai pris le reste chez Debauve et Gallais, rue des Saints-Pères, « fournisseurs des anciens rois de France »!

– Nous aussi, avant la guerre, nous nous fournissions chez eux, soupira Lisa avec un regard de convoitise vers tant de friandises.

– Quant au thé, continua Raphaël en sortant une boîte de sa poche, il m'a été rapporté de Russie par un de mes amis. Il est délicieux, fort et parfumé. Vous m'en direz des nouvelles.

– Monsieur Mahl, vous nous gâtez... C'est très aimable à vous. Comment pourrons-nous vous remercier pour tant de bonnes choses?

– En les mangeant, mesdames. »

Durant quelques minutes, on n'entendit que le bruit des mâchoires. La première, Françoise se déclara incapable d'avaler une bouchée de plus, suivie très vite par Albertine et Raphaël. Seules, Lisa et Léa continuaient à s'empiffrer. Leurs mains allaient avec une vitesse prodigieuse de la table à leur bouche. La tante et la nièce n'étaient plus que deux gamines mal élevées dont les doigts et le visage barbouillés montraient la goinfrerie... Le tonitruant éclat de rire de Raphaël Mahl les fit sursauter. Avec inquiétude, elles regardèrent autour d'elles, comme si elles craignaient qu'on ne leur prît le reste des gâteaux.

« Tu n'as pas honte, Lisa? » fit d'un ton faussement sévère Albertine.

Ecarlate, elle baissa la tête.

« Si on te laissait faire, tu ne penserais même pas à cette pauvre Estelle, continua, impitoyable, sa sœur.

– J'avais faim. Pardonne-moi. Tu as raison, je vais lui porter une assiette. Il ne faut pas m'en vouloir, c'est tellement bon », ajouta-t-elle d'un air si piteux qu'ils s'esclaffèrent tous, même Albertine.

La nuit était tombée depuis longtemps déjà quand Raphaël Mahl prit congé. Léa le raccompagna jusqu'à la porte.

« Il faut que je vous voie seule, pouvons-nous déjeuner ensemble demain?

– Je n'en sais rien. Vous me faites peur... Je n'arrive pas à vous croire aussi mauvais que vous le dites et cependant une bizarre répulsion me dit que je dois me méfier de vous.

– Oh! combien vous avez raison, ma chère. Jamais vous ne vous méfierez assez de moi. Je vous l'ai déjà dit, je crois, on ne trahit bien que ceux que l'on aime. Moi qui suis très féru d'Ecritures Saintes, je ne vous étonnerai pas en vous disant que Judas est mon personnage préféré, mon frère, mon ami, mon double. Celui par qui tout le mal devait arriver, celui qui n'avait pas le choix pour que s'accomplisse ce qui était écrit. Lui... le plus intelligent, l'intellectuel de la bande devait trahir celui qu'il aimait d'amour. Et par cet acte pour lequel il avait été désigné de toute éternité, Judas le disciple, Judas le traître est damné jusqu'à la fin des temps. C'est injuste, vous ne trouvez pas?

– Je n'en sais rien, Judas ne m'a jamais passionnée.

– Vous avez tort, c'est le seul vraiment intéressant des douze, à part le gentil Jean avec sa gueule d'ange, le giton préféré de Jésus, le petit ami, précisa-t-il devant le regard interrogatif de Léa. Car, comme vous ne l'ignorez pas, ils étaient tous pédés comme des fous.

– C'est vous qui êtes fou...

– ... et pédé.

– ... si mes tantes vous entendent blasphémer ainsi, elles vous interdiront leur porte.

– Alors, je me tais, j'adore la compagnie des vieilles demoiselles. De l'espèce féminine, ce sont les seules supportables. A part vous, bien sûr, et ma belle amie Sarah Mulstein. A propos, avez-vous de ses nouvelles? Voilà des jours et des jours que je n'en ai pas. »

C'est donc là qu'il voulait en venir... Léa frissonna, un goût nauséeux dans la bouche. Ce fut rapidement et sèchement qu'elle répondit :

« Je n'en ai pas non plus.

– Mais, vous avez froid! Je suis une brute de vous retenir dans cette entrée glaciale. Allez vous réchauffer auprès de votre charmante sœur. Vous connaissez son futur époux? Un homme d'une grande culture, promis à un grand avenir. Une telle alliance est des plus utiles par les temps qui courent. Votre oncle dominicain, bénira-t-il le mariage? »

Une peur abjecte envahit Léa.

« Mon cœur, vous claquez des dents... Vous êtes toute pâle... C'est de ma faute, je vous fais attraper du mal. Vous devez avoir de la fièvre. »

Raphaël avec sollicitude lui saisit le poignet.

« Ne me touchez pas, je vais très bien, s'écria-t-elle en arrachant sa main avec violence de celle du bavard.

– A demain, belle amie, je vous appellerai en fin de matinée. D'ici là, reposez-vous, vous en avez besoin, sinon vos nerfs risquent de vous jouer des tours. »

3

Le lendemain, Léa quitta très tôt la rue de l'Université pour ne pas s'y trouver au moment de l'appel de Raphaël Mahl.

Elle avait passé une très mauvaise nuit revoyant sans cesse dans les paroles de Raphaël une menace pour ses amis et sa famille. Elle devait absolument prévenir Sarah Mulstein et son oncle Adrien Delmas. L'ignorance de l'endroit où ils se trouvaient et la peur de commettre un impair développaient chez elle une angoisse frénétique. Qui pouvait savoir où se cachaient Sarah et le dominicain? François : François Tavernier, bien sûr.

Le jour de l'enterrement de son père, il lui avait fait apprendre par cœur une adresse où elle pourrait le joindre ou lui laisser un message en cas d'urgence. Sur le moment, elle avait pensé qu'il pouvait toujours attendre pour qu'elle vienne le relancer à Paris et s'était empressée d'oublier l'adresse. Qu'avait-il dit?... près de l'Etoile. Avenue... avenue... zut, elle l'avait sur le bout de la langue. Un général de l'Empire ou un maréchal : Hoche, Marceau, Kléber... Kléber, c'était ça : avenue Kléber... 32, avenue Kléber. Elle s'était relevée pour le noter de peur de l'oublier de nouveau et s'était endormie aussitôt en se disant : il faudra que je pense à brûler cette adresse demain.

Il faisait beau mais froid. Boulevard Raspail, Léa marchait d'un pas rapide vers le carrefour Sèvres-Babylone, chaudement emmitouflée dans le somptueux manteau de vison que lui avait prêté Françoise, les cheveux enfouis sous une toque de même fourrure, chaussée de bottillons fourrés un peu grands pour elle.

Les rares piétons, le plus souvent pauvrement vêtus, se retournaient sur cette jeune femme élégante qui semblait se jouer des restrictions et du froid. Tout au plaisir de frotter son visage contre le poil soyeux, Léa ne remarquait pas les regards hostiles ou méprisants. Elle ralentit sa marche devant la librairie Gallimard. Le jeune homme brun qui aimait les romans de Marcel Aymé arrangeait des livres dans la vitrine. Leurs regards se croisèrent, il la reconnut et lui sourit en lui montrant l'ouvrage qu'il tenait à la main : l'auteur en était Raphaël Mahl. *Gide,* lut-elle en gros sur la couverture. Cette « rencontre » raviva son angoisse. Elle pressa le pas. En passant devant l'appartement de Camille et de Laurent, abandonné dans la panique de juin 40, elle n'eut qu'un regard indifférent.

Les banderoles et les insignes nazis flottaient sur la façade de l'hôtel Lutétia, ornements lugubres, choquants par cette belle matinée ensoleillée. Sur les marches de l'entrée, plusieurs personnes discutaient, entourant deux officiers allemands. Parmi eux... non, cela n'était pas possible. Pour en avoir le cœur net, Léa traversa et se força à ralentir devant le groupe. Elle ne s'était pas trompée. C'était bien François Tavernier qui semblait au mieux avec les deux Allemands. Les jambes molles, Léa se sentit submergée par la peine. Les larmes coulèrent sur ses joues, sans qu'elle puisse rien faire pour les arrêter. Le comble de l'humiliation : pleurer devant ce salaud et ses sinistres compagnons.

« Voilà une jolie dame qui a l'air d'avoir bien du chagrin », fit un des officiers en apercevant la jeune fille.

François Tavernier suivit le regard de son interlocuteur. Ce n'était pas vrai... C'était bien elle; la seule femme qu'il connaissait, capable de rester jolie en pleurant.

« Excusez-moi, messieurs, c'est ma jeune sœur. Son caniche lui aura échappé, elle est très émotive.

– Sacré farceur, fit l'un des civils en lui tapant sur l'épaule. Encore une de vos conquêtes. Bravo, mon cher, vous avez fort bon goût. Quelle fraîcheur. Vous devriez avoir honte de garder une telle beauté pour vous tout seul. Amenez-la à un de nos dîners.

– Je n'y manquerai pas. Messieurs, excusez-moi. A bientôt. »

Il dévala les marches, prit le bras de Léa et l'entraîna.

« Je vous en prie, ayez l'air naturel, ils nous regardent. »

Durant quelques instants, ils marchèrent en silence, traversèrent la rue du Cherche-Midi et remontèrent la rue d'Assas.

« Lâchez-moi, je peux marcher toute seule. »

François obéit.

« Toujours le même aimable caractère. Je suis heureux de voir qu'on ne vous a pas changée et je constate, avec plaisir, que votre situation matérielle semble s'être améliorée. Cette somptueuse fourrure vous va à ravir. »

Léa haussa les épaules sans répondre.

« Mais ce n'est pas un vêtement pour une jeune fille convenable. Seules les femmes et les maîtresses des trafiquants du marché noir, certaines actrices et quelques poules entretenues par des Allemands osent s'habiller ainsi. »

Léa rougit et ne trouva qu'une piètre repartie qu'elle se reprocha aussitôt :

« Il n'est pas à moi, je l'ai emprunté à ma sœur. »

François ébaucha un sourire.

« Que faites-vous à Paris?... Pourquoi pleuriez-vous?

– Quelle importance! »

Il s'arrêta, la prit par les bras, la forçant à le regarder.

« Ne savez-vous pas, petite sotte, que tout ce qui vous touche est important pour moi? »

Pourquoi ces mots calmaient-ils sa peine? Doucement, elle se dégagea et reprit sa marche. Ils arrivèrent devant les grilles du Luxembourg.

« Venez, entrons, nous y serons plus tranquilles pour parler », dit-il.

Autour du bassin, des gamins en bonnet et écharpe de laine se poursuivaient en poussant des cris stridents, surveillés par des femmes qui tapaient des pieds et des mains pour se réchauffer.

« Maintenant, dites-moi pourquoi vous êtes à Paris?

– A cause de ma sœur Françoise. Sa santé n'est pas très bonne...

– C'est normal dans son état.

– Sans doute. L'inquiétude de mes tantes était telle que j'ai pris le premier train. Mais, je ne pense pas rester longtemps. Dès que je suis loin de Montillac, j'ai peur qu'il arrive quelque chose.

– Avez-vous des nouvelles de Laurent d'Argilat?

– Non, pas depuis l'exécution des otages, à Souges, le 21 septembre.

– Je l'ai revu peu de temps après. Il ne se pardonnait pas de ne pas avoir réussi à les sauver, dit Tavernier en reprenant le bras de Léa.

– Qu'y pouvait-il?

– Il connaissait parfaitement le camp de Mérignac où les Allemands ont pris les otages.

– Comment connaissait-il cet endroit?

– Peu après l'enterrement de votre père, il avait été pris dans une rafle, rue Sainte-Catherine à Bordeaux. Ses faux papiers étaient en règle. Sans motif, on l'a interné au camp de Mérignac. Trois jours après, il s'évadait et rapportait un plan précis du camp ainsi que quelques contacts pouvant être utiles. Quand il a appris que soixante-dix personnes prises au hasard allaient être fusillées en représailles aux attentats commis à Paris, il a tenté de monter une opération avec l'abbé Lasserre et quelques camarades de son réseau. Ils devaient tenter d'intercepter les camions transportant les otages, abattre les gardiens et libérer les prisonniers. Au dernier moment, l'ordre leur a été donné de ne rien entreprendre.

– Qui a donné cet ordre?

– Je n'en sais rien. Londres, peut-être.

– C'est absurde.

– En politique, ce sont souvent les choses qui paraissent absurdes qui ont force de loi. »

Il la regarda dans les yeux et ajouta brusquement :

« J'ai envie de vous embrasser.

– Pas tant que je ne saurai pas la vérité sur vos relations avec vos « amis » de l'hôtel Lutétia.

– Je ne peux pas vous en parler. Ce sont des choses qu'il vaut mieux, pour vous et pour nous tous, que vous ignoriez.

– J'ai eu un choc tout à l'heure quand je vous ai vu en leur compagnie. J'allais justement à votre recherche à l'adresse que vous m'aviez donnée.

– Au 32, avenue Kléber?

– Oui.

– Remerciez mes « amis allemands », comme vous dites, sans ce rendez-vous et cette rencontre, vous seriez allée vous jeter dans la gueule du loup. Et il n'est pas sûr que j'aurais pu vous en tirer malgré mes relations et l'amitié que me porte Otto Abetz.

– L'ambassadeur d'Allemagne?

– Oui, rappelez-vous, nous nous sommes rencontrés chez lui et nous y avons dansé. Avez-vous oublié notre danse? »

Ils s'étaient accoudés sur la balustrade dominant les pelouses labourées et le bassin, tournant le dos au kiosque à musique. Dans la lumière hivernale, le palais du Sénat, protégé par des sacs de sable, avait l'air d'un château endormi gardé par les arbres noirs dont les bras décharnés s'élançaient vers le ciel en un mouvement de menace ou de supplication. Derrière eux, un jardinier poussait une brouette pleine de carottes, de raves et de poireaux. Le grincement de la roue les fit se retourner.

« Que fait-il ici avec tous ces légumes? demanda Léa étonnée.

– Vous ne saviez pas que le jardin du Luxembourg était transformé en potager?

– Ce n'est pas une mauvaise idée, fit-elle avec un air si sérieux que François éclata de rire.

– Non, ce n'est pas une mauvaise idée, quoique je me demande à qui profitent ces cultures maraîchères. Vous ne m'avez toujours pas dit pourquoi vous cherchiez à me joindre.

– Tout cela est si confus pour moi. Qui êtes-vous? L'homme des Allemands ou celui des Français? L'ami d'Otto Abetz ou de Sarah Mulstein?

– Il est trop tôt encore pour que je vous réponde. Une chose seulement : jamais par moi il ne vous arrivera malheur. Vous pouvez tout me dire.

– Avez-vous des nouvelles de Sarah?

– Si vous savez quelque chose, dites-le-moi. A tout instant, elle est en danger », dit-il en lui saisissant la main.

Les yeux de Léa essayaient en vain de percer le secret de ceux de François. Malgré la fourrure, elle frissonna.

Il l'attira contre lui et parcourut de baisers son

visage glacé. Léa eut l'impression qu'elle attendait ce moment depuis l'instant où elle l'avait aperçu sur les marches du Lutétia. Quand enfin leurs lèvres se joignirent, elle sentit un bonheur chaud l'envahir et son corps aller au-devant de celui de son ami.

« Petit animal, petite femelle, tu n'as pas changé. Comment peut-on vivre aussi longtemps séparés? »

Cette main qui se glissait sous son pull-over et prenait possession de ses seins... elle était à la fois froide et brûlante, torturant les pointes raidies.

« Philippe! Marianne! ne regardez pas... C'est dégoûtant... devant des enfants!... vous n'avez pas honte », s'écria une femme en costume de nurse poussant devant elle un énorme landau et houspillant deux gamins de quatre ou cinq ans.

Quand enfin, ils remarquèrent sa présence, leurs regards qui ne la voyaient pas, leurs sourires tournés vers eux-mêmes, lui firent baisser la tête et, se détournant, presser le pas.

« Cette dame a raison, cet endroit n'est pas convenable. Allons déjeuner chez mon amie Marthe Andrieu, c'est tout près d'ici.

– Marthe Andrieu?

– La patronne du restaurant clandestin de la rue Saint-Jacques. »

A la sortie du jardin, des policiers français en civil leur demandèrent leurs papiers. Contrôle de routine sans doute. Ils les laissèrent passer sans leur poser la moindre question.

« Que cherchent-ils? demanda Léa tandis qu'ils traversaient le boulevard Saint-Michel.

– Des terroristes, des juifs, des communistes, des gaullistes...

– Quand ils les arrêtent, qu'en font-ils?

– Cela dépend des polices mais, en général, ils préfèrent s'en débarrasser. Ils les donnent à la Gestapo qui, selon les cas, les torturent, les déportent ou les tuent.

– Si Sarah était arrêtée, qu'en feraient-ils?

– La dernière fois que je l'ai vue, elle appartenait à un réseau de résistance qui s'était spécialisé dans le passage des juifs en zone libre.

– Et maintenant?

– Maintenant, plus que jamais, j'ai peur pour elle. S'ils apprennent son appartenance à la Résistance, ils la tortureront. Telle que je la connais, elle ne parlera pas et elle mourra. »

Tête baissée, mâchoires serrées, François Tavernier pressa le pas. Cramponnée à son bras, Léa dut faire deux grandes enjambées pour se remettre à son rythme... Elle devinait la tension de son compagnon, et s'en inquiétait.

Devant eux, le Panthéon se dressait dans le ciel devenu de plus en plus menaçant tandis que des rafales de vent froid faisaient tourbillonner la poussière de la rue Soufflot.

Un groupe d'étudiantes, court-vêtues, portant pour la plupart des jupes plissées écossaises, des canadiennes ou des imperméables, tête et jambes nues, chaussées d'épaisses chaussures égayées par des socquettes de laine angora de couleur vive, les bousculèrent en riant.

« Il faut la retrouver.

– Qui?

– Sarah. Moi aussi, j'ai peur pour elle. Hier, Raphaël Mahl est venu chez mes tantes. Il m'a demandé si j'avais de ses nouvelles.

– Je ne vois là rien d'alarmant. Sarah et lui se connaissent depuis longtemps et vous savez quelle indulgence elle a pour lui.

– Moi aussi, j'ai pour lui de l'indulgence. Malgré moi, il m'amuse et me fait rire. Mais là... maintenant... je le sens, comment dire... comme... incontrôlé. C'est ça : il ne contrôle plus la part mauvaise qui est en lui.

Je le sens, vous comprenez, je le sens... Je ne peux pas m'expliquer autrement.

– N'a-t-il rien dit d'autre qui ait pu vous alarmer? »

Léa baissa la tête, se sentant impuissante à communiquer son angoisse. Elle avait la certitude qu'à cause de Raphaël Mahl, quelque chose d'épouvantable allait arriver à Sarah...

« Il m'a demandé si mon oncle Adrien allait bénir le mariage de Françoise et de... du... »

Tavernier vint à son secours.

« ... Sturmbahnführer Kramer. En d'autres circonstances, ce mariage eût été parfait pour votre sœur. Quoi de plus harmonieux qu'un couple de mélomanes! Malheureusement, le commandant Kramer n'est pas seulement musicien mais un officier S.S. Je peux même vous dire qu'il est très estimé de ses supérieurs bien qu'on l'ait toujours soupçonné de s'être porté volontaire uniquement pour ne pas décevoir son père malade, grand ami du chef des S.S., Heinrich Himmler. Egalement protégé par un autre ami de son père, le fameux Paul Hausser, créateur de l'école d'officiers de la S.S., il a pu, grâce à lui, consacrer plusieurs heures par jour à la musique. J'ai été surpris, quand j'ai appris qu'il comptait épouser votre sœur. Jamais le vieux Kramer ne donnera son autorisation.

– Mais alors, que va devenir Françoise? »

L'arrivée devant l'immeuble de la rue Saint-Jacques où se tenait le restaurant clandestin de Marthe Andrieu, le dispensa d'une réponse immédiate.

Comme la dernière fois, l'accueil fut chaleureux mais la maîtresse de maison avait les yeux rouges.

« Que se passe-t-il, Marthe? Ce sont les oignons qui vous font pleurer?

– Non, monsieur François, dit-elle en essuyant ses joues qui s'inondaient de larmes, c'est à cause de René.

– Que lui arrive-t-il? Il a l'air d'aller très bien.
– Ils veulent l'envoyer en Allemagne. »

René s'approcha, une assiette à la main.

« Maman, calme-toi, les clients vont se demander ce qui se passe.

– Je m'en fiche, moi, de ce que pensent les clients, je ne veux pas que tu partes. »

François Tavernier se leva et la prit par les épaules.

« Venez dans la cuisine me raconter tout ça. Excusez-moi, Léa.

– Suivez-moi, mademoiselle, je vais vous donner une table », dit René en l'entraînant.

Tout en buvant un verre de sauternes, Léa regardait autour d'elle, se demandant qui étaient ces gens qui pouvaient s'offrir le luxe de manger dans de tels endroits. Depuis qu'elle était venue les prix avaient fait un bond vertigineux. Les hommes étaient confortablement vêtus, plus très jeunes, la mine plutôt replète. Les femmes portaient toutes des chapeaux et arboraient cet air de vanité satisfaite tout à fait insupportable. Sur le dossier de leur chaise était posé leur veste ou leur manteau de fourrure. Léa se rendit compte qu'avec le manteau de sa sœur elle leur ressemblait. Cela lui fut odieux. Peut-être serait-elle partie si, à ce moment-là, François n'était revenu, l'air soucieux...

« Quelque chose ne va pas?

– Vous avez entendu, René doit partir au S.T.O. Je lui ai conseillé d'y aller.

– Vous parlez sérieusement?

– Très sérieusement. S'il ne se présente pas, la police viendra ici et ses parents auront des ennuis.

– Mais, vous allez faire quelque chose pour lui?

– Je vais essayer. Mais cela devient de plus en plus difficile. Les Allemands ont réclamé, pour ce trimestre, deux cent cinquante mille hommes et ils en demandent autant pour le premier trimestre 43. »

François Tavernier lança un rapide regard autour de lui et reprit un ton au-dessous.

« Parlons d'autre chose. Comment va Camille?

– Bien, elle m'aide beaucoup dans la gestion de Montillac.

– Fayard, le maître de chais, est-il revenu à la charge? A-t-il toujours des vues sur la propriété?

– Il n'en reparle plus, mais je me méfie; j'ai l'impression qu'il épie chacun de nos mouvements. Quand je lui demande s'il a des nouvelles de Mathias, il me regarde d'un drôle d'air et me tourne le dos en bougonnant. Il ne me pardonne pas le départ de son fils pour l'Allemagne. »

Les œufs brouillés aux truffes que Marthe leur apporta étaient une vraie merveille.

Un couple étrange entra dans la salle. Lui, de taille moyenne, engoncé dans un pardessus au col de fourrure, boutonné de travers, l'air fruste démenti par deux petits yeux durs et intelligents, elle, très élégante, vêtue d'un somptueux manteau de panthère, la tête enserrée dans un haut et large turban de velours noir.

Marcel et Marthe s'empressèrent auprès d'eux et les installèrent avec beaucoup d'égards. La femme remercia d'un signe de tête à la distinction exagérée et laissa glisser négligemment sa fourrure, révélant sur son impeccable tailleur noir un collier à plusieurs rangs de perles magnifiques. Léa n'arrivait pas à détacher son regard de ce ruissellement fabuleux.

« Léa... Léa...

– Oui? dit-elle en s'arrachant à sa contemplation.

– Ne dévisagez pas ces gens comme ça... Marthe! »

La cuisinière qui passait près de leur table s'arrêta.

« Vous voulez quelque chose, monsieur François?

– Oui, l'addition rapidement.

– Mais nous n'avons pas fini, s'exclama Léa.

– Quelque chose ne va pas, monsieur François?
– Non, ma bonne amie, mais je viens de me souvenir, j'ai un rendez-vous important... qui peut être utile à votre fils, ajouta-t-il en baissant la voix, devant son air peiné.
– Alors là... fit-elle en s'enfuyant vers sa cuisine.
– Enfin, François, m'expliquerez-vous?
– Trop tard... »
L'homme qui venait d'arriver s'était levé et se précipitait, main tendue, vers François.
« Mais, il me semblait bien que c'était monsieur Tavernier. Hélène avait raison. Je vois que vous aussi, vous connaissez les bonnes adresses. Il faudra en rajouter une autre dans votre carnet : la mienne. J'ai, sans me vanter, la meilleure table de Paris. Tous les jours, je reçois une vingtaine d'amis, j'espère que vous serez des nôtres. Bien entendu, mademoiselle sera également la bienvenue. »
Il s'inclina devant Léa qui lui répondit par un simple geste de la tête.
Marthe déposa l'addition sur la table.
« Vous partez déjà, mon cher Tavernier?
– Un rendez-vous important », fit François en tirant des billets de son portefeuille.
L'homme fouilla la poche intérieure de sa veste.
« Tenez, voici ma carte. Notez bien mon adresse : 19, rue de Presbourg. Tous ceux qui comptent actuellement à Paris fréquentent ma maison... Vous n'y rencontrerez que la crème de ces messieurs. Venez saluer ma femme avant de partir, sinon, elle ne vous le pardonnerait pas et vous savez combien les rancunes d'Hélène sont tenaces.
– Comment, cher ami, pouvez-vous penser un seul instant que je ne déposerai pas mes hommages aux pieds de la femme la plus charmante de Paris? Je vous suis. »
François Tavernier posa sa main sur le bras de Léa et lui dit à voix basse :

« Attendez-moi, j'en ai pour une minute. »

De mauvaise grâce, Léa se rassit.

« Tenez, mangez ça en attendant », dit Marthe en déposant devant elle une part de tarte aux pommes.

Pendant ce temps, Tavernier faisait des salamalecs à cette bonne femme. Etait-il ridicule avec ses sourires et ses courbettes! Elle n'en revenait pas, lui qui était plutôt distant, ironique... là, pour un peu, il avait l'air obséquieux. Enfin, il se décidait à les quitter et à se rappeler son existence.

« Je vois que vous n'avez pas perdu votre temps, fit-il en désignant les miettes de gâteau.

– C'est Marthe...

– Je ne vous reproche rien.

– Il ne manquerait plus que ça! Si vous vous étiez vu, faisant le joli cœur avec cette vieille poule...

– Pas si fort! Vous êtes très injuste envers cette dame. Venez. »

Dans l'entrée, ils retrouvèrent Marthe, et René qui essayait de consoler sa mère.

« René, puis-je vous parler un instant?

– Bien sûr, monsieur François. »

Ils entrèrent dans la chambre où dormait le petit garçon de René et de Jeannette au milieu des jambons, des saucissons, des conserves et des cagettes de légumes qui s'entassaient jusqu'au plafond.

« Voulez-vous porter un message aux personnes qui sont dans la petite salle que vous réservez aux amis?

– Je les ai mises là car elles sont venues de votre part.

– Vous avez bien fait. Vous demanderez monsieur Jacques Martel. Un homme brun au visage régulier vous répondra. Vous lui direz que les affaires ne sont pas bonnes. Avez-vous fait réparer la porte de cette pièce qui donne sur l'escalier de service et installé devant le grand panneau chinois, assorti aux deux paravents?

– Oui, j'ai tout fait moi-même pour qu'on ne pose pas de questions.

– L'escalier était condamné. Vous avez libéré l'accès près des caves?

– Tout est en place, même la poussière et la saleté auxquelles je n'ai pas touché. Pas un voisin n'a remarqué le plus petit changement.

– C'est parfait. Merci, René. Pour la première fois, cette issue va servir. Ils sont quatre n'est-ce pas?

– Oui.

– Qu'ils sortent à deux minutes d'intervalle. Allez-y maintenant, surtout qu'aucun de vos clients ne les voie. Il y va de la sécurité de tous. Une chose encore, soyez très prudent en présence de monsieur Michel et de ses amis. Qu'il ne soupçonne pas un seul instant ce qui se passe parfois ici.

– Ne vous inquiétez pas, même mes parents ne sont au courant de rien. Seule Jeannette s'en doute un peu.

– Avec elle, rien à craindre. Cependant, par simple précaution, vous devriez envoyer le petit dans le Lot.

– J'y avais pensé, il partira le plus tôt possible.

– Allez vite, René, n'oubliez pas : Jacques Martel. Il doit sortir le deuxième.

– On croirait qu'on a affaire au général de Gaulle lui-même. »

François Tavernier ne dit rien, tandis qu'une lueur de complicité amusée passait dans son regard...

Le premier, René quitta la chambre de réserve. A son tour, François sortit de la pièce après une caresse sur la tête de l'enfant endormi qui était son filleul.

En attendant dans la cuisine, Marthe et Léa se remontaient le moral avec des sucres trempés dans de l'eau-de-vie de prune fabriquée par la famille du côté de Limogne. A en juger par leurs yeux brillants, elles avaient dû tremper plusieurs morceaux dans plusieurs petits verres.

Tavernier s'arrêta sur le pas de la porte.

Léa parlait avec animation des œillades *scandaleuses* qu'Hélène avait lancées à François.

Il s'approcha d'elle et la prit par le bras. Sans se soucier de ses protestations, il la tira dans la petite entrée, puis sur le palier.

« Lâchez-moi, je veux parler à cette femme. Vous avez remarqué avec quel air effronté elle vous regardait? C'en était gênant. Elle avait pourtant bien vu que vous étiez accompagné! Quel culot!... »

Ils étaient arrivés non sans peine dans le hall. François avait du mal à garder son sérieux devant Léa tant son visage, sous la toque posée de travers, était ravissant dans son ivresse coléreuse.

« Ma parole, vous me faites une scène! Vous êtes jalouse!

– Jalouse! moi! et de qui? de quoi?

– De moi, il me semble.

– De vous!... vous êtes complètement fou! de vous!... c'est risible! vous prenez vos désirs pour des réalités... vous me confondez avec les femmes que vous fréquentez habituellement. Jalouse!... moi!... vous me faites rire... »

Brusquement, il l'attira contre lui.

« Tais-toi, tu vas dire des bêtises... On parle toujours trop. Que m'importe que tu sois jalouse ou non. A vrai dire, je préférerais que tu ne le sois pas. »

L'air têtu, elle se balançait d'un pied sur l'autre, ne cherchant pas à lui échapper. Elle passa sa langue sur ses lèvres sèches. Ce petit geste fut comme un signal, le sexe de François se gonfla et le ventre de Léa alla vers lui.

Leurs lèvres se joignirent avec cette faim que donne un grand amour ou une grande abstinence. C'était le cas pour Léa. Depuis le jour de l'enterrement de son père aucun homme, à part François, ne l'avait touchée.

Accrochée à lui, elle haletait, ponctuant ses baisers de petits cris. C'eût été la nuit, François Tavernier l'aurait prise sur-le-champ contre le mur sale de l'entrée de l'immeuble dont la haute porte était heureusement fermée. Mais là, à tout moment, quelqu'un pouvait entrer et les clients du restaurant clandestin descendre.

Non sans mal, il s'arracha à l'étreinte de la jeune fille.

« Venez, ne restons pas là. Allons chez moi.

– Non... maintenant... »

Des voix provenant de l'escalier lui redonnèrent un peu de lucidité. Sans plus résister, elle se laissa entraîner.

Léa se réveilla et s'étira longuement en grognant. Elle se sentait merveilleusement bien malgré le mal de tête qui lui cognait aux tempes. Elle se redressa regardant autour d'elle, ramenant sur ses épaules nues la couverture de vigogne du grand lit aux draps froissés. Elle eut un petit rire devant le désordre. Quel drôle d'endroit! Cela tenait du grenier, de la grotte ou de la tente des hommes du désert. D'épaisses tentures de velours d'un beau rouge sombre, accrochées aux poutres du plafond tombaient de chaque côté du lit le plus large que Léa eût jamais vu. Face à cette couche de sybarite, brûlait, dans une vaste cheminée de bois sculpté, un grand feu. Devant le foyer, un très beau tapis sur lequel étaient éparpillés des coussins et des vêtements. Les flammes projetaient des ombres mouvantes qui s'accrochaient aux poutres. Tout était sombre en dehors de cette zone lumineuse. Les murs de la pièce s'estompaient jusqu'au plus noir.

« C'est comme si j'étais suspendue dans le temps et l'espace », dit-elle à voix haute.

Dans le silence où seul le crépitement du feu se

faisait entendre, le son de sa voix surprit Léa et la ramena à la réalité.

« Ce doit être ça le péché », pensa-t-elle. Cette idée la fit rire, car sa notion du péché était des plus fluctuantes et ce, depuis son enfance, malgré le catéchisme que sa mère lui faisait réciter chaque jour et les sermons de l'oncle Adrien qu'elle avait pu entendre dans la cathédrale de Bordeaux.

« Que vous êtes belle ainsi, fit une voix sortant de la pénombre.

– François, où vous cachez-vous? Je ne vous vois pas. »

Une lampe à l'abat-jour d'opaline verte s'alluma. Derrière elle, assis devant un grand bureau encombré de livres et de papiers, se tenait François Tavernier. Il se leva et s'approcha du lit. Il était vêtu d'une sorte de longue robe rebrodée qui accentuait la brutalité de ses traits et lui donnait l'air d'un barbare mongol.

« Que faites-vous déguisé ainsi?

– Oh! Léa... moi qui pensais vous séduire avec cette tenue décadente. C'est raté.

– D'où cela vient-il? C'est beau.

– Je l'ai rapporté, il y a plusieurs années d'un voyage à Kaboul. Un prince afghan m'en a fait cadeau. C'est une robe de cérémonie, que portaient autrefois les ministres. Ce vêtement très chaud était fait pour affronter les climats rigoureux. Depuis le début de la guerre, je le porte chez moi l'hiver.

– C'est aussi pour lutter contre le froid que vous avez fait mettre ces tentures tout autour du lit?

– Oui. Dès que cela a été terminé, je me suis rendu compte que j'avais reconstitué, à une échelle d'adulte, l'univers favori de ma petite enfance : la table de la salle à manger de mes grands-parents, qui me paraissait alors immense, et son tapis rouge qui traînait par terre sous lequel j'aimais à me rêver Bédouin, Hun, seigneur de la guerre ou marchand d'esclaves. »

Léa le regardait avec un tel étonnement qu'il éclata de rire.
« Mais j'ai été un petit garçon comme les autres.
– Oui, sans doute, dit-elle en riant aussi. Mais j'ai beaucoup de mal à vous imaginer enfant.
– C'est encore une chose qui nous différencie; moi, je n'ai aucun mal à voir la petite fille que vous étiez il n'y a pas si longtemps et que vous êtes encore dans bien des domaines. »
Il s'assit près d'elle, la regardant avec une tendresse qui la toucha. Spontanément, elle se blottit contre lui, frottant son nez contre le cou de son amant.
« J'aime votre odeur. »
Il la serra tendrement, savourant son premier mot aimable qui avait pour lui la même valeur qu'un mot d'amour. Dans le « j'aime votre odeur » d'une femme sensuelle, il entendait le « je vous aime » d'une femme amoureuse. Il en était là. Lucide, il n'avait même pas envie de se moquer de lui. Sachant la fragilité de ce moment et connaissant la versatilité de Léa, il jouissait de cet instant de bonheur, et se taisait de peur de rompre le charme qui les unissait.
Le téléphone sonna.
Léa sursauta et se redressa en s'écriant :
« Mon Dieu, il fait nuit!... Mes tantes vont s'inquiéter.
– Non, je les ai prévenues que vous étiez avec moi.
– Ah! bon, fit-elle en se levant, indifférente à sa nudité. Vous ne répondez pas?
– Non, aujourd'hui, je ne suis là pour personne.
– C'est peut-être important. Je vous en prie, répondez. »
Il obéit à l'angoisse du ton de Léa. Mais quand il décrocha, il n'y avait plus rien au bout du fil.
« Comme vous êtes pâle, il ne faut pas vous émouvoir ainsi.
– Oui, vous avez raison, je suis sotte.

– Je vais vous faire couler un bain, cela vous remettra.

– Un bain?...

– Oui, c'est rare que l'on puisse proposer actuellement à des amis de prendre un bain. Ne croyez pas que ce soit souvent comme ça. Je pense qu'il y a de l'eau chaude dans le réservoir. Tenez, vous allez avoir froid. »

Léa prit le châle de cashmere qu'il lui tendait.

« Mettez-vous près du feu, je vais faire couler l'eau et allumer le radiateur. »

Quand il revint, Léa était assise, ses deux bras entourant ses jambes repliées. François s'assit en face d'elle, le dos appuyé à l'un des pieds de la cheminée.

« Vous n'auriez pas une cigarette? »

Il fouilla dans une des poches de sa robe et en sortit un très bel étui.

« Ce sont des anglaises, ça vous est égal? »

Sans répondre, Léa prit une cigarette et l'alluma à la brindille incandescente qu'il lui présentait au bout des pincettes.

« Merci », fit-elle en avalant la fumée les yeux fermés.

A son tour, il en alluma une. Durant quelques instants, ils fumèrent en silence.

« Qui était l'homme qui est venu vous parler chez Marthe? »

François mit quelque temps avant de répondre.

« C'est une crapule extrêmement dangereuse.

– Vous semblez pourtant au mieux avec lui.

– En apparence, c'est vrai. Je ne peux pas faire autrement. J'ai besoin de fréquenter des gens comme lui.

– Je ne comprends pas.

– Il est préférable que vous ne compreniez pas. Mais je peux vous dire qui il est. Il s'appelle Mendel Szkolnikoff ou Sekolnikow, apatride d'origine russe, d'une famille de marchands de tissus de Riga. Fournisseur de l'armée tsariste, puis révolutionnaire, il quitte la Russie pour l'Allemagne avant de fuir en Hollande avec sa famille pour échapper au sort que les nazis réservaient aux juifs. Ensuite, on le retrouve à Bruxelles où il est bientôt poursuivi pour banqueroute frauduleuse. Je vous passe les détails. Après une légère condamnation, il obtient l'autorisation de s'installer en France. Séparé de sa femme, il crée en 1934 avec son frère, je crois, une société pour l'achat et la vente de tissus, rue d'Aboukir. Les affaires ne sont pas très bonnes, il est poursuivi pour fraude. Quand arrive la guerre, il est connu dans le milieu des affaires louches sous le nom de Michel. En 40, inquiet, jugeant sa situation de juif et d'apatride dangereuse, il prend comme associé l'inspecteur de police chargé de le surveiller et prend contact avec les autorités allemandes pour faire du commerce avec elles. Dès le mois de novembre, les affaires commencent et, très vite, deviennent excellentes. Ses nouveaux clients se montrent très satisfaits de lui...

– Ma parole! c'est un véritable rapport que vous me faites là.

– Si cela vous ennuie, je...

– Non, non, continuez, je m'instruis.

– Grâce à ses nouvelles relations, il échappe aux services du « Contrôle des prix » et à la police française, mais en mai 41, coup dur, on classe sa société comme entreprise juive. Il préfère la dissoudre. Ce qui ne l'empêche pas de continuer ses trafics... venez, votre bain doit être prêt. »

Léa se leva et le suivit jusqu'à la salle de bain.

Elle se débarrassa du châle et se plongea dans l'eau presque brûlante.

« Ah! c'est bon... »

François s'assit sur le rebord de la baignoire et sans la quitter des yeux reprit le cours de son récit.

« A la même époque, il rencontre un autre fournisseur du bureau d'achat allemand avec lequel il traite; c'est une femme, une Allemande, Elfrieda, dite Hélène, mariée à un commerçant juif. De cette rencontre va naître une formidable entreprise d'escroqueries et de trafics en tous genres. Ils achètent tout ce qui est à vendre : pommes de terre, tissus, médicaments, parfums, livres, fourrures, bref tout ce qu'on vient leur proposer, qu'ils revendent à l'occupant ou à ceux qui peuvent payer. Ils deviennent ainsi un des principaux fournisseurs de la Kriegsmarine. A ce moment-là, l'arrivée à Paris de l'Hauptsturmführer S.S. Fritz Engelke, du Service central de l'administration de la S.S., va permettre au couple de se lancer dans des affaires colossales. Le nouveau venu s'installe rue du général Appert et avenue Marceau. Enfin, la S.S. a son bureau d'achat et va pouvoir à son tour participer au grand pillage des marchandises françaises. Szkolnikoff demande à Otto, un personnage dont je vous parlerai peut-être un jour, de le présenter à Engelke. Après quelques premières affaires, quelques bons repas, les deux hommes deviennent amis ou plutôt, ce sont leurs femmes, allemandes toutes les deux, qui deviennent inséparables. Et c'est ainsi que Szkolnikoff devient l'acheteur officiel des S.S. Voilà le personnage. Intéressant, non?... »

Léa avait les yeux clos. François ne se lassait pas de la contempler. Il crut qu'elle dormait. Il tendit la main pour écarter une mèche de cheveux qui tombait sur son front. Elle ouvrit les yeux.

« Ne me regardez pas ainsi. Lavez-moi. Vous vous souvenez, à Orléans, quand vous m'avez lavée sous les bombardements?

– Taisez-vous.

– Pourquoi? J'ai souvent pensé à cette première fois. Au début, j'étais furieuse...

– Et maintenant?

– Ça dépend des jours. Vous avez du savon?

– Je vais vous sacrifier ma dernière savonnette de chez Guerlain. »

Il prit dans un tiroir la précieuse savonnette qu'il sortit de son emballage.

« Faites-la-moi sentir. Hum... ça sent bon... Qu'est-ce que c'est? Ce n'est pas très masculin comme parfum, dit-elle en la lui tendant.

– En effet, c'est Shalimar. »

François frotta le savon sur une grosse éponge et commença à laver les belles épaules.

« Sans doute le parfum d'une de vos belles amies, dit-elle d'un ton plus acerbe qu'elle ne le voulait.

– Mon Dieu! jalouse comme vous êtes, je plains l'homme qui sera votre mari.

– Soyez heureux, ce ne sera pas vous.

– Ça, ma chère, vous n'en savez rien...

– Ça m'étonnerait beaucoup, je ne vous aime pas assez pour ça. »

C'était idiot, mais ce que cette petite garce pouvait lui faire mal.

« Aïe! Attention, vous allez m'arracher la peau...

– Pardonnez-moi, je pensais à autre chose.

– C'est agréable!... Je suis là, entre vos mains, et vous pensez à autre chose. »

Boudeuse, elle lui tourna le dos et se renfonça dans la baignoire.

Sans se soucier d'être mouillé, il l'attrapa, la retira de l'eau, la sortit de la salle de bain et la posa brutalement sur les coussins devant le feu.

« Mais vous êtes fou,... je vais avoir froid... donnez-moi une serviette... »

Négligeant de lui répondre, François retira la lourde robe d'un seul geste. Nu, le sexe dressé, les jambes écartées de chaque côté d'elle, il la dominait de toute sa taille. Léa ne put réprimer un frémissement voluptueux. Il ressemblait au brigand qu'elle rêvait de rencontrer au détour des allées forestières des Landes lorsqu'elle était petite.

Elle porta la main au creux de ses cuisses. François tomba à genoux devant cette petite main crispée, déplia doucement les doigts et posa ses lèvres à leur place. Sous cette langue qui la fouillait, elle se cambra pour mieux s'offrir. Le plaisir la surprit avec une violence qui la fit crier et s'agripper aux cheveux de son amant. Comme à regret, il releva la tête, contemplant avec un bonheur qui marquait son visage, le bouleversant résultat de ses caresses. Puis, s'allongeant sur elle, il la pénétra doucement.

Le froid les réveilla. Ils coururent se blottir sous la couverture de vigogne et se rendormirent jusqu'au lendemain matin.

4

C'ÉTAIT un grand bonheur pour Léa que celui de recevoir du courrier. Lorsqu'une lettre arrivait, le matin, elle se calait dans le grand fauteuil de l'entrée, les jambes repliées, les épaules entourées de châles, elle prenait des précautions infinies pour ouvrir l'enveloppe et se régalait...

« Ma chère Léa,

« Je suis assise derrière ce bureau du grand salon que tu connais si bien. Nous l'avons rapproché de la cheminée pour profiter un peu de la chaleur. Les ceps de la vigne au-dehors sont noirs, le ciel est bas, on dirait presque qu'il va neiger. Le domaine est un peu en sommeil depuis quelques semaines. Nous avons essayé, Mme Bouchardeau et moi, de mettre tous les comptes en ordre, mais sur bien des points nous avons dû renoncer faute d'informations. Fayard a accepté de tout prendre en main. Nous regrettons que tu ne sois pas là.

« Nous avons été un peu inquiètes d'apprendre par ta dernière lettre l'état de Françoise. Nous espérons que son bébé sera beau et qu'il ne tardera pas à venir nous rejoindre dans ce monde sinistre. Il n'y a pas de plus beau cadeau, de plus bel espoir qu'un petit enfant. Charles qui joue devant moi sur le tapis est merveilleux. Chaque jour, il nous enchante par ses découvertes, ses progrès. Je lui parle sans cesse de son père et de toi pour qu'il ne vous oublie pas et apprenne à vous connaître. Noël approche. Dès qu'il est endormi, Ruth et moi lui fabriquons des jouets en cachette avec du bois de la resserre et des lambeaux de tissus. Quel dommage que nous ne puissions tous nous réunir... Nous avons eu quelques nouvelles de L. Nous n'avons toujours pas la moindre idée de l'endroit où il se trouve, mais nous savons que la tâche qu'il a décidé d'entreprendre avance et que chaque jour sont plus nombreux ceux qui viennent travailler avec lui. Il va bien.

« Fais-nous savoir très vite comment se porte Françoise.

« Charles et moi t'embrassons tendrement.

Camille. »

Léa était toujours un peu agacée par la douceur de Camille, par cet espoir qu'elle voulait à tout prix conserver, par cette passion pour son fils qui lui semblait mystérieuse... Laurent allait bien. Elle devait se contenter de ces vagues nouvelles. Elle savait que Laurent continuait à tenir son journal et que, lorsqu'il le pouvait, il en faisait parvenir des fragments à Camille, mais le risque était trop grand pour les faire circuler. Elle se contentait donc de ces maigres informations et épluchait les journaux du Sud-Ouest qui arrivaient jusqu'à Paris. Derrière chaque acte de « terrorisme », elle voyait la main de Laurent; un pont sautait, c'était Laurent; une patrouille était attaquée, c'était Laurent, des prisonniers libérés, toujours Laurent...

Elle replia soigneusement la lettre, sauta du fauteuil et se dirigea en fredonnant vers le salon.

Du soir au matin
Voir les Fridolins
Moi j'en ai marre...
Entendr' leur radio,
Lire leurs sal' journaux
Moi j'en ai marre...

Elle alluma la T.S.F. et essaya de capter la B.B.C.

« Mademoiselle Léa, ne chantez pas cette chanson, si les voisins vous entendent, on va avoir des ennuis.

– Estelle... taisez-vous, vous m'empêchez de trouver Londres.

– Vous savez bien que c'est interdit.

– Tout est interdit maintenant, on étouffe dans ce pays. Vite, je les ai! allez prévenir mes tantes. »

Estelle sortit bougonnante en se drapant, statue de la réprobation, dans ses multiples châles.

« *Aujourd'hui, 857e jour de la résistance française à l'oppression. Honneur et Patrie. Les Français parlent aux Français.* »

Mais, que font Albertine et Lisa? Elles vont manquer le début. Huit cent cinquante-sept jours que cela dure!... Ce qui est épouvantable, c'est que tout le monde s'installe dans cette durée. On arrive à s'habituer à avoir froid, à faire la queue pendant des heures pour un méchant morceau de pain, à ne se laver qu'une fois par semaine, à acheter le beurre et la viande au marché noir, à croiser des Allemands dans la rue, à accepter n'importe quoi pour une ration supplémentaire. Bien sûr, de temps en temps, des gens se révoltent comme ces femmes de la rue de Buci qui ont démoli la vitrine d'un magasin ECCO avec des boîtes de conserves. Estelle, qui était là, n'a jamais eu aussi peur de sa vie. « Si vous les aviez vus, ces brutes d'agents de police, taper sur ces pauvres femmes. Par dizaines ils les ont embarquées dans les paniers à salade, certaines avec leurs petits accrochés à leurs jupes. Ah! c'était triste à voir. Heureusement que j'avais une amie rue de Seine, je me suis cachée chez elle. Il paraît qu'une femme aurait été tuée et une autre envoyée en Allemagne. Mademoiselle Léa, vous croyez que c'est possible des choses pareilles? » Que pouvait-elle lui répondre?

« *Les Soviétiques continuent à gagner du terrain dans le secteur Sud. La retraite de la VII*e *armée italienne, nullement équipée pour faire face aux rigueurs de l'hiver russe, se transforme en débâcle.* »

« Voilà une bonne nouvelle », pensa Léa. Mais que font-elles? Jamais elles ne manquent l'émission.

« Oh! mon Dieu, mon Dieu, c'est épouvantable... » fit Lisa en entrant dans le salon.

Hors d'haleine, elle se laissa tomber dans une bergère qui craqua sous son poids.

« Qu'as-tu? »

Lisa pointa son index vers la porte en articulant avec difficulté :

« Ta... sœur...

– Quoi? ma sœur...

– Le bébé!

– Et voilà que ça recommence, c'est encore sur moi que ça tombe... après Camille... maintenant Françoise. Il n'y a aucune raison pour que ça s'arrête... j'ai une vocation toute trouvée : sage-femme...

– Ma chérie, éteins cette T.S.F., j'ai mal à la tête.

– Avez-vous prévenu le médecin?

– Il va arriver. Je t'en prie, va voir ta sœur, elle te réclame... »

Pauvre Françoise, depuis la visite du capitaine Frederic Hanke, l'ami d'Otto Kramer, le « fiancé », comme l'appelait pudiquement tante Lisa, elle ne cessait de pleurer et de s'agiter. Léa avait su par Frederic Hanke les raisons de ce chagrin : les chefs du commandant Kramer lui avaient refusé l'autorisation d'épouser une Française et, devant son insistance, l'avaient envoyé sur le front de l'Est. Avant son départ, il avait réussi à faire passer à Frederic une lettre pour Françoise, dans laquelle il l'assurait de son amour et lui demandait de se comporter courageusement en femme de soldat et de ne rien faire qui pût compromettre la vie de leur enfant. Par ailleurs, il suppliait son père d'intervenir auprès de son ami Himmler. Frederic Hanke n'avait pas caché à Léa que son père était, lui aussi, farouchement opposé au mariage.

« Que va devenir Françoise? avait-elle demandé.

– Matériellement, cela ne posera aucun problème. J'ai promis à Otto de veiller à ce qu'elle et l'enfant ne manquent de rien.

– Ce n'est pas de ça dont je voulais parler mais de sa situation : l'enfant sera déclaré de « père inconnu ».

– Je le sais, mais que faire? »

« Léa, dépêche-toi, ta sœur te demande », dit Albertine en entrant.

La chambre sentait la sueur, le renfermé et le vomi. Françoise, les yeux hagards, gisait dans le désordre de son lit. Léa s'assit près d'elle. Quoi! c'était là sa sœur, celle avec qui elle faisait la course jusqu'à Bellevue, avec qui elle se cachait dans les chapelles du calvaire de Verdelais, qui partageait ses baignades dans la Garonne à Langon; et les vendanges où elles se bombardaient avec les grappes de raisin, tachant leurs robes, les chaudes nuits de Noël où elles comptaient du coin de l'œil leurs cadeaux respectifs, trouvant toujours plus beaux les jouets de l'autre; et leurs premières bicyclettes de grande personne, bleue pour elle et rouge pour Françoise; et leurs disputes...

Françoise la regarda avec de pauvres yeux qui rappelèrent à Léa ceux de leur père. Cela lui fut si insupportable qu'elle baissa les siens.

« Otto n'est pas là. Si tu savais comme j'ai peur... Il m'avait promis d'être là... Pourquoi m'a-t-il abandonnée?... »

Elle s'était redressée et agrippait nerveusement Léa.
« Son enfant n'est-il pas plus important que son Führer?... Pourtant Hitler, il ne l'aime pas, il me l'a dit... alors... pourquoi n'est-il pas là pour la naissance de son enfant?
– Calme-toi. Ce n'est pas sa faute. C'est la guerre, il doit obéir...
– Il m'avait dit...
– N'y pense plus. »
Le cri que poussa Françoise fit sursauter Léa.
« Que je n'y pense plus!... comment veux-tu que j'oublie que mon enfant n'aura pas de père... que partout dans la famille on me montrera du doigt... la fille mère... la maîtresse du Boche... la salope... la putain...
– Tais-toi... Ce n'est pas maintenant qu'il faut penser à ça... Ah! docteur, vous voilà!
– Eh bien, chère petite madame, le grand moment est proche? »
Avec le médecin, entrèrent Albertine et Estelle. Léa en profita lâchement pour s'éclipser.
Dans l'entrée le téléphone sonnait. Elle décrocha.
« Allô, Léa?...
– Oui.
– C'est Raphaël Mahl. Il faut que je vous voie immédiatement.
– Mais ce n'est pas possible, ma sœur est en train d'accoucher.
– Laissez faire la nature, elle accouchera bien sans vous. Je dois vous voir.
– C'est grave?
– Très.
– Bon, alors, venez.
– Je ne peux pas.
– Mais pourquoi?
– Trop dangereux à expliquer par téléphone. Je serai dans une demi-heure rue Dauphine, au 16, c'est un restaurant qui ne paie pas de mine mais où les trois

sœurs Raymond mitonnent un salambo caramélisé incomparable. Je vous en supplie, venez.

– J'arrive. »

Elle raccrocha. Il avait réussi à lui communiquer sa peur.

« Qui était-ce? demanda Lisa qui sortait du salon.

– Un ami. Je dois sortir.

– Tu dois sor...

– Oui, laisse-moi passer, c'est important...

– Mais... ta sœur?...

– Elle n'a pas besoin de moi, il y a assez de monde autour d'elle. Si François Tavernier téléphone, dis-lui que je suis au 16, rue Dauphine dans un restaurant avec Raphaël Mahl.

– Raph...

– Oui. N'oublie pas, 16, rue Dauphine. Ne t'inquiète pas, j'essaierai de rentrer de bonne heure.

– Que va dire Albertine?

– Tu lui expliqueras. »

Léa retira du placard de l'entrée ses bottillons fourrés à semelle de bois, achetés grâce aux combines de Raphaël.

« Mets le manteau de ta sœur, tu auras moins froid. »

Depuis que François lui avait dit que seules certaines femmes osaient porter des manteaux de fourrure, Léa n'avait plus emprunté celui de Françoise. Pour ne pas contrarier davantage sa tante, elle l'enfila sans faire de commentaires et posa sur sa tête la toque assortie.

« Rentre vite », lui dit la vieille demoiselle en l'embrassant.

Un vent glacial soufflait rue de l'Université. Il fallait être fou pour sortir par un froid pareil. Dans la rue noire et déserte, retentissait l'écho du claquement des semelles de Léa sur les pavés gelés.

Elle arriva essoufflée et en nage rue Dauphine tant elle avait couru pour échapper à des poursuivants imaginaires. Aucune lumière n'indiquait le restaurant des dames Raymond. Léa poussa une porte qui n'agita aucune sonnette. Etait-ce bien là? Une bonne odeur de soupe lui apporta la réponse.

La salle était petite et chichement éclairée. Sur le comptoir, à droite de l'entrée, dormait un gros chat tigré; un autre frôla les jambes de la jeune fille. Un escalier en colimaçon conduisait au premier étage. Une femme enveloppée dans un tablier blanc trop long pour elle, ronde et haute comme un tonneau, le teint olivâtre, ses cheveux gris tirés en chignon, s'avança vers elle.

« Bonjour, mademoiselle, vous cherchez quelqu'un?

– Oui, M. Mahl.

– M. Mahl n'est pas encore arrivé, mais sa table est prête. Voulez-vous me suivre? »

Elle traversa la salle, suivie de Léa, et l'installa à une petite table recouverte d'une nappe blanche, près de la porte de la cuisine. Une autre femme, semblable à la première, s'approcha et demanda avec un accent auvergnat encore plus prononcé que celui de la précédente :

« Voulez-vous boire quelque chose en attendant? »

Devant l'air indécis de Léa, elle ajouta avec fierté :

« Nous avons encore presque tous les apéritifs.

– Alors, donnez-moi un porto.

– Vous avez raison, il est excellent. »

Léa regardait autour d'elle.

Toutes les tables étaient occupées par une clientèle d'aspect débonnaire parlant bas, aux gestes mesurés, aux vêtements sobres et de bonne qualité à laquelle les sœurs Raymond s'adressaient avec cette familiarité que les restaurateurs réservent aux habitués. Cela vous avait un air de famille rassurant.

« Tenez, mademoiselle, voilà votre porto.

– Merci. »

Léa but lentement, vaguement inquiète, n'osant se demander quelle pouvait être la cause du retard de Raphaël.

Chaque fois que la porte de la cuisine s'ouvrait, on percevait comme des vocalises.

« C'est l'un des fils de la maison qui est apprenti chanteur d'opéra, dit Raphaël Mahl que Léa n'avait pas vu entrer. Un charmant garçon.

– Pourquoi êtes-vous en retard? Mais... vous êtes blessé? »

En effet, un peu de sang coulait de l'arcade sourcilière et du coin de la bouche de Raphaël.

« Ce n'est rien, une dispute avec une petite frappe », dit-il en s'essuyant avec un mouchoir ensanglanté.

Une des sœurs s'en aperçut.

« Oh! monsieur Mahl...

– Taisez-vous, je vous en prie! Vous allez nous faire remarquer. »

Ce qui n'empêcha pas la brave femme de revenir avec une serviette et un bol d'eau tiède.

« Ce n'était pas la peine... »

Devant le regard insistant de la patronne, il se résigna à humecter la serviette et à se passer le linge mouillé sur le visage. Léa le regardait faire avec un certain agacement.

Une autre sœur, à moins que ce ne soit la même, vint prendre leur commande.

« Aujourd'hui, potée d'Auvergne aux choux, andouillette, blanquette de veau et civet de lièvre.

– Que voulez-vous, Léa?

– Une potée.

– Et vous, monsieur Mahl?

– La même chose. Vous avez toujours votre petit bourgogne?

– Bien sûr.

– Vous m'en mettez une bouteille à la température de la cave.

– Je sais, monsieur, je connais les goûts de mes clients. Une assiette de charcuterie pour commencer. Ça vous ira?

– Très bien. Donnez-moi une Suze en attendant.

– Tout de suite, monsieur Mahl. »

Ils n'échangèrent pas un mot jusqu'à l'arrivée de la Suze.

« Allez-vous enfin me dire pourquoi vous m'avez fait venir ici? »

Raphaël ne répondit pas, buvant son verre à petits coups. Son teint était blafard et ses traits tirés.

Il la regarda comme s'il s'apercevait seulement maintenant de sa présence.

« Léa, je suis un immonde salaud.

– Ça, je le sais.

– Non, vous ne le savez pas vraiment. Une autre Suze, commanda-t-il à une des sœurs qui passait.

– Pourquoi vouliez-vous me voir?

– La Gestapo va arrêter Sarah Mulstein. »

Léa resta un bref instant sans comprendre, puis, peu à peu, une expression d'horreur envahit son visage tandis qu'un goût de bile emplissait sa bouche.

« Qu'avez-vous fait?... Ce n'est pas vous?... Dites-moi que ce n'est pas vous!... »

Triturant son verre, Raphaël avait l'air d'un vieil enfant pris en faute ne sachant pas comment s'en sortir.

« Ce n'est pas ma faute... je n'ai pas pu faire autrement... »

Peu à peu, chez Léa, le dégoût remplaçait l'horreur.

« Vous n'avez pas pu faire autrement!... Expliquez-vous.

– C'est un peu long et compliqué. En gros, j'ai été arrêté par la Gestapo pour trafic d'or. Ils m'ont dit qu'ils passeraient l'éponge si j'acceptais de collaborer avec eux en leur donnant quelques petits renseignements sur le milieu de la presse et de l'édition...

– Sinon?...
– Ils me livreraient à la police française pour quelques autres peccadilles ou bien m'enverraient rejoindre ceux de ma race dans un camp de concentration.
– Alors, vous avez préféré y envoyer Sarah!
– Ce n'est pas vraiment comme ça que cela s'est passé. Au début, je leur racontais ce qui se disait dans les couloirs de la N.R.F. et dans les cafés fréquentés par les intellectuels. En échange, ils fermaient les yeux sur mon petit commerce. Vous savez, en ce moment, on peut gagner beaucoup d'argent si on est malin...
– ... et si on est un salaud.
– Ne jugez pas si vite.
– Il y a longtemps que vous travaillez pour eux?
– Un peu plus d'un an... mais d'une manière intermittente. Depuis l'occupation de la zone *nono*, ils sont devenus plus exigeants. Il y a un mois, ils m'ont convoqué et m'ont dit que je devais découvrir ceux qui faisaient passer les juifs en Espagne. « Cela doit vous « être facile à vous qui êtes juif de vous infiltrer dans « un de ces réseaux. Trouvez-les et nous oublierons « qui vous êtes. » C'était clair. Que vouliez-vous que je fasse?
– Fuir.
– Fuir?... Où?... Vous ne les connaissez pas, c'est une race impitoyable et admirable, faite pour dominer le monde, tandis que le juif, comme le dit Moïse, est une race perverse et menteuse...
– ... dont vous êtes, hélas! la parfaite illustration.
– C'est sans doute ma manière d'y être fidèle. Très peu d'hommes ont le courage de s'admettre jusqu'aux plus ultimes conséquences. Nous autres, nous sommes sans grandeur alors que la grandeur est naturelle à l'Allemand; il la comprend et l'admire sans effort. Cela forme un peuple-héros. Ainsi en était-il de la France en d'autres temps...
– Peu m'importe que les Allemands aient le sens de la grandeur, pour moi ce sont des ennemis qui occu-

pent notre pays et je rêve du moment où ils seront chassés de France et d'ailleurs. Ça va mal en Russie pour vos amis. Vous devriez penser à changer votre fusil d'épaule.

– Parlez moins fort. J'y songerai, le moment venu. En attendant ce sont eux les vainqueurs. Sans eux, je serais déjà en prison.

– C'est votre place. Revenez à Sarah. Qu'avez-vous fait? Je croyais que vous ne connaissiez pas son adresse.

– C'est exact. Mais en faisant ma petite enquête, je suis tombé sur son réseau. Il ne m'a pas été difficile d'entrer en contact avec eux. Je me répandais partout en disant que je devais quitter la France dans les plus brefs délais. Un jour que je déjeunais, fort mal, dans un petit restaurant juif de Belleville, un gamin est venu me dire de me rendre au Select sur les Champs-Elysées et de demander Boby. Ce nom me disait vaguement quelque chose. Ce Boby devait être un des serveurs de l'endroit. Je vais assez souvent au Select, surtout le samedi vers sept heures. Quel bruit! Quelle pagaille! Quels piaillements! On y trouve des folles de tous âges, fardées que c'en est un vrai bonheur, tortillant des fesses, minaudant, flirtant sans retenue avec de mignons gigolos, discutant du tarif de leurs étreintes. La maison a tellement mauvaise réputation que l'entrée en est interdite à la troupe d'occupation. C'est donc un endroit idéal pour laisser des messages. Le gamin m'a donné un mot de passe du genre : « Longtemps je me suis couché de bonne heure » et je suis allé au Select où j'ai demandé Boby. Imaginez la plus jolie créature qui soit : rond, potelé avec une voix d'enfant...

– Passez-moi ces détails.

– ... d'une fraîcheur, un bijou! Après que j'eus délivré le mot de passe, il m'a demandé de le suivre. Nous sommes allés dans la cave. Je n'en menais pas très large. Mes réponses à ses questions ont eu l'air de le satisfaire. Il m'a dit qu'il n'était qu'un des maillons de la chaîne et qu'il ne connaissait pas les autres. Il m'a ordonné de me rendre le lendemain à midi au bar du Fouquet's avec un œillet rouge à la boutonnière et un plan de Paris à la main. C'est ce que j'ai fait. Là, un homme très élégant m'a abordé et m'a dit, après m'avoir offert un verre, que nous étions attendus pour déjeuner chez une amie. Nous avons pris un vélo-taxi et nous sommes allés rue de la Tour, dans un magnifique appartement. Sarah se trouvait là. Nous sommes tombés dans les bras l'un de l'autre. Je m'attendais à tout sauf à la rencontrer. Je savais que la Gestapo la recherchait, c'est même pour ça que je vous avais demandé si vous saviez où elle était, afin de la prévenir.

– Je ne comprends plus...

– Ce n'est pourtant pas compliqué. Je voulais bien raconter quelques potins sans grandes conséquences aux Allemands, mais je n'avais pas envie de dénoncer des gens, du moins pour rien.

– Ça m'étonnait aussi!... Vous êtes ignoble!

– Mais non, pas tant que ça. A Sarah, je pouvais tout dire, je lui ai donc avoué pourquoi je me trouvais chez elle. Elle n'a pas eu l'air étonné, c'est vraiment une femme extraordinaire. J'étais quand même un peu surpris quand elle m'a embrassé en me disant : « Mon « petit Raphaël, tu ne changeras pas. » Nous avons décidé que j'attendrais quarante-huit heures avant de prévenir la Gestapo de ma découverte.

– Alors? Tout va bien, elle a eu le temps de se mettre à l'abri!

– Mais non! et c'est là que tout va mal. Les Allemands, méfiants, m'avaient fait suivre. Ils m'attendaient en bas de l'immeuble. Ah! ma bonne amie, il m'a fallu tout mon sang-froid pour ne pas prendre mes jambes à mon cou.

– Vous ne mangez pas? »

Les trois sœurs Raymond se tenaient avec des regards réprobateurs devant leur table.

« Pardonnez-nous, nous étions tout à notre conversation.

– C'est ce que nous avons vu, dit l'une d'elles d'un ton sévère.

– Tenez, Léa, servez-vous.

– Je n'ai pas faim.

– Faites un effort. Cela les intriguerait si vous ne mangiez pas et, par la suite, elles refuseraient de me servir. J'ai besoin de pouvoir venir dans cet endroit. »

Raphaël donna l'exemple en avalant d'une seule bouchée deux rondelles de saucisson.

« Que vous ont dit les Allemands?

– Ils m'ont demandé le nom de la personne que je venais de rencontrer dans l'immeuble.

– Vous leur avez donné?

– J'ai été pris de court...

– Pauvre type.

– Injuriez-moi, c'est trop facile. Qu'auriez-vous fait à ma place?

– Ils sont montés arrêter Sarah?

– Non, car je leur ai dit qu'elle devait me remettre dans deux jours la liste des prochaines personnes désirant passer en Espagne.

– Et ils vous ont cru?

– Sur le moment, j'en ai eu l'impression; ils m'ont fait monter dans leur voiture et conduit boulevard Flandrin. Je me suis senti tout à fait rassuré quand j'ai vu derrière le bureau un de mes amis, Rudy de Mérode. Nous avons réalisé ensemble depuis le début de la guerre quelques belles affaires. C'est un homme très important.

– Que vous a-t-il dit?

– Que ses chefs attendaient de moi une preuve de ma fidélité à leur égard et qu'ils comptaient sur moi pour obtenir tous les noms des membres du réseau sous quarante-huit heures.

– Alors, vous avez réussi à prévenir Sarah?

– Non. Depuis hier, je suis constamment suivi, j'ai essayé de les semer sans résultat. Ce sont eux qui m'ont cassé la gueule à la station Sèvres-Babylone. C'est pour ça que je vous ai appelée et demandé de venir ici. Il faut que vous alliez la prévenir.

– Mais comment? La rue de la Tour est très loin!

– Ce n'est pas rue de la Tour qu'il faut aller mais rue Guénégaud, au 31.

– Je n'y comprends plus rien.

– Hier, elle m'a dit qu'elle quittait la rue de la Tour qui était devenue dangereuse pour ses camarades et qu'elle allait disparaître quelque temps. Une de ses amies, émigrée aux Etats-Unis, lui a laissé les clefs de son appartement, c'est là qu'elle se réfugie depuis un mois quand elle a l'impression d'être suivie en se rendant rue de la Tour.

– Et elle vous a raconté tout ça? Il y a quelque chose que je ne comprends pas. Qui me dit que vous n'avez pas donné cette adresse aux Allemands?

– J'aurais pu en effet. Je ne m'explique pas très bien pourquoi je ne l'ai pas fait. J'aime bien Sarah ou plutôt le souvenir de certaines beuveries dans certains bars de Montparnasse. Souvenez-vous du mot de Jules Renard : « Il n'y a pas d'amis, il y a des moments « d'amitiés. » Rien n'est plus exact entre Sarah et moi.

– Voilà la potée, vous m'en direz des nouvelles », dit une dame Raymond en déposant un plat fumant sur la table.

Ils attendirent qu'elle soit retournée dans sa cuisine pour reprendre leur conversation.

« Ne bougez pas... Deux des hommes qui me suivaient viennent d'entrer. Ils ne m'ont pas encore vu. Vous allez vous lever. Allez dans la cuisine. Au fond, il y a une porte, elle donne sur la cour. Vous la traverserez et vous passerez sous une voûte. Il y a une deuxième cour et, à droite, une porte vétuste. Ensuite, un couloir et une autre porte qui donne dans la petite rue de Nevers. Vous prendrez à droite en direction des quais puis tout de suite à gauche, c'est la rue Guénégaud. Regardez si vous ne remarquez rien de suspect. Marchez normalement. Si vous ne voyez personne, allez au 31, montez au troisième étage et sonnez trois fois, Sarah vous ouvrira. Dites-lui de partir immédiatement. Bonne chance. »

Raphaël Mahl ne baissa pas les yeux devant le regard de Léa qui disait clairement : « Puis-je avoir confiance en vous? »

Avec naturel, elle se leva, mit sur ses épaules le manteau de fourrure et s'approcha du comptoir où se tenaient deux hommes en imperméable, dos tourné. Elle demanda à voix basse à une des sœurs :

« Où sont les toilettes, s'il vous plaît? »

Léa n'écouta pas la réponse et se dirigea vers la cuisine. En passant devant la cuisinière et le chanteur d'opéra, elle mit un doigt sur ses lèvres et sortit dans la cour.

Dans le petit restaurant de la rue Dauphine, tout était calme, les deux hommes n'avaient pas bougé, Raphaël Mahl attaquait la potée.

Rue de Nevers, il faisait très sombre. Des rats énormes détalèrent devant Léa qui faillit hurler. Un vent glacial balayait les quais. Nul bruit, tout semblait désert. Essayant d'atténuer le claquement de ses semelles de bois, les poings crispés dans les poches de son manteau, l'oreille aux aguets, la peur au ventre, elle s'avança vers la rue Guénégaud.

Soudain, du Pont-Neuf, surgit une voiture, tous phares éteints, roulant à vive allure qui s'engagea dans la rue Dauphine. Un crissement de freins brutal. Léa, oubliant les conseils de Raphaël, se mit à courir. La voiture fit marche arrière.

Elle tourna rue Guénégaud, dépassa la jeune fille qui s'enfuyait et s'arrêta quelques mètres plus loin. La portière s'ouvrit, un homme surgit qui lui barra le chemin. Léa cria.

Une main s'abattit sur son épaule.

« N'ayez pas peur, c'est moi. Montez dans la voiture. »

Sans réaction, elle se laissa entraîner par François Tavernier. Ils roulèrent jusqu'aux quais en passant par la rue de Seine et s'arrêtèrent devant une galerie de peinture, à l'angle du quai.

« Où couriez-vous ainsi?

– En entendant votre auto, j'ai eu peur.

– Que faisiez-vous avec Mahl?

– Il sait où est Sarah. La Gestapo est sur sa trace, j'allais la prévenir.

– Pourquoi ne le faisait-il pas lui-même?

– Il est surveillé par deux hommes dans le restaurant. Je suis sortie par-derrière.

– Je sens que dans tout ça quelque chose ne va pas. Et vous aussi, sinon vous ne m'auriez pas laissé ce message.

– Peut-être, mais nous devons essayer de prévenir Sarah.

– Où est-elle?

– 31, rue Guénégaud.

– C'est Mahl qui vous a donné cette adresse?

– Oui.

– Alors, à la grâce de Dieu. Restez là, si vous voyez quelqu'un s'approcher, démarrez. Si je ne suis pas revenu dans vingt minutes, partez.

– Non, je vais avec vous.

– Il n'en est pas ques...

– Taisez-vous, nous perdons du temps. »

François l'attira contre lui. Elle murmura :

« J'ai peur. »

Puis elle se dégagea et partit vers la rue Mazarine.

« Non, ne passons pas par là. Prenons la rue de Seine et la rue Jacques-Callot. De là, nous aurons une vue directe sur la rue Guénégaud. »

François sortit de la poche de son pardessus un revolver dont il fit tourner le barillet. Léa se sentit un peu rassurée.

Ils marchèrent vite dans le silence de cette nuit d'hiver. Il y avait dans cette absence de bruit et de lumière quelque chose d'irréel, un peu semblable à ce calme qui précède la tempête. Ils s'arrêtèrent à l'entrée de l'ancien passage du Pont-Neuf, devant eux, la rue, le carrefour étaient vides. Ils firent quelques pas... Tout alla très vite. Une voiture, puis deux, puis trois surgirent des deux côtés de la rue Mazarine et de la rue Guénégaud venant du quai. François poussa Léa dans l'encoignure d'une porte cochère. Les portières claquèrent, des hommes en civil, armes au poing, poussèrent la porte du 31, d'autres restèrent à l'entrée de la rue, fusil mitrailleur à la hanche.

Un cri. Des appels. Une silhouette féminine projetée dans la rue qui trébuche, se redresse, prend son élan. Des cris. Elle se dirige vers eux. Un coup de feu claque. Elle tourbillonne sur elle-même... et avec lenteur tombe...

François a du mal à retenir Léa.

Les hommes s'avancent en courant. Elle se soulève. La nuit cache le sang sur le pavé. Un coup de crosse... puis un autre s'abattent. Une main si blanche, si fine, se lève en un geste dérisoire de protection. François étouffe les gémissements de Léa.

Un autre coup. La main retombe. On soulève le corps meurtri. L'un prend les épaules, l'autre les chevilles. La longue chevelure noire qui traîne ramasse un peu de sang et de poussière. On la jette à l'arrière d'une camionnette. La lueur d'une cigarette qu'on allume après l'effort. A nouveau des portières qui claquent. Le bruit des moteurs. Et le silence. Personne n'a bougé. Personne n'a entendu qu'on assassinait une femme.

5

Les pleurs d'un nouveau-né traversèrent le rêve de Léa.

Elle se promenait avec Laurent, tendrement enlacés, sur la terrasse de Montillac. Rien d'autre n'existait, la guerre avait anéanti tous les obstacles qui se dressaient devant leur amour, les laissant sans mémoire face à cette vaste campagne d'où ne montait aucun bruit.

Léa se réveilla en appelant sa mère, les joues mouillées de larmes.

Dans la chambre voisine, les cris du bébé cessèrent. Estelle entra, portant le plateau du petit déjeuner.

« Bonjour, mademoiselle Léa.

– Bonjour, Estelle. Quelle heure est-il?

– Bientôt dix heures. Vous n'oubliez pas que ce soir, il y a fête à la maison.

– Fête?

– C'est le 31 décembre, on baptise le petit Pierre dont vous êtes la marraine.

– Le petit Pierre?... c'est vrai qu'il y a un petit Pierre maintenant. Comment va Françoise ce matin?

– Beaucoup mieux. Hier, elle a fait quelques pas. Je vous laisse car je dois commencer à préparer mon gâteau. »

Léa se leva et enfila, par-dessus le pull qu'elle mettait sur sa chemise de nuit, une vieille mais chaude robe de chambre en laine des Pyrénées ayant appartenu à son père, et glissa ses pieds dans des chaussettes de laine. La glace de l'armoire lui renvoya son image. Ainsi accoutrée, elle ne risquait pas de remporter un prix d'élégance, mais au moins, elle n'avait pas trop froid. Après s'être lavé les dents et brossé les cheveux dans le cabinet de toilette, elle attaqua son petit déjeuner.

Léa mordit dans la tranche de pain noir et dur comme le bois. Puis des images du rêve lui revinrent... puis celles, horribles, de la nuit de l'arrestation de Sarah Mulstein.

François Tavernier n'avait pas eu trop de mal à obtenir des nouvelles de la jeune femme par Helmut Knochen lui-même. Elle avait été conduite rue des Saussaies en attendant d'être interrogée. On avait pansé ses blessures qui étaient, paraît-il, sans gravité; mise au secret, nul ne pouvait la voir. Knochen l'avait assuré qu'elle était bien traitée. Sans doute, François Tavernier n'avait-il pas eu l'air convaincu car l'officier allemand avait ajouté :

« Depuis le départ de Danneker, l'homme à tout faire d'Eichmann, les interrogatoires des terroristes juifs sont menés avec moins de brutalité. »

Helmut Knochen avait pris la direction du « Sonderkommando » à son arrivée à Paris, le 14 juin 1940. Cet intellectuel de trente-deux ans, fils d'un modeste instituteur, docteur en philosophie, avait rêvé devenir professeur de lettres avant d'entrer comme rédacteur à l'agence officielle de presse allemande où il avait été chargé de l'étude de la presse française, belge et hollandaise. Il avait adhéré à la S.A. en 1933. C'était un homme plutôt grand et mince, au front dégagé, aux cheveux châtains, souriant rarement. Il avait réussi en moins d'un an à s'introduire dans la bonne société parisienne et était bientôt devenu la coqueluche de ces salons grâce à son esprit et à sa culture. C'est dans l'un d'eux que Tavernier avait fait sa connaissance. Très vite, les deux hommes s'étaient revus pour des raisons diamétralement opposées. Sans ambages, Helmut Knochen lui avait dit rechercher dans ces milieux des agents susceptibles de lui procurer des renseignements sur les hommes politiques du régime de Vichy, sur les industriels et, bien entendu, sur la Résistance et ses chefs. Apparemment intéressé, François Tavernier l'avait revu et appris de lui, dans le détail, le fonctionnement de la formidable organisation de la Gestapo à travers le territoire français. Curieusement, il avait obtenu la confiance de Knochen à cause de l'opposition qui régnait entre la Gestapo et l'ambassade d'Allemagne. Tavernier, fréquemment reçu par Otto Abetz, l'ambassadeur, lui racontait tout ce qui se disait – vrai ou faux – concernant ses services, dans les couloirs ou les salons de l'ambassade. Il accueillait avec un calme apparent ces ragots tandis qu'un léger pli inclinait à gauche sa bouche un peu large.

C'était de cet homme jeune – qui, en l'espace de quelques mois, avait mis sur pied une organisation que même l'armée allemande redoutait – dont dépendait le sort de Sarah Mulstein.

« Ne vous inquiétez pas, je surveille personnellement cette affaire. »

François s'était senti très inquiet, mais n'avait pas insisté de peur de donner à cette « affaire » une importance qu'Helmut Knochen n'aurait pas manqué de relever.

Depuis dix jours, Sarah était rue des Saussaies.

On frappa à la porte de Léa.

« Entrez. »

C'était Françoise, le visage rayonnant et reposé, portant son nouveau-né.

« Ton filleul tenait absolument à te voir », dit-elle en lui tendant l'enfant.

Avec maladresse, Léa le prit dans ses bras, mais très vite le rendit à sa mère.

« Il est très mignon, mais j'ai peur de le faire tomber. Il est si petit.

– Pas si petit! Il pesait 3,2 kilos à la naissance. C'est le plus beau des bébés. Tu ne trouves pas qu'il ressemble à son père? »

Cette remarque agaça Léa.

« Tu sais, je ne l'ai jamais vraiment beaucoup regardé. »

Les épaules contractées, Françoise baissa la tête, touchante avec son petit dans les bras.

« Excuse-moi, dit Léa, je ne voulais pas être désagréable. Laisse-moi m'habiller si tu veux que je sois prête pour le baptême. C'est à quelle heure déjà?

– Trois heures. »

Léa resta un instant immobile devant la porte qui venait de se refermer. Puis, haussant les épaules, jeta sa robe de chambre sur le lit, retira ses chaussettes, attacha sous sa chemise de nuit un porte-jarretelles et des bas de laine, enfila sa culotte et, frissonnante, retira son chandail et sa chemise. Jamais, elle ne s'habituerait à ce froid!

Qu'aurait pensé sa mère de tout ça? Qu'aurait fait la sage Isabelle Delmas dans ces circonstances? Accepterait-elle d'être la « commère » d'un soldat allemand sous prétexte que le futur chrétien était son neveu? Car Frederic Hanke, en tant que meilleur ami du père, devait être parrain...

Léa était trop sous le choc de l'arrestation de Sarah pour réagir quand Françoise lui avait demandé d'être la marraine de son petit garçon. Elle aurait bonne mine dans l'église Saint-Thomas-d'Aquin, tenant un enfant au-dessus des fonts baptismaux en compagnie d'un officier allemand. Elle avait fait part à François de son désir de refuser, il le lui avait déconseillé.

Ils s'étaient revus presque chaque jour depuis la nuit

tragique. Nuit qu'il avait passée près d'elle rue de l'Université dans le « logis froid ». En cachette des demoiselles de Montpleynet débordées par le grand remue-ménage de l'accouchement de Françoise – accouchement qui s'était heureusement terminé peu de temps avant leur retour.

François s'était montré le plus doux, le plus patient et le plus tendre des amis, faisant presque oublier à Léa les aspects inquiétants de sa vie. Chaque jour, elle se disait : il faut que je lui parle d'un certain nombre de choses et, chaque jour, elle se contentait de l'entraîner dans sa chambre et de se blottir dans ses bras. Sans qu'elle eût besoin de le lui dire, il avait compris qu'elle ne désirait pas faire l'amour, mais seulement être contre lui. Elle serait restée ainsi des heures à s'imprégner de sa chaleur et de son odeur, rassurée par les battements réguliers de son cœur et les mots apaisants qu'il lui murmurait. Elle était si bien, n'ayant plus peur enfin, qu'elle se refusait à gâcher ce fragile bonheur par des questions auxquelles il ne répondrait pas. Elle lui avait dit, le surlendemain du drame, toute l'horreur que lui inspirait maintenant Raphaël Mahl.

« Dans ce cas précis, vous avez tort. Il n'est pour rien dans l'arrestation de Sarah. »

Léa avait refusé de le croire. Depuis le dîner de la rue Dauphine, elle était sans nouvelles de lui.

Léa, lovée dans « son » fauteuil de l'entrée, lisait une lettre de Camille à haute voix à ses tantes plantées toutes droites devant elle.

« Ma chère Léa,

« Tu peux imaginer à quel point nous regrettons tous, ici, de ne pouvoir assister au baptême du bébé de Françoise! Nous avons été un peu déçues que tu ne nous donnes pas plus de détails sur lui dans ta dernière lettre. Dis bien à Françoise que nous pensons tendrement à elle. Je lui écrirai dès demain.

« Charles a été fou de joie de ses cadeaux. Il porte le pull-over que mesdemoiselles de Montpleynet lui ont tricoté et ne veut plus le quitter. Sois gentille de le leur dire.

« Le menuisier a fini de refaire la porte du hangar qui menaçait ruine. Dès que nous aurons un peu d'argent, il sera raisonnable de remplacer quelques tuiles; il y a des fuites dans le grenier.

« Il pleut et depuis dix jours, maintenant, je suis sans nouvelles de L.

« Je te serre dans mes bras.

Camille. »

Le baptême s'était passé beaucoup mieux qu'on ne l'avait craint. Tout d'abord, les habitantes de la rue de l'Université avaient eu l'agréable surprise de voir arriver le parrain, Frederic Hanke, en civil, les bras chargés de cadeaux qui, distribution faite, les avait emmenées déjeuner dans un petit restaurant de la rue de Verneuil. Le repas avait été agréable, presque gai tant la gentillesse de leur hôte était grande. Il avait parlé avec beaucoup de sentiment de Camille d'Argilat et de l'émotion qu'il avait éprouvée en l'aidant à mettre son enfant au monde. Il avait dit encore combien il s'était attaché à Montillac et à sa région, et qu'à la fin de la guerre, il aimerait y vivre. Etait-ce l'absence d'uniforme, Léa avait eu l'impression de le voir pour la première fois. Elle s'était surprise à penser que, s'il n'avait pas été allemand, elle l'eût mis au nombre de ses soupirants. Cette idée l'avait fait sourire. A deux heures et demie, ils étaient repartis chercher le petit Pierre et Estelle. A trois heures, à Saint-Thomas-d'Aquin, le prêtre avait dit en faisant couler l'eau sur le front du bébé :

« Je te baptise Pierre, Otto, Frederic, au nom du Père, du Fils et du Saint-Esprit. »

François Tavernier arriva rue de l'Université vers six heures et trouva toute la famille buvant le champagne autour du berceau. Il ne put faire autrement que de trinquer en l'honneur du nouveau-né mais refusa de participer au « festin » prévu pour célébrer la fin de l'année et la naissance de l'enfant.

Tavernier et Hanke ne se connaissaient pas, Françoise les présenta l'un à l'autre. Ils se serrèrent la main. Après quelques banalités, François entraîna Léa dans sa chambre.

« Pouvez-vous me donner la clef de l'immeuble et celle de l'appartement d'en face?

– Pour quoi faire?

– Il se peut que j'aie besoin de revenir précipitamment cette nuit.

– Pourquoi n'allez-vous pas chez vous?

– Ce soir, j'aurai à faire dans le quartier. J'ai besoin d'un refuge proche.

– Vous ne voulez pas me dire pourquoi?

– Non...

– C'est agaçant, avec vous, je ne peux rien savoir. Vous me laissez supposer les pires choses vous concernant. Qui me dit que ce n'est pas vous qui avez dénoncé Sarah Mulstein? »

C'était tellement inattendu que François resta un moment sans réaction puis, son visage se crispa, pâlit tandis qu'une énorme colère bouleversait ses traits. Devant cette métamorphose, Léa recula, pas assez vite cependant pour éviter la plus formidable claque jamais reçue. Sous la violence du coup, elle trébucha et sa tête heurta un des montants du lit, tandis qu'un peu de sang coulait de son nez. D'un bond, il fut sur elle, la prit par le bras qu'il serra avec tant de force qu'elle cria.

« Ne dites jamais de choses comme ça, Léa. »

Penché sur elle, il était si menaçant qu'elle leva son bras libre en un geste de protection. Ce geste enfantin détendit un peu François.

« Je fais tout ce que je peux pour arracher Sarah des mains de la Gestapo. J'irai même jusqu'à tenter de la faire évader. »

Léa s'écria :

« Quand? »

Tavernier la regarda avec une expression dubitative.

« Vous êtes vraiment bizarre, vous me manifestez que vous n'avez aucune confiance en moi et vous me croyez quand je vous parle de faire évader Sarah.

– Parce que ça, je crois que vous en êtes capable. Il faut bien que vos bonnes relations avec l'occupant vous servent.

– Dans cette affaire-là, je n'ai pas vraiment l'intention de les mettre au courant, mais plutôt de faire appel aux membres du réseau de Sarah.

– Vous les connaissez?

– Quelques-uns. Par ailleurs, c'est ici que nous nous réunirons. Prévenez vos tantes afin qu'elles restent dans leur chambre et ne posent pas de questions.

– Mais pourquoi ici?

– Cet appartement abrite la « fiancée » et l'enfant d'un officier du Reich et, au premier étage, vit la maîtresse du général von Rippen. Cet immeuble est donc connu des autorités occupantes comme étant habité par des pro-allemands. De ce fait, il est moins surveillé.

– Je comprends. Je peux m'arranger avec mes tantes, mais avec Françoise?...

– Elle ne doit rien soupçonner, il en va de notre vie à tous. Vous êtes toujours décidée à aider Sarah?

– Plus que jamais.

– Très bien. Votre mission va consister dès demain à trouver trois ou quatre personnes et à leur délivrer un message. Voilà ce que vous aurez à faire et à dire. »

Pendant une heure, il lui fit apprendre par cœur les messages, les noms de guerre, ceux des lieux et les signes de reconnaissance.

« N'oubliez rien. Rendez-vous ici, demain soir, pour faire votre compte rendu. Avez-vous une bicyclette ?

– Ici, non.

– Je vais essayer de vous en voler une, ce sera mon cadeau de fin d'année. Avez-vous une préférence quant à la couleur?

– Ça m'est égal, la mienne est bleue.

– Va pour le bleu; c'est une excellente couleur pour conjurer le mauvais sort. Sur votre bicyclette bleue, vous serez messagère d'espoir.

– C'est drôle que vous disiez cela, mon oncle Adrien m'a dit exactement la même chose.

– Vous voyez, votre oncle et moi nous avons des tas de points communs. »

François la prit dans ses bras et l'entraîna sur le lit.

« Maintenant, venez vous faire pardonner d'avoir pensé que j'étais un traître.

– Laissez-moi, j'ai l'impression d'être morte depuis l'autre soir. »

Il ne l'écoutait pas. Ses lèvres, ses doigts cherchaient à l'atteindre. Léa ne se débattit pas mais quand il l'embrassa, ses lèvres rencontrèrent des larmes.

« Pas avant que vous ayez sauvé Sarah. »

Il se releva, remit un peu d'ordre dans sa tenue.

« Me donnez-vous les clefs?

– Je vais les chercher.

– Surtout ne faites pas trop de bruit, dit-elle en lui tendant les clefs.

– Je ne suis pas sûr de repasser cette nuit. Vous trouverez dans l'entrée le vélo et un laissez-passer. Demain, n'oubliez pas : Trinité convoque le 3 janvier à dix heures du soir, au troisième étage du 29, rue de l'Université, pour une décision grave concernant Simone Mingot, les camarades Vautrin, Homais, La Rochelle et Bataille; à chacun d'eux vous remettrez la moitié d'un ticket de métro de première classe, ils vous montreront l'autre moitié. Soyez très prudente, petite, à la moindre alerte, au plus petit soupçon, décrochez. En attendant, retournez à votre fête. Demain sera une nouvelle année. J'espère bien la passer en votre compagnie. »

Il l'embrassa avec beaucoup de tendresse.

Léa rejoignit sa famille, triste du départ de François. Dehors, la neige s'était mise à tomber.

Le lendemain, Léa trouva dans l'entrée de l'appartement une superbe bicyclette bleue avec de magnifiques sacoches de faux cuir. Comme ses tantes s'étonnaient de ne pas avoir entendu la sonnette du livreur, Léa prétendit que c'était un cadeau du père Noël qui avait même poussé la délicatesse jusqu'à déposer des boîtes de chocolat et de lait.

La neige n'avait pas tenu. Il faisait beau et froid. Léa annonça son intention d'étrenner sa bicyclette et de ne pas rentrer déjeuner, voulant, disait-elle, profiter du beau temps. Elle alla s'habiller chaudement d'un pantalon et de deux gros pulls. Elle enfila ses bottillons fourrés, enveloppa ses cheveux dans un turban de laine et, ainsi équipée, revêtit la chaude canadienne offerte par François. Elle compléta sa tenue par d'épais gants fourrés de lapin.

Sa sœur et ses tantes lui souhaitèrent une bonne promenade.

6

Jamais Paris n'avait semblé aussi beau à Léa que ce matin-là. L'air était blanc et froid, d'une légèreté qui donnait aux vieilles pierres des maisons du quai Voltaire, caressées par un soleil aigrelet, une gaieté fragile. La jeune fille s'arrêta sur le pont Royal pour regarder briller la Seine grise et mordorée qui filait doucement vers l'Alma, berçant sur son passage les péniches noires. Devant ce panorama, que tant d'amoureux de Paris avaient contemplé, elle ressentit, en cette fin de matinée du 1er janvier 1943, une paix qui lui enveloppa le cœur et amena à ses lèvres une prière oubliée de son enfance :

« Mon Dieu, je vous offre ma journée, heureuse ou malheureuse elle est à vous, pour vous, faites-en ce que vous voudrez, mais faites qu'en me rapprochant de mon éternité, je me rapproche aussi de vous. »

Pleine de confiance, elle remonta sur sa bicyclette. Tout était si désert qu'on avait le sentiment d'être dans une ville abandonnée. Pas un bruit humain ne venait troubler cette impression. Léa se réjouit de cette solitude, elle lui permettait de faire le vide en elle et de se préparer à la mission confiée par François Tavernier. Malgré tout ce qu'il y avait d'incompréhensible dans le comportement de cet homme, elle n'arrivait pas, quoi qu'elle lui ait dit, à se méfier de lui. Elle était convaincue, s'il y avait la moindre chance, qu'il était le seul à pouvoir libérer Sarah.

Place Sainte-Opportune, Léa attacha sa bicyclette à la grille du métro et se dirigea vers la rue de la Ferronnerie.

Elle poussa la porte d'un minable café aux vitres barbouillées de bleu. Une odeur froide et écœurante de sciure mouillée, de vinasse, de mauvais tabac et d'ersatz de café l'assaillit. Elle eut l'impression d'entrer dans un univers glauque et marécageux dans lequel se mouvaient des êtres aux faces verdâtres. Derrière le zinc, au milieu des bouteilles poussiéreuses et vides, trônait un poste de T.S.F. ventru et rutilant qui diffusait une rengaine à la mode. Le patron, gros homme aux manches retroussées, ses rares cheveux en bataille, l'œil chassieux, mégot éteint aux lèvres, barbe non faite, l'apostropha :

« Y a rien à boire, aujourd'hui, c'est un jour sans alcool.

– Je voudrais seulement quelque chose de chaud, un café par exemple, dit-elle en s'approchant du comptoir.

– Du café!... Vous l'entendez, vous autres?... avec un nuage de lait... et, pourquoi pas, quelques morceaux de sucre... »

Les quatre ou cinq consommateurs ricanèrent servilement. Léa rougit. Ça commençait bien!

« Parce que vous m'êtes sympathique, j' peux vous donner un viandox... vous êtes bien la jeune fille qui avez rendez-vous avec la moitié d'un ticket de métro? » chuchota-t-il rapidement.

Surprise, Léa recula.

« Faut pas vous sauver, ma p'tite demoiselle, l'viandox, de nos jours, c'est pas plus mauvais qu'autre chose. »

Tout en parlant, il posa devant elle une grande tasse fumante. Léa se rapprocha.

« Ne restez pas ici, continua-t-il à voix basse, on a arrêté une des personnes que vous cherchez... Tenez, buvez-moi ça... Buvez, bon Dieu, on nous regarde. »

Léa trempa ses lèvres, c'était rudement chaud, mais moins mauvais qu'elle ne s'y attendait. Le patron éclata d'un gros rire.

« Vous voyez... ça s'laisse boire... Allez à l'église Saint-Eustache, c'est la messe, personne ne fera attention à vous... Tiens, m'sieur René, qu'est-ce que j'vous sers pour fêter la nouvelle année?

– Comme d'habitude, la réserve du patron. Bonne année, mademoiselle, vous allez bien trinquer avec moi?

– Mais...

– Attention, j' vais me fâcher, une jolie dame ne r'fuse jamais rien au grand René, pas vrai, Juju?

– Faut l' croire, mademoiselle, celle qui lui résistera, c'est pas demain la veille qu'il la rencontrera.

– Bien dit, Juju, t'es un vrai pote. Ton téléphone est réparé?

– Oui, depuis deux jours.

– Tu m' gardes la petite au chaud, j'ai un coup de fil à passer. A tout de suite, mignonne. »

Léa esquiva la main baladeuse. Le bellâtre rit en haussant les épaules.

« Il faut que vous partiez vite, il travaille pour eux. A Saint-Eustache, dans la chapelle de la Vierge, il y a un homme qui tiendra à la main *La Petite Gironde*, il vous dira ce qu'il faut faire. Vous m' devez rien, c'est un cadeau d' la maison. Allez, bonne année quand même.

– Bonne année à vous aussi », dit-elle en poussant la porte aussi calmement qu'elle le pouvait.

Comment détacha-t-elle sa bicyclette? Comment trouva-t-elle son chemin à travers les petites rues des Halles et comment se retrouva-t-elle à l'intérieur de l'église en quelques minutes? Cela, Léa n'aurait pu le dire.

L'édifice religieux était rempli de fidèles, des femmes surtout, qui chantaient avec ferveur tandis qu'un petit nuage de buée s'échappait de leur bouche. Un prie-Dieu était libre devant l'autel de la Vierge; le cœur battant, elle s'agenouilla, incapable de penser.

C'était l'heure de la communion, la plupart des assistants se dirigèrent vers la sainte table. Un homme s'agenouilla près d'elle et mit la tête entre ses mains. De la poche de son vieux manteau dépassait un journal.

En un éclair, Léa revit cette soirée d'été à Bordeaux où, suivie par les policiers du commissaire Poinsot, elle cherchait un lieu où se réfugier et où, à l'étalage du marchand de journaux de la place du Grand-Théâtre, elle avait vu *La Petite Gironde*, et avait su, à ce moment-là, vers quel endroit se diriger. Elle tourna la tête. L'homme était jeune et portait une barbe qui n'arrivait pas à le vieillir. Il ressemblait un peu à... non, ce n'était pas possible, elle avait des visions...

« Léa... »

Quelqu'un avait dit son nom! Devait-elle se retourner?... Mais non, c'était le jeune homme à *La Petite Gironde*! Alors?...

« Ne bouge pas, je vais sortir le premier. Rendez-vous chez toi, rue de l'Université.

– Chez moi!

– C'est le seul endroit à peu près sûr. »

Après son départ, elle compta jusqu'à vingt puis partit à son tour.

Rue de l'Université, tout le monde faisait fête à Jean Lefèvre, le compagnon de jeux de Léa, celui qui, avec son frère Raoul, jouait le plus sérieusement du monde à être fou amoureux d'elle...

Ils tombèrent dans les bras l'un de l'autre.

La famille était encore à table. On ouvrit une

bouteille de champagne pour trinquer à ces retrouvailles, à la fin de la guerre et à la nouvelle année. Vingt minutes au moins se passèrent avant qu'ils puissent s'isoler dans la chambre de Léa.

« Vite, nous n'avons pas beaucoup de temps. J'aurais préféré que ce soit quelqu'un d'autre que toi, dit Jean en la serrant contre lui.

– Pas moi, j'en suis heureuse. Sans cela, je ne t'aurais peut-être jamais revu.

– C'est vrai, mais tout cela est dangereux.

– Je sais. Que dois-je faire maintenant? Dois-je aller aux autres rendez-vous?

– Surtout pas. Après l'arrestation de Simone Mingot...

– Simone Mingot?

– Oui, c'est sous ce nom que la plupart d'entre nous la connaissent. Après son arrestation, les membres du réseau se sont dispersés comme prévu. Chacun à notre tour, nous devions aller rôder autour de notre ancienne boîte aux lettres. C'est là que j'ai rencontré Trinité...

– François?...

– Il m'a dit qu'il allait essayer de faire évader Simone et m'a demandé si j'étais d'accord. J'ai tout de suite accepté. Une jeune femme devait m'apporter des nouvelles le matin du 1er janvier. Tout allait bien, quand, à l'aube, j'ai appris l'arrestation d'un camarade qui connaissait mon adresse. J'ai eu juste le temps de m'habiller et de m'enfuir par les toits. Les hommes de la Gestapo étaient déjà dans l'escalier. Heureusement qu'il n'y avait pas de neige. Je n'ai eu qu'une idée : prévenir Trinité. Il n'était pas aux deux adresses qu'il m'avait données. Je suis allé quand même au rendez-vous de la rue de la Ferronnerie. Boulevard de Sébastopol, un vélo-taxi est venu à ma hauteur.

« Vautrin!... a fait le passager.

– Alors, c'est toi Vautrin? »

Jean ignora l'interruption.

– « ... continue à pédaler, mine de rien. Va où tu « sais rue de la Ferronnerie, demande au patron où est « l'église de la Trinité. Il te dira que tu t'es trompé de « quartier, que par ici, il y a Saint-Eustache ou « Saint-Leu ou Saint-Merri. Tu diras : « Ah! bon, « pouvez-vous m'indiquer le chemin pour aller à « Saint-Merri? » Brave homme, il sortira pour te « montrer la direction. Très vite, tu lui diras qu'une « jeune fille très belle, aux cheveux roux foncé et aux « yeux violets doit venir.

« – On dirait le portrait d'une amie, ai-je fait.

« – C'est elle. »

« J'ai failli tomber de vélo. Trinité, car c'était lui, a poursuivi d'une voix calme.

« – Ce n'est pas le moment de se trouver mal. Elle « devra sans tarder te rejoindre dans l'église Saint- « Eustache devant la chapelle de la Vierge. De là, « vous irez chez Mlles de Montpleynet. Tu as bien « tout compris?

« – Oui », ai-je répondu complètement abruti.

Les deux amis restèrent un long moment silencieux.

« Et maintenant, que fait-on? demanda Léa.

– Sans nouvelles instructions, on attend.

– Allons rejoindre les autres, ça va leur paraître curieux qu'on reste si longtemps ensemble. »

Durant leur aparté, le parrain du petit Pierre était venu rendre visite à la mère de son filleul à qui il avait remis, en même temps qu'une grande boîte de chocolats, une lettre d'Otto Kramer dans laquelle il lui annonçait qu'il bénéficierait prochainement d'une permission. Cette heureuse nouvelle faisait resplendir la jeune femme.

En voyant Frederic Hanke, Léa devint très pâle. Pas moyen de reculer, il fallait faire les présentations. Serrant le bras de Jean, elle s'approcha souriante de l'Allemand, toujours en civil, et dit en lui tendant la main :

« Bonne année, Frederic. Puis-je vous présenter un ami d'enfance de passage à Paris? Jean Lefèvre. Jean, je te présente le parrain du fils de Françoise, le capitaine Frederic Hanke. »

Sans le pincement de Léa, il serait sûrement tombé. Incapable de dire un mot, blême, il tendit à l'autre une main tremblante. Sans paraître remarquer rien d'anormal, Frederic la serra.

« Bonjour, monsieur, je suis très heureux de rencontrer un ami de Françoise et de Léa. Je vous souhaite une bonne année, monsieur. Merci pour vos vœux, Léa. J'espère que cette année sera pour vous plus douce que la précédente.

– Merci, Frederic. Jean, veux-tu un vrai café?

– Oui », souffla Jean, ne sachant pas quelle attitude prendre.

Le capitaine Hanke, très à l'aise, s'approcha de lui.

« Vous êtes un proche voisin de Mlle Delmas?

– Assez proche, oui, la propriété de ma mère est à Cadillac.

– Sans doute l'aidez-vous dans l'exploitation?

– Oui.

– Vous avez de la chance de vivre dans cette belle région. J'espère vous y revoir quand la guerre sera finie et que nos deux peuples n'en formeront qu'un. »

Jean allait répliquer quand Léa intervint.

« Le capitaine est tombé amoureux de nos vignes lors de son séjour chez nous, à Montillac. »

Enfin, Frederic Hanke prit congé.

« Excusez-moi d'avoir dérangé la fin de votre déjeuner. Mais c'était le seul moment où je pouvais venir vous présenter mes vœux. Je dois prendre mon service à quinze heures. Françoise, si vous avez besoin de moi, vous savez où me joindre. Au revoir, mesdemoiselles, au revoir, Léa, au revoir, monsieur. »

Tous le virent partir avec un grand soulagement.

« Ouf! j'ai bien cru qu'il ne déguerpirait jamais, s'écria Léa en se laissant tomber dans un fauteuil. Pourquoi n'êtes-vous pas venues nous dire qu'il était là?

– Je n'y ai pas pensé, dit Françoise en baissant la tête, j'étais tellement heureuse d'avoir des nouvelles d'Otto.

– Cela n'a aucune importance, mes enfants. Ce jeune homme est réellement charmant, très bien élevé, tout à fait correct, s'exclama Lisa d'une voix joyeuse.

– Tout à fait correct!... c'est ce que l'on entend partout autour de nous. « Pensez donc, madame « Dupont, cet officier m'a tenu la porte dans le métro! « Quel jeune homme correct! Hum... c'est pas comme « les jeunes Français de maintenant, qui vous bouscu- « lent sans même s'excuser. Des communistes... Des « voyous, madame, et on s'étonne qu'on ait perdu la « guerre... c'est le contraire qui eût été étonnant. Je « vous le dis, chère madame, quand un peuple s'est « détourné de Dieu, il est juste que Dieu se détourne « de lui et le punisse... nous devons expier et dénoncer « les mauvais Français qui écoutent la radio de Lon- « dres et désobéissent au maréchal Pétain, un saint « homme qui s'est donné à la France pour la sau- « ver... »

– Arrête, Léa! cria Françoise.

– « ... madame Durand, vous avez bien raison. « Figurez-vous que l'autre jour, j'ai rencontré une « ancienne voisine, une juive... eh bien, vous ne le « croiriez pas, elle n'avait pas l'étoile jaune. Vous « pouvez croire que je ne me suis pas privée de le « lui faire remarquer, même qu'autour de moi, les « gens approuvaient. Rouge de honte, elle est partie, « madame... »

– Ça suffit!

– D'accord, d'accord, tante Albertine. Excuse-moi,

je suis de votre avis à tous : les Allemands sont très corrects!

– Parfaitement, ne t'en déplaise. Tu sembles oublier qu'ils sont les vainqueurs et qu'ils pourraient faire de nous ce qu'ils veulent. Alors que, malgré les attentats, ils continuent à se montrer corrects et patients...

– Qu'ils fusillent des otages un peu partout, qu'ils déportent on ne sait où des femmes et des enfants...

– Ce sont des terroristes...

– Les enfants?...

– Tais-toi!... Ne parle pas des enfants », dit Françoise en éclatant en sanglots.

Un silence gêné suivit ces éclats de voix.

« Viens, Jean, allons dans ma chambre.

– Ce n'est guère convenable », fit Lisa d'une voix pointue que tous auraient trouvée comique en d'autres circonstances.

Léa haussa les épaules et sortit en entraînant son ami. Ils avaient à peine franchi la porte que la sonnette de l'entrée carillonna.

Le cœur battant, les deux jeunes gens se regardèrent. D'un geste, Léa indiqua sa chambre. Elle attendit que la porte fût refermée pour ouvrir celle du palier.

« Dieu merci! Vous êtes là! » dit François Tavernier en la serrant contre lui.

Le soulagement qu'elle éprouva à sentir ses bras se refermer fut proche de la volupté.

« J'ai eu si peur... Quand j'ai su qu'un des compagnons de Sarah nous avait trahis, je vous ai vue arrêtée... Jamais je ne me le serais pardonné. Lefèvre est avec vous?

– Oui. Pourquoi ne m'avez-vous pas dit qu'il s'agissait de lui?

– Parce que je l'ai su au dernier moment. Où est-il?

– Dans ma chambre. Allons-y avant que tante Lisa ne vienne voir qui a bien pu sonner.

– Je vous suis, mais avant, embrassez-moi. »

Pour la première fois, Léa répondit à cette demande avec une vraie simplicité.

Dans la chambre, assis sur un coin du lit, la tête entre ses mains, Jean Lefèvre attendait. Quand il releva la tête, il avait les yeux humides.

François Tavernier le regarda attentivement.

« Léa, laissez-nous. »

Quand ils furent seuls, il demanda :

« Vous n'avez aucune nouvelle des autres membres du réseau? »

Le jeune homme fit non de la tête.

« Vous allez devoir quitter Paris immédiatement. Voici vos nouveaux papiers. Votre nom est Joël Lemaire, né à La Tranche-sur-Mer en Vendée, le 10 octobre 1920, de Jean Lemaire, agriculteur, et de Thérèse Peyon, sans profession. Vous êtes fils unique et vos parents sont morts il y a deux ans aux Sables-d'Olonne, au cours d'une tempête qui a fait chavirer le bateau sur lequel ils se trouvaient. Vous travaillez comme pêcheur à l'Aiguillon. Tout cela et d'autres renseignements sont consignés ici. Apprenez-les par cœur avant de partir et détruisez-les. Vous prendrez ce soir le train pour Poitiers, là, vous aurez une correspondance pour La Rochelle. Soyez très prudent, dans cette zone les contrôles sont fréquents. A La Rochelle, essayez de trouver un car en direction de Luchon et de l'Aiguillon. A l'Aiguillon, vous irez Au rendez-vous des marins-pêcheurs. Vous demanderez Jean-Marie, de *La Vaillante*. Quand vous serez en sa présence, vous lui direz que l'air d'ici est meilleur que celui du métro parisien. Il vous répondra : « Ça c'est bien vrai, « surtout à la Trinité. » Suivez ses instructions. Vous avez bien compris?

– Oui.

– Très bien. Je vous laisse dix minutes pour apprendre tout cela. Avez-vous de l'argent?

– Pratiquement pas.

– Tenez, voici mille francs. »
Jean eut un geste de refus.
« Vous pouvez accepter, c'est de l'argent qui vient de Londres. Signez-moi ce reçu, c'est la règle. »
Jean empocha l'argent et signa.
« Monsieur, puis-je vous demander quelque chose?
– Oui, bien sûr. De quoi s'agit-il?
– Je ne voudrais pas que Léa soit mêlée à tout ça. »
La manière dont François Tavernier le regarda fit rougir le jeune homme.
« Moi non plus. Mais maintenant il est un peu tard pour revenir en arrière.
– Je ne le pense pas. Dites-lui de retourner chez elle.
– Je ferai tout mon possible, mais elle tient à aider notre amie... »
La porte s'entrouvrit sur Léa.
« C'est long. Avez-vous fini? Je peux entrer?... François, je ne comprends rien à ce qui se passe. Que va-t-on faire pour Sarah, maintenant? »
Tavernier la regarda droit dans les yeux sans répondre. Puis après un long silence, il dit d'une voix blanche :
« Sarah a été torturée. »
Léa se précipita sur François et lui martela la poitrine.
« Vous m'avez menti!... Vous m'avez menti! hurla-t-elle. Vous m'aviez dit qu'elle était bien soignée... que, grâce à vos bonnes relations avec les Boches, elle serait bien traitée... et ils l'ont torturée!... C'est de votre faute... Jamais je ne vous le pardonnerai... C'est à cause de vous qu'on l'a arrêtée... Vous êtes une ordure... une ordure...
– Tais-toi... ça suffit, s'écria Jean en la tirant à lui. Laisse-le s'expliquer.
– Il n'y a rien à expliquer... il travaille pour eux. Je

l'ai vu rire devant l'hôtel Lutétia », cria-t-elle en se dégageant.

Pâle, les traits tirés, François Tavernier essuyait une profonde griffure à son visage.

« On m'a menti. Ce n'est pas rue des Saussaies qu'on avait conduit Sarah, mais avenue Henri-Martin. Je ne l'ai su que ce matin, trop tard. Après son arrestation, ils ont pris deux autres membres du réseau. L'un d'eux a parlé, ce qui explique ce qui s'est passé.

– Qui vous a dit pour Sarah? demanda Jean.

– Un de ses amis, Raphaël Mahl...

– Raphaël!... Alors, vous voyez bien...

– ... que c'est lui qui l'a dénoncée. Non, je suis certain que ce n'est pas lui. Non qu'il n'en ait pas été capable, mais parce qu'il savait que je protégeais Sarah et que j'étais à même de le faire arrêter dans l'heure.

– Alors, comment a-t-il su qu'elle n'était pas rue de Saussaies mais avenue Henri-Martin?

– Par une crapule de plus grande envergure que lui, pour laquelle il travaille de temps en temps, Frédéric Martin alias Rudy Mérode ou Rudy de Mérode.

– Qu'a-t-il dit, ce soi-disant Rudy?

– Vous voulez vraiment le savoir?

– Oui.

– Mérode a raconté en riant à Mahl comment, avec un de ses copains, il avait forcé une belle juive à prendre un bain.

– A prendre un bain?

– Oui, c'est comme ça qu'ils appellent le supplice de la baignoire. C'est, paraît-il, un Belge qui a inventé ce nouveau type de torture... Quand il s'agit d'un homme, on se contente de lui plonger la tête dans une bassine ou une lessiveuse remplie d'eau glacée jusqu'à la limite de l'asphyxie, on le ressort et on le replonge jusqu'à ce qu'il parle ou qu'il s'évanouisse.

– C'est horrible.

– Quant aux femmes...

– Arrêtez! » cria Jean Lefèvre.

François Tavernier enveloppa les jeunes gens d'un regard à la fois ironique et plein de commisération.

« Vous vous êtes lancés dans une aventure dont vous ne voyez que le côté romanesque, mais il y a l'autre, celui où l'on torture, où l'on tue, où l'on viole, où l'on envoie des enfants mourir dans des camps d'extermination. Vous auriez dû lire *Mein Kampf*, jeune homme, le chancelier Hitler y avait déjà exposé clairement sa solution du problème juif. Si Léa veut continuer à jouer aux héroïnes, elle doit savoir ce qu'on leur fait parfois, aux héroïnes, quand elles sont prises. Dans le cas de Sarah, qui savait ce qu'elle risquait, ils l'ont attachée à « l'infirmerie » où l'on « soignait » ses blessures. De la rue des Saussaies, ils l'ont emmenée avenue Henri-Martin. Ils l'ont d'abord interrogée correctement, puis, comme c'était l'heure du dîner, ils l'ont enfermée dans une armoire métallique... Vous savez, celles qui servent de vestiaire au personnel des bureaux ou des usines, elles sont trop petites pour qu'on y tienne debout et trop étroites pour qu'on puisse s'y asseoir. Le dîner a duré trois heures... Ensuite, ils sont revenus, repus, légèrement éméchés, rigolards. Quand ils ont ouvert le placard, ils ont dû aider Sarah à sortir, ses jambes ankylosées ne la portaient plus. Ils l'ont traînée jusqu'à la salle de bain... Elle était si faible qu'ils ont dû l'aider à se déshabiller. Mérode, un verre de champagne à la main, appréciait en connaisseur sa beauté... »

Léa s'assit sur le lit. Impitoyable, François Tavernier continua.

« ... il a demandé au maître des lieux, Christian Masuy, de le laisser seul quelques instants. Masuy a accepté en riant et est sorti avec ses aides. Sarah ne bougeait pas, un peu de sang avait traversé le pansement de sa blessure. Rudy lui a caressé les seins et lui a dit que si elle était gentille, il pourrait intervenir pour elle. Il paraît que cette aimable proposition a fait éclater de rire Sarah, ce que notre Don Juan a fort mal pris, puisque de son propre aveu, il l'a giflée, puis regiflée, en vain, puisqu'elle riait toujours. Furieux, il a rappelé ses camarades et là, ils lui ont attaché les mains dans le dos avec des menottes et à tour de rôle, ils l'ont violée. Ensuite, ils se sont accordés quelques instants de repos en fumant puis, ils lui ont lié les chevilles et, ainsi entravée, ils l'ont poussée et repoussée de l'un à l'autre, comme un ballon tandis qu'ils lui criaient : « Tu vas parler, salope! », « Oui ou non, tu parles? » Comme elle ne disait rien, ils se sont lassés de jouer et Masuy l'a fait basculer dans la baignoire. L'eau glacée lui a arraché son premier cri. Pour ne plus l'entendre, sans doute, Masuy lui a enfoncé la tête dans l'eau. A cause de la blessure, l'eau de la baignoire est vite devenue rouge. Deux heures durant, ils se sont acharnés sur elle. « Quel cran, cette femme! » a dit le lendemain Rudy de Mérode à Raphaël Mahl qui m'a raconté cela avec une émotion qui n'était pas feinte... Voilà ce que c'est que le supplice de la baignoire. Et, en plus, ces beaux messieurs le racontent avec volupté... »

Il se tut un moment puis reprit.

« Léa, regardez-moi, pouvez-vous imaginer que je sois complice de ces gens-là? »

L'air intense et désemparé avec lequel elle le regardait, sa bouche tremblante la faisaient ressembler à l'enfant de ses huit ans, témoin d'une injustice ou d'une méchanceté qu'elle ne comprenait pas. Comme la petite fille avait envie de se blottir contre celui-là même qui la faisait pleurer!

« Léa, répondez-moi. Malgré certaines apparences, me croyez-vous du côté de ces salauds? »

Elle se jeta contre lui.

La serrer dans ses bras... respirer l'odeur de ses cheveux, de son cou, sentir ses lèvres au goût de sel. De bonheur, François ferma les yeux.

Quand il les rouvrit, ils croisèrent ceux de Jean

emplis de désespoir. « Pauvre gosse, lui aussi est amoureux de cette insupportable gamine », pensa-t-il. Doucement, il la repoussa.

« Demain, Sarah doit être reconduite rue des Saussaies. Je saurai dans la nuit l'heure du transfert. Nous connaissons déjà l'itinéraire, trois des nôtres sont à des points stratégiques.

– Je veux en être, dit Jean.

– Non, mon vieux, vous êtes brûlé, vous partez ce soir. Faites vos adieux à Léa. Je vous laisse. Je vais présenter mes vœux à vos tantes. »

Restés seuls, les deux amis d'enfance se sentirent mal à l'aise.

« Je ne t'ai même pas demandé des nouvelles de Raoul. Comment va-t-il? Où est-il?

– J'ai su par un ami commun qu'il s'était évadé d'Allemagne l'été dernier, depuis on est sans nouvelles.

– Pauvre Raoul, on était si bien tous les trois. Tu t'en souviens, de nos baignades dans la Garonne? De nos promenades à vélo dans les collines?...

– Tu nous aimais encore à cette époque... Montillac a changé sans toi. On dirait que le domaine s'est recroquevillé. Les fenêtres restent fermées. Lorsque Ruth et Camille sortent, on a l'impression qu'elles marchent sur la pointe des pieds. Elles semblent passer leur vie à attendre. Depuis que Mathias est parti en Allemagne, Fayard ne dit plus rien. De temps en temps, on le voit dans les vignes, lançant quelques ordres secs. Il lui a pris fantaisie de travailler la nuit, de faire des rondes, une lampe à la main. Il traite sa femme comme un chien.

– Et Laurent?

– Je ne l'ai pas vu depuis longtemps, mais son réseau est actif, un des plus actifs du Sud-Ouest. Ils sont dans tous les coups durs. Il vaudrait mieux qu'il ne se fasse pas pincer, les Allemands ne le portent pas dans leur cœur. Il paraît qu'il vient en plein jour embrasser sa femme et son fils, sans aucune protection. J'aurais bien aimé travailler avec lui, mais Trinité avait besoin de moi sur Paris... Tu te souviens quand on descendait dans la forêt?

– Tout cela me paraît loin, je me sens si vieille maintenant. Et j'ai si peur, si tu savais comme j'ai peur.

– Ça ne se voit pas, dit-il en l'attirant à lui. Tu n'as pas changé, si ce n'est que tu es plus belle encore. Ton regard, peut-être... Oui, ton regard a changé, un peu plus dur, un peu plus inquiet. Tu devrais retourner à Montillac, laisser tomber tout ça. Attendre tranquillement en t'occupant des vignes que la guerre se termine.

– Attendre tranquillement!... Mais tu te crois à une autre époque, mon pauvre ami. Attendre quoi? Qu'ils continuent à piller le pays, à torturer nos amis, à poursuivre Laurent et oncle Adrien. Si on ne fait rien, jamais ils ne partiront. Moi, je ne peux pas attendre, je veux vivre, tu entends, vivre, je ne veux plus les voir chez nous. Apès leur départ de Montillac, avec Ruth et Sidonie, on a fait un grand ménage. Ah! si on avait pu purifier la maison par le feu! Françoise qui ne comprenait pas nous disait : « Mais, on a déjà fait le grand nettoyage de printemps... » Au début, je me disais : il faut que je m'habitue à leur présence. C'est normal, on a perdu la guerre. Malheur aux vaincus!... tu vois le genre. Puis, peu à peu, en parlant avec Camille, en écoutant la radio de Londres et surtout, en voyant que la plupart de nos parents, de nos voisins courbaient l'échine, j'ai eu honte. Et là, maintenant, quand je pense à ce qu'ils font à Sarah, je voudrais prendre un fusil et aller me battre.

– Ce n'est pas la place d'une femme.

– Ce que tu es vieux jeu. Ce ne serait pas la

première fois que des femmes participeraient à une guerre.

– Je ne voudrais pas qu'il t'arrive quelque chose. »

On frappa à la porte. C'était Françoise.

« Tante Albertine m'envoie vous chercher. »

Elle quitta la pièce sans attendre la réponse.

« Je dois partir. Salue les demoiselles de Montpleynet pour moi. Maintenant, laisse-moi. Je dois apprendre par cœur les renseignements de Trinité.

– Embrasse-moi et essaie de me donner de tes nouvelles de temps en temps. »

Leur baiser les ramena à l'été 39, sur la terrasse de Montillac quand leur principale préoccupation était : « Qu'allons-nous faire d'amusant aujourd'hui? » Tout à leur étreinte et à leurs souvenirs, ils n'entendirent pas la porte s'ouvrir ni François Tavernier entrer. Il sourit en voyant le jeune couple enlacé. Sans bruit, il se retira.

« Je t'aime, Léa.

– Je le sais, aime-moi bien, j'en ai besoin.

– Telle que je te connais, tu ne dois pas manquer d'amoureux, à commencer par ton Tavernier.

– Tu ne vas pas être jaloux?... Ce n'est pas le moment.

– Tu as raison. Je suis comme Raoul, je ne supporte pas de voir un autre homme te faire la cour.

– Ton frère et toi, vous avez toujours été bêtes, dit-elle tendrement.

– Au revoir, Léa. Sois prudente.

– Au revoir, Jeannot, toi aussi, sois prudent. »

Après un dernier baiser, Léa rejoignit sa famille. Dix minutes après, Jean Lefèvre quittait la rue de l'Université.

Dans le petit salon où la famille prenait maintenant ses repas par souci d'économie de chauffage, Albertine et Lisa, en attendant l'heure du dîner, écoutaient les messages personnels venus de Londres :

« *Le crabe va rencontrer les serpents. Nous disons : le crabe va rencontrer les serpents.* »

« *J'ai suivi d'un pas rêveur le sentier solitaire. Nous disons : j'ai suivi d'un pas rêveur le sentier solitaire.* »

« *Maurice a passé un bon Noël avec son ami et pense aux deux mimosas qui vont fleurir.* »

« On est bien content pour lui », fit Lisa avec un bon sourire.

7

Léa se sentait devenir enragée. Depuis plus de huit jours, elle était sans nouvelles de François Tavernier. Sarah était-elle toujours prisonnière? Jean avait-il réussi à gagner la Vendée? Même le silence de Raphaël l'inquiétait. N'y tenant plus, elle décida d'aller rue des Saussaies.

Sa jeunesse, sa beauté, l'apparente timidité dont elle fit montre, annihilèrent toute méfiance et curiosité chez l'officier allemand qui la reçut. « Sarah Mulstein?... » Ce nom lui disait quelque chose... Ah! oui, cette juive qu'on leur avait amenée blessée. Non, elle n'était plus là. Qu'elle aille voir 101, avenue Henri-Martin; là, ils pourraient peut-être la renseigner, sinon, qu'elle revienne, il essaierait de voir ce qu'il pourrait faire... C'était normal d'aider une aussi jolie demoiselle... Léa le remercia.

Dans la rue, elle détacha sa bicyclette, prit l'avenue de Marigny et remonta les Champs-Elysées. Au Rond-Point, un agent, juché sur son estrade fermée entourée des lourds panneaux de signalisation allemands, contrôlait une circulation inexistante : quelques vélos, de rares voitures, des piétons pressés serrant frileusement contre eux de trop légers manteaux. Un crachin froid rendait la chaussée glissante. En haut de l'avenue, l'arc de triomphe de l'Etoile se dressait, symbole dérisoire, dans le gris plombé du ciel. Abattue, Léa renonça à prendre ce chemin et tourna avenue Montaigne. A l'Alma, la pluie redoubla. Avenue Henri-Martin, elle attacha sa bicyclette aux grilles du jardinet devant l'immeuble, sous l'œil indifférent d'un passant. Sous la voûte, elle retira son béret, fit mousser ses cheveux et essuya avec son mouchoir son visage et ses jambes.

Surprise, elle regardait autour d'elle. Comme tout était calme, bourgeois, rien qui indiquât une présence allemande. Ce ne pouvait être là que se pratiquaient les horreurs décrites par Tavernier. Après la loge de la concierge, une large porte vitrée menait vers l'intérieur de l'immeuble. Léa s'arrêta, indécise, au milieu du hall de marbre. A sa droite, un très bel escalier de bois sombre déroulait sa rampe à balustres vers les étages. Pour la soutenir, se dressait une cariatide au visage altier et aux seins proéminents dont le bois luisant montrait à quel point les mains des locataires et de leurs visiteurs s'étaient attardées sur eux. En face, la grille ouvragée de l'ascenseur était éclairée par les vitraux d'une haute fenêtre. Deux longues marches de bois aux angles arrondis conduisaient à une porte à double battant sur laquelle était fixée une petite plaque de cuivre. Léa s'approcha et lut : « Service économique français. Bureau d'achat. » Qu'est-ce que ça signifiait? Elle avait cru comprendre que c'était au rez-de-chaussée que l'on avait conduit Sarah. Ces deux mots lui disaient cependant quelque chose. François avait parlé de bureau d'achat. Mais qu'en avait-il dit? Lasse et transie, elle s'assit sur les premières marches et appuya sa tête contre celle de la cariatide.

Un des battants de la porte s'ouvrit brusquement et un homme en jaillit, projeté par des mains invisibles. Le malheureux perdit l'équilibre et alla s'effondrer sur le carrelage de l'entrée. Malgré l'obscurité de l'endroit, Léa remarqua que ses mains étaient liées derrière son dos et que de son visage tuméfié coulait du sang qui tachait le marbre blanc et doré. Presque aussitôt deux hommes sortirent. Ils riaient en fermant leurs manteaux. Le plus jeune donna un coup de pied au corps étendu, agité de tremblements.

« Allez, salope, lève-toi. Maintenant que tu nous as tout raconté, on n'a plus besoin de toi. On te ramène à Fresnes.

– Vous m'aviez promis, fit le prisonnier en se soulevant.

– Promis quoi?

– Que vous laisseriez ma femme et ma fille tranquilles.

– Des promesses, des promesses, on n'arrête pas de faire des promesses ici, même que le patron nous en fait le reproche.

– Oh! non... ce n'est pas vrai! hurla-t-il, rouvrant une plaie mal fermée de sa bouche.

– Allez, lève-toi... Le patron n'est pas bien sûr que tu nous aies tout dit. »

Le pauvre type se traîna aux pieds de ses bourreaux goguenards.

« Je vous le jure, je vous ai tout dit, tout donné, les noms, les codes, tout... tout, cria-t-il en sanglotant.

– Ça suffit! La voiture nous attend... Arrête de chialer comme une gonzesse, tu vas te faire remarquer. Les larmes chez un homme, ça me dégoûte. Debout...

– Tu te lèves, fumier, dit l'autre, tu crois tout de même pas qu'on va porter une donneuse. »

Les sanglots s'arrêtèrent net. Léa, recroquevillée derrière la statue, vit cet être qui paraissait avoir perdu toute dignité, se redresser, d'abord sur les genoux, puis sur une jambe, puis sur l'autre, vacillant mais debout, horrible, pitoyable, les yeux à demi fermés par les coups, la lèvre inférieure déchirée et pendante, le cou portant une trace de strangulation, les mains toujours attachées où manquait l'ongle des pouces. Il passa lentement devant ses tortionnaires et, s'arrêtant devant le plus âgé, lui cracha calmement au visage.

Aussitôt, une arme apparut dans la main de son compagnon.

« Laisse, Bernard, il serait trop content si tu le descendais. »

A coups de pied et de poing, ils le sortirent de l'immeuble.

Ce fut le bruit de l'ascenseur qui tira Léa de son hébétude. D'un bond, elle se leva. Il était temps. Deux élégantes jeunes femmes sortirent de la cabine en riant. Au même moment, des messieurs respectables sonnèrent à la porte du bureau d'achat. Pas un d'entre eux ne remarqua le sang sur le sol.

Léa, comme fascinée, restait debout face à cette porte.

« Je dois partir », se disait-elle, incapable de bouger, comme dans l'attente d'un événement qui lui eût permis de comprendre, non ce qu'elle venait de voir, mais le pourquoi de ce qu'elle avait vu. Elle sentait qu'elle ne devait pas rester là. Personne n'était au courant de sa présence ici. Elle devait s'enfuir au plus vite, sinon ils l'attraperaient et lui feraient subir le même sort qu'à Sarah et au malheureux qui était tombé si près d'elle.

Toujours immobile, elle n'entendit pas la porte vitrée s'ouvrir. Quand elle se retourna pour partir, un homme trop bien vêtu, pas très grand, maigre, aux cheveux foncés soigneusement coiffés, tirant nerveusement sur un gros cigare, la dévisageait de ses yeux gris-vert.

« Vous cherchez sans doute quelqu'un, mademoiselle, puis-je vous renseigner? »

Le ton était courtois, mais l'angoisse nouait la gorge de Léa.

« On dirait que je vous fais peur. Ai-je l'air si terrible que ça? »

Non, fit-elle de la tête, essayant de rassembler ses

idées et de trouver quelque chose à lui dire. Ses yeux rencontrèrent la plaque de cuivre : « Bureau d'achat. » Les propos tenus par François Tavernier lui revinrent en mémoire.

« On m'a dit qu'ici on achetait des métaux précieux.

– C'est exact. Vous auriez des bijoux à vendre?

– C'est ça, des bijoux de famille.

– Je comprends, mademoiselle, les temps sont durs en ce moment et l'on est quelquefois obligé de se séparer d'objets auxquels on tient. Entrez, je vais voir ce que je peux faire pour vous. »

Il ouvrit avec sa propre clef et s'effaça pour la laisser passer. Il y avait beaucoup de monde dans la grande entrée : les messieurs convenables de tout à l'heure, des hommes aux vestons déformés par une arme, trois femmes, vêtues de noir, pleurant assises dans un coin. En face d'elles, un jeune homme, pieds et mains enchaînés, allongé à même le sol, un pansement sale sur le front, semblait dormir. Une femme en manteau de fourrure riait fort et haut avec une sorte de gigolo aux cheveux gominés. Une jeune fille, en larmes, les vêtements déchirés, fut tirée d'une pièce et entraînée vers une autre malgré ses protestations. Chacune des personnes présentes fit semblant de ne rien remarquer.

Léa se retourna d'un bloc.

« Que se passe-t-il ici? Qui sont ces gens? Que fait-on à cette femme? D'abord, qui êtes-vous?

– C'est vrai, pardonnez-moi, j'ai oublié de me présenter : Christian Masuy, directeur du Service économique français. Voici ma carte. Quant aux personnes qui sont là, elles ont quelque chose à vendre, comme vous. Si vous voulez bien me suivre dans mon bureau, je vais demander à mon secrétaire de venir. »

Le bureau de Masuy était une grande pièce claire. Une porte-fenêtre donnait sur le jardin bordant l'avenue Henri-Martin. Les boiseries étaient belles ainsi que l'imposante cheminée de marbre; un long bureau massif où se trouvait le portrait d'une femme et de deux petites filles, de lourds fauteuils de cuir et un canapé Chesterfield composaient l'ameublement. La température était agréable.

« Asseyez-vous, je vous prie. Voulez-vous boire quelque chose?... Un peu de champagne, cela vous fera du bien... Mettez-vous à l'aise. Retirez cette canadienne mouillée, vous allez attraper du mal. Il ne fait pas très chaud ici non plus. Que voulez-vous, c'est la guerre! Je vais faire allumer une flambée.

– Merci, ce n'est pas la peine, je n'ai pas froid.

– Allons, soyez raisonnable, retirez-moi ça. »

Le ton avait changé. Léa obéit. A ce moment-là, un moustachu d'une cinquantaine d'années, au front dégarni, aux sourcils proéminents ombrant des yeux très clairs, entra.

« Bonjour, monsieur. Vous m'avez fait demander?

– Entrez, Humbert. Je vous présente Mlle... Au fait, quel est votre nom? »

Prise de court, Léa balbutia :

« Delmas.

– Mlle Delmas, très bien. Mlle Delmas aurait quelques bijoux à nous proposer... Nous allons voir ça avec elle. En attendant, allumez le feu dans la cheminée, on gèle ici.

– Pourtant, monsieur, les radiateurs sont brûlants.

– Ne discutez pas, faites ce que je vous dis. »

Pendant qu'Humbert s'affairait près de la cheminée, Masuy ouvrit la porte-fenêtre, se pencha et ramena une bouteille de champagne.

« Je n'ai rien trouvé de mieux comme glacière en cette saison », dit-il d'un air triomphant.

D'un tiroir du bureau, il retira deux flûtes.

« Non, merci, pas pour moi, dit Léa.

– Si vous n'acceptez pas de trinquer avec moi, je considérerai cela comme un affront. Les meilleures affaires se concluent autour d'une table, ou un verre à la main. »

Résignée, Léa le regarda verser le liquide pétillant. Sa main ne tremblait plus quand elle prit le verre qu'il lui tendait.

« A la bonne vôtre; que cette nouvelle année 43 vous soit prospère. Vous allez voir, nous allons faire des affaires ensemble et nous gagnerons beaucoup d'argent.

– A votre santé, monsieur. Je ne désire pas me lancer dans les affaires, je suis bien trop ignorante. Je souhaite seulement me défaire de quelques bijoux et pièces d'argenterie pour venir en aide à ma famille.

– Vous avez les objets en question?

– Non, car je ne savais pas ce qu'il fallait faire, ni si j'avais une bonne adresse.

– A propos d'adresse, qui vous a donné celle-ci? »

Aïe! c'était la question tant redoutée depuis le début. Elle but une gorgée, essayant de trouver une réponse.

« J'ai entendu une de mes amies mentionner le bureau de l'avenue Henri-Martin, je ne me rappelle plus dans quelles circonstances.

– Humbert? Vous avez fini d'allumer ce feu? Vous pouvez nous laisser.

– Bien, monsieur. »

Comme il sortait, quelqu'un entra en le bousculant. Le secrétaire n'eut pas le temps d'esquisser un geste.

Le réflexe de Masuy avait été plus rapide que celui d'Humbert. Quand l'intrus fut devant le bureau, il avait déjà un pistolet à la main.

« Eh! là, Christian, on ne reconnaît plus ses amis?

– Mes amis, habituellement, ne rentrent pas ainsi chez moi. Tu as eu beaucoup de chance de ne pas recevoir une balle entre les deux yeux. Je suis bon tireur, tu sais.

– Excusez-moi...
– De plus, je croyais t'avoir dit que je ne voulais plus travailler avec toi.
– Mais il ne s'agit pas de moi, mais de mon amie ici présente.
– Que racontes-tu? Cette jeune fille est une amie à toi? »
Léa n'en revenait pas... Raphaël Mahl, ici!... L'avait-il suivie?...
« J'avais rendez-vous avec elle.
– Mademoiselle Delmas, est-ce exact?
– Oui... ne le voyant pas, je ne savais plus que faire. »
Les yeux gris-vert allaient de l'un à l'autre avec méfiance.
« Je vous prenais pour une jeune fille convenable et vous fréquentez quelqu'un comme Mahl!... Je n'en reviens pas. »
Malgré la tension qui régnait, Léa faillit éclater de rire; c'était presque mot pour mot ce que lui avait dit Richard Chapon à propos de l'écrivain. Décidément, quel que soit le milieu, son ami Raphaël n'avait pas bonne réputation.
« Nous nous connaissons depuis plusieurs années. Il me conseille dans mes affaires.
– Et vous êtes restés en bonnes relations!... »
L'étonnement du petit homme était si sincère que Raphaël et Léa éclatèrent de rire. Cette gaieté exaspéra Masuy qui donna un coup de poing sur son bureau. Cela n'eut pas le résultat escompté, Léa étouffait littéralement.
« Mon pauvre Raphaël, même ici on se méfie de vous, c'est trop drôle!
– Ils ont quelques raisons! Ils me connaissent bien... Pas vrai, mon cher?... Je n'en peux plus, permettez-moi de m'asseoir...
– Vas-tu cesser, tu es grotesque!
– Je ne le sais que trop... Ce monde-ci me dégoûte

autant que moi-même... Mieux vaut en rire, non?... Quelle tête tu fais!... Il n'y a pas une minute, tu étais tout rouge, maintenant, te voilà tout vert... Tu devrais rire plus souvent, c'est bon pour le teint. Regarde notre belle amie, c'est la bonne humeur qui lui donne ce teint rose... Allons, trêve de plaisanteries, nous sommes venus discuter affaires. Tu sais que je suis surveillé par la police française et tes copines de la Gestapo, je ne peux donc plus me livrer à mon fructueux petit commerce. Mais, tu me connais, mes amis sont sacrés, si je peux leur rendre service, je n'hésite pas. Aussi, quand Mlle Delmas m'a demandé de lui vendre une parure de diamants, j'ai pensé à toi. »

Léa ferma les yeux à l'évocation des prétendus diamants.

« Des diamants? fit Masuy en se rasseyant. Je croyais qu'il s'agissait de quelques babioles. Je les aurais certainement prises pour rendre service à une aussi charmante jeune fille. Mais des diamants!... Quand pourrai-je les voir?

– Je dois d'abord convaincre ma famille de me les confier. »

Masuy lui lança un regard complice.

« Je comprends parfaitement, mademoiselle. Revenez me voir prochainement. Mais venez seule, sans cet escroc.

– Mon cher Christian, quel rancunier vous faites!... ce n'est pas pour quelques petites malversations de rien du tout que vous allez me bouder encore longtemps!

– Ce que vous appelez « petites malversations » m'a quand même coûté plus d'un million de francs.

– Je n'ai pas eu de chance, j'ai été abusé. Vous verrez, après l'affaire que vous allez faire avec Mlle Delmas, vous me remercierez. »

Léa s'était levée, prête à partir. Galant, Masuy l'aida à remettre sa canadienne.

« Au revoir, mademoiselle, j'attends votre visite. Adieu, Mahl. Souviens-toi, moins je te vois, mieux tu te portes.

– Je suis un grand méconnu », fit d'un ton mélodramatique Raphaël en sortant de la pièce.

L'entrée était maintenant pleine de gens, la plupart debout. Quelques-uns se précipitèrent :

« Monsieur Masuy, nous avions rendez-vous!...

– J'ai réfléchi, monsieur Masuy, je vous le laisse à moitié prix...

– Je vous en supplie, monsieur, avez-vous des nouvelles de mon mari?...

– Que vais-je devenir? Ils ont arrêté mon fils.

– Monsieur, vous m'aviez dit de revenir si je remarquais quelque chose de suspect chez mes voisins. J'ai entendu parler anglais chez eux, c'est louche, non?

– Soyez patients, mes amis, vous serez tous reçus. »

Un dégoût apeuré envahissait peu à peu Léa.

Pourquoi Raphaël lui serrait-il la main si fort? Il lui faisait mal... Léa le regarda, prête à protester. Que regardait-il ainsi? Non. Cette femme au visage bouffi, aux longs cheveux noirs mouillés... ce n'était pas...

« Distrayez l'attention de Masuy et de ses hommes », murmura Raphaël entre ses dents.

Le sac de Léa roula par terre, éparpillant son contenu.

« Ce n'est rien, dit Masuy en se baissant, on va vous aider à récupérer toutes ces babioles. »

Jamais elle n'aurait pensé que son sac contenait autant de choses. Quand ces messieurs courtois se relevèrent, ils étaient un peu cramoisis.

« Merci beaucoup, messieurs, merci.

– Tenez, Léa, j'ai récupéré votre rouge à lèvres.

– Mais...

– J'ai eu du mal, il était caché derrière la banquette. »

Comprenant soudain, elle rangea dans son sac ce bâton de rouge qu'elle savait ne pas être le sien.

La pluie avait cessé. Léa détacha sa bicyclette de la grille, l'enfourcha et partit sans se préoccuper de Raphaël Mahl.

« Eh! Attendez-moi!... »

Bientôt, il arriva à sa hauteur, juché sur un vélo de course.

« Ne vous sauvez pas comme ça, nous avons des tas de choses à nous dire.

– Laissez-moi tranquille, je ne veux rien avoir à faire avec vous.

– Vous vous trompez. Tout d'abord, vous me devez des remerciements. Sans mon intervention, vous auriez peut-être fait connaissance avec les méthodes de mon ami Masuy.

– Je ne doute pas que vous connaissiez parfaitement ses méthodes, sans doute lui donnez-vous un coup de main de temps en temps.

– Pensez ce que vous voulez. En tout cas, il faut être complètement folle pour venir se jeter dans la gueule du loup. Mais enfin, que veniez-vous faire là-dedans? C'est vrai, cette histoire de bijoux?

– Pas plus vrai que celle des diamants. Qu'est-ce qui vous a pris d'inventer une fable pareille? Maintenant, il veut me revoir.

– Je le connais bien. Les diamants, c'est sa passion. C'était le seul moyen pour qu'il ne vous pose pas de questions trop précises. Léa, je vous en prie, n'allez pas si vite, je n'ai plus vingt ans, je ne peux pas vous suivre.

– Cela va vous faire du bien, vous mangez trop, vous êtes gras comme un cochon d'avant-guerre.

– Vous êtes cruelle. Il faut cependant que je vous parle tranquillement.

– A vélo, au milieu de l'avenue Henri-Martin,

n'est-ce pas un endroit idéal pour être à l'abri des oreilles indiscrètes?

– Vous avez raison, mais je suis trop essoufflé. Avant de nous arrêter, répondez-moi : qu'alliez-vous faire dans cet endroit?

– La même chose que vous, je suppose; avoir des nouvelles de Sarah. »

Durant quelques instants, ils pédalèrent en silence. Ils arrivèrent place du Trocadéro. La pluie s'était remise à tomber.

« Venez vous mettre à l'abri. »

Ils attachèrent leurs vélos ensemble contre un arbre, puis coururent jusqu'au café le plus proche. Ils s'installèrent dans la salle du fond encore à peu près vide.

« J'ai faim, dit Léa.

– Vous avez des tickets?

– J'en ai quelques-uns, pourquoi?

– C'est la seule façon d'obtenir à manger. Et ne vous plaignez pas, car ici, c'est mangeable. Garçon, s'il vous plaît! »

Un serveur âgé, le corps ceint d'un long tablier blanc, arriva en traînant les pieds.

« Et pour ces messieurs-dames, qu'est-ce que ce s'ra?

– Mademoiselle a faim, est-ce que vous nous recommandez le plat du jour?

– C'est selon!...

– Mais nous avons des tickets.

– J' m'en doute bien... parce que ici, sans tickets, rien à manger.

– Vous voulez dire qu'avec les tickets, plus un petit quelque chose, on peut avoir un meilleur repas?

– Monsieur a parfaitement compris et plus le petit quelque chose est important, plus les portions sont copieuses.

– C'est parfaitement honteux, dit Léa.

– Taisez-vous, vous allez le vexer, dit à voix basse

Raphaël. Avez-vous de l'argent sur vous car, en ce moment, mes finances sont plutôt basses. »

Léa fouilla dans la poche de sa canadienne et en ressortit quelques billets froissés qu'elle lui tendit.

« Ça suffira?

– Avec ce qui me reste, ça devrait pouvoir aller. »

Raphaël glissa au garçon un billet qu'il glissa prestement dans son gousset, emportant vers la caisse leurs cartes d'alimentation. De la cuisine, ils l'entendirent crier :

« Deux plats du jour, comme pour des malades. »

Léa se leva et s'approcha du poêle de fonte qui trônait au milieu de la salle. Elle retira sa canadienne humide et la mit sur le dossier d'une chaise, près du feu. Un moment, elle craignit que Raphaël vînt la rejoindre, mais il resta assis, fumant, perdu dans ses pensées.

Léa songeait : si Raphaël est étranger à l'arrestation de Sarah, comme me l'a affirmé François, que faisait-il là-bas? J'ai bien vu, quand je ramassais mes affaires, qu'il s'est approché d'elle, lui a parlé tandis qu'elle lui remettait quelque chose... le tube de rouge à lèvres, sans doute. Visiblement, à aucun moment, elle n'imaginait qu'il pouvait l'avoir dénoncée...

« Mademoiselle est servie!

– Merci. »

Sur la table, fumait une petite cocotte à moitié pleine de ce qui ressemblait à un civet. Cela sentait bon.

« C'est du lièvre de contrebande », chuchota le garçon en les servant.

Lièvre ou pas, cela se laissait manger, comme la réserve du patron se laissait boire.

« J'ai peut-être le moyen de sortir Sarah de là...

– Comment ça? »

Raphaël regarda autour de lui, la salle se remplissait peu à peu des employés des bureaux du quartier.

« Il y a trop de monde. Dépêchez-vous de manger. Je vous le dirai dans un endroit tranquille. »

Autour d'eux, les gens se bousculaient en riant et en plaisantant. Près de leur table vinrent s'installer quatre jeunes filles, portant des capuches de laine de couleur vive, assorties aux moufles et aux socquettes, qui leur donnaient l'air de joyeux lutins. Elles retirèrent leurs manteaux et leurs imperméables alourdis de pluie. Malgré les restrictions de tissus et leurs salaires qui devaient être minces, leurs robes étaient jolies et leur allaient bien. Léa leur lança un regard d'envie, comparant son terne tailleur gris coupé dans un ensemble ayant appartenu à sa mère. Ce regard n'échappa pas à Raphaël.

« Vous êtes très élégante ainsi, cela vous donne un air de souris sage, ce qui n'est pas votre image habituelle. Avec vos cheveux, des couleurs vives vous donneraient vite mauvais genre.

– Je préférerais avoir mauvais genre, comme vous dites, plutôt que d'avoir l'air d'une bonne sœur en civil. J'aurais dû mettre mon pull-over en angora rose.

– Ce que j'aime, chez vous, les femmes, c'est que, dans les pires situations, vous pensez à assortir les couleurs entre elles, à prendre le sac et les chaussures qui conviennent. Vous êtes comme des enfants : vous pleurez sur le sort d'un ami, deux minutes après vous parlez chiffons. »

Ils finirent leur civet en silence.

La salle était maintenant pleine, le vacarme assourdissant. Raphaël appela le garçon et régla l'addition.

La pluie avait cessé. Un soleil frileux tentait de percer les nuages, donnant un léger scintillement aux gouttelettes qui tombaient des arbres. Léa se dirigea vers les vélos.

« Non, laissez-les, nous n'en avons pas besoin maintenant.

– Pourquoi?

– Je vous emmène dans un endroit où nous pourrons parler tranquillement. Le quartier est infesté d'espions des différents services de police allemands et français. Rien ne nous dit que nous n'avons pas été suivis. Dans un cimetière, ce sera plus facile de se rendre compte.

– Dans un cimetière?...

– Oui. Vous voyez le grand mur en face? C'est celui du cimetière de Passy. A cette heure et par ce temps, il est quasiment désert. Venez, ne perdons pas de temps, la vie de Sarah en dépend. »

Ce fut cet argument qui détermina Léa à le suivre.

Raphaël s'arrêta dans la boutique du fleuriste située à l'entrée du cimetière et acheta un bouquet de violettes.

« C'est pour faire plus vrai, chuchota-t-il.

– C'est la première fois que j'entre dans un cimetière parisien », dit Léa en passant sous la voûte.

Elle regarda autour d'elle : la cour pavée, les mausolées blancs qui la surplombaient. Un jeune gardien, au visage de fille, sortit de la conciergerie et les toisa. Raphaël prit le bras de son amie.

« Ne craignez rien, c'est un de mes jeunes amants. Il est tout simplement surpris de me voir avec une femme. »

Tout en parlant, ils montèrent à droite la petite côte. Léa contemplait la nécropole avec étonnement.

« Comme ces chapelles sont prétentieuses! Regardez celle-ci, elle est incroyable. Qui est enterré là?

– Une étrange fille, Marie Bashkirtseff, morte de tuberculose à vingt-quatre ans. C'était un peintre dans la lignée de Manet. Après sa mort, on a publié son journal et ses cahiers intimes, vous devriez les lire... »

Contournant les flaques d'eau, ils arrivèrent au fond du cimetière. Plusieurs fois, en montrant un tombeau à Léa, Raphaël s'était retourné pour s'assurer que personne ne les suivait.

Il se laissa tomber sur un banc de pierre bordant l'allée, retira son chapeau en poussant un soupir de soulagement.

« Ouf! Rendez-moi le tube de rouge à lèvres. Il contient des indications sur l'emplacement où est enfermée Sarah la nuit, et le nom de la personne à soudoyer.

– A soudoyer? fit-elle en fouillant dans son sac.

– Evidemment, vous ne pensez pas qu'on va pouvoir la sortir des pattes de Masuy sans complicité à l'intérieur.

– Je n'en sais rien, je pensais qu'on pouvait attaquer le bureau avec des gens de son réseau.

– Ils sont tous arrêtés.

– Tous?

– Tous, sauf deux. Ça vous intéresse? Vous les connaissiez?

– Non, non!

– J'aime mieux ça. Sarah, ce n'est pas moi qui l'ai donnée, elle s'est dénoncée toute seule par ses imprudences. Par contre, le reste du réseau, c'est grâce à mes renseignements qu'il a été pris. »

Bien qu'elle ne fût pas vraiment étonnée par ce que lui disait Raphaël, elle reçut la confirmation de sa dénonciation comme un choc. Elle devint si pâle qu'il crut qu'elle allait se trouver mal. Il avança la main pour la soutenir. Elle recula.

« Ne me touchez pas ou je crie. Vous me faites horreur, vous...

– Vite, faites semblant de vous remettre du rouge à lèvres...

– Mais...

– Obéissez, bon Dieu!... »

Un couple en deuil passa en les dévisageant.

« Pardonnez-moi, je me méfie de tout le monde en ce moment. Donnez-moi le tube.

– Qui me dit que vous n'allez pas vous en servir contre Sarah?

– Ma pauvre petite... Donnez. Surveillez les alentours. »

Dos tourné, face à un arbre, il retira la pâte rouge puis, à l'aide d'une allumette, un petit rouleau de papier qu'il déplia nerveusement.

Le nez dans le bouquet de violettes, Léa était aux aguets.

Quand il eut terminé sa lecture, Raphaël paraissait songeur.

« Alors?

– Alors?... Si ça réussit, je ne donne pas cher de ma peau... si ça rate non plus, d'ailleurs... Bof! Soyons joueur jusqu'au bout... De toute façon, l'étau se resserre. Français ou Allemands, ils finiront bien par m'avoir...

– Si vous en étiez là, pourquoi avoir dénoncé les autres?

– Venez, marchons, ne restons pas plantés là. Vous savez bien, ma douce amie, que ceux de mon espèce et de ma race passent pour ne pas être très courageux, surtout si on les interroge en leur montrant un à un les instruments très tranchants, très brillants et très pointus tirés d'une trousse de chirurgien. La vue d'un scalpel a toujours provoqué chez moi une émotion intense, particulièrement si l'on me décrit tout ce qu'on peut en faire. Croyant n'avoir pas été assez convaincants, ils m'ont emmené dans une cave, boulevard Lannes, où gisait un malheureux dont ils avaient découpé les paupières... Comme il n'avait rien dit, ils se proposaient de lui enlever le nez, puis les joues. Pour les oreilles, je crois que c'était déjà fait...

– Pourquoi me racontez-vous de telles horreurs, sorties tout droit de votre imagination dépravée d'écrivain minable...

– Ma chère, vous pouvez tout me dire, me traiter de vieux pédé, de sale juif, de collabo, d'indic, de voleur, mais d'écrivain minable, jamais. Mon talent est la seule chose qui soit bonne en moi, ne l'abîmez pas.

– Je m'en moque de votre talent, il ne vous autorise pas à me raconter les soi-disant tortures commises par les Allemands.

– Qui vous dit qu'elles soient commises uniquement par des Allemands? »

De stupeur, Léa s'arrêta et laissa tomber le bouquet de violettes dans la boue. Raphaël le ramassa et le lui tendit en murmurant :

« Pauvre gosse!... Mais enfin, que croyez-vous? Ce pays est occupé depuis plus de deux ans, Pétain, Laval et consorts recommandent la collaboration. Certains collaborent vraiment, pas toujours de leur plein gré, c'est vrai, mais ce sont souvent ceux-là les plus féroces...

– Comment ça?

– Tout à l'heure, en quittant l'avenue Henri-Martin, vous n'avez pas remarqué un beau et grand garçon qui entrait?

– Non, je n'étais pas d'humeur à remarquer les beaux garçons.

– C'est dommage, cela aurait pu vous être utile. Souvenez-vous, il s'est effacé pour vous laisser passer.

– Ah! oui! peut-être... oui, je m'en souviens. J'ai trouvé qu'il ressemblait à Mathias, un ami d'enfance.

– Bon! Vous revoyez son visage? Sympathique, de beaux yeux, une belle bouche...

– Où voulez-vous en venir?

– Ce sympathique jeune homme était pompier de la ville de Paris. Sans être résistant, il était plutôt sympathisant et, dans les bistrots, ne se privait pas pour dire ce qu'il pensait de la guerre, de l'occupation et même de Londres. Un jour, à un comptoir, un homme a engagé la conversation. Rapidement, tous deux en sont venus à échanger des propos très anti-allemands.

Cet homme, qui disait s'appeler Lescalier, lui a confié qu'il appartenait à un réseau de résistance belge, qu'il recherchait des armes et qu'il était prêt à payer très cher. Le beau jeune homme a accepté de le revoir la semaine suivante. Exact au rendez-vous, il lui a apporté cinq revolvers, pas de première jeunesse mais qui marchaient parfaitement.

– Comment se les était-il procurés?

– Par un camarade de la caserne de Saint-Ouen. Lescalier lui en a donné deux cents francs et lui a demandé s'il pouvait lui en fournir d'autres. Il lui a laissé son numéro de téléphone en lui disant de l'appeler s'il en trouvait. Quelques jours plus tard, notre pompier lui a donné rendez-vous place de la Bastille en compagnie de deux de ses amis qui devaient lui remettre les armes. A peine arrivés, les trois jeunes gens ont été arrêtés et conduits à l'hôtel Edouard VII où se trouve un des bureaux de l'Abwehr, le service de renseignement allemand. Dans ce bureau, il a retrouvé Lescalier, ou Masuy, si vous préférez. Depuis 1940, Masuy est un agent de l'Abwehr. Il a une grande qualité : il sait très vite juger les gens. A notre homme, il a mis immédiatement le marché en main : ou il acceptait de travailler pour les services allemands, ou il était déporté. L'autre n'a pas hésité : le soir même, il était relâché.

– Il a prévenu ses chefs?

– Non, il est rentré à sa caserne comme si de rien n'était. Ses supérieurs ont eu des doutes et l'ont interrogé. Il a tout raconté, sans dire pourquoi il avait été libéré. Cela lui a valu un mois de cellule pendant lequel Masuy lui a rendu visite en lui apportant des cigarettes. A peine libéré, en jeune homme bien élevé, il a rendu la visite. Retourné dans sa caserne, il a travaillé pour Masuy à un salaire de deux mille francs par mois. Cela a duré six mois. Puis, en juillet 42, il a déserté non sans avoir permis l'arrestation d'un officier des services spéciaux français pour lequel il avait également « travaillé », et d'une vingtaine d'autres personnes. Depuis, il est l'homme de confiance de Masuy, son bras droit. Dans les interrogatoires, il le seconde très activement. Souvenez-vous de son nom : Bernard Fallot.

– C'est l'homme au bistouri?

– Je n'ai pas dit ça. Mais là, vous m'en demandez trop. Vous en savez déjà beaucoup pour votre tranquillité. J'ajoute qu'il a cédé facilement au chantage, sans grandes menaces.

– Comment cela est-il possible?

– Je pense que la peur qu'il a eue lui a fait perdre, à la suite d'une chute de cheval, comme disait Jules Renard, tout sens moral...

– Comment n'avez-vous pas honte de plaisanter à propos de pareilles choses?

– Que voulez-vous, ma bonne, je ne suis pas le seul à préférer perdre un ami plutôt qu'un bon mot. »

Léa abandonna la discussion.

« Vous ne m'avez toujours pas dit ce que vous comptiez faire pour sauver Sarah.

– Vous tenez vraiment à le savoir?

– Oui.

– Je ne peux pas vous le dire. Si vous étiez arrêtée, vous parleriez...

– Mais...

– Bien sûr que si, vous parleriez, c'est une question de temps, de moyens, de dosage. Tout ce que je peux vous dire c'est ce que j'attends de vous. Regardez, nous sommes arrivés devant la chapelle à laquelle je destinais ces fleurs.

– Qui est enterré là?

– Pauline Tarn. Ça ne vous dit rien, bien sûr... C'est une poétesse lesbienne que Maurras appelait « la petite sœur de Baudelaire » et dont la grande Colette a fort bien parlé dans *Ces plaisirs*... elle est morte, jeune encore, rongée par l'alcool et la drogue. C'est sous le nom de Renée Vivien qu'elle a publié, à compte d'auteur le plus souvent, ses poèmes dont certains sont beaux et émouvants comme elle.

Donne-moi tes baisers amers comme des larmes,
Le soir, quand les oiseaux s'attardent dans leur vol.
Nos longs accouplements sans amour ont les charmes
Des rapines, l'attrait farouche des viols.

« Tout à fait comme pour moi. Cette femme, qui n'a aimé que les femmes, en parle comme je parle des garçons. Ecoutez ces vers :

J'ai l'émoi du pilleur devant un butin rare,
Pendant la nuit de fièvre où ton regard pâlit...
L'âme des conquérants, éclatante et barbare,
Chante dans mon triomphe au sortir de ton lit!

« Pas mal! Qu'en pensez-vous? »

Léa secoua la tête et dit avec un sourire désarmé :

« Je suis sûre que sur votre lit de mort vous parlerez encore de littérature.

– Le Ciel vous entende, c'est bien la seule chose qui vaille la peine de vivre. »

Il glissa le bouquet de violettes à travers les croisillons de la grille sur laquelle il appuya son front.

« Prie pour moi, petite sœur oubliée... » Puis, sans changer d'attitude : « ... Léa, écoutez-moi attentivement. Si tout va bien, dans deux jours, Sarah sera libre mais fort mal en point. Après-demain, à trois heures et demie, trouvez-vous chez le fleuriste à l'entrée du cimetière. Un vélo-taxi à capote grise et jaune s'arrêtera. Vous sortirez de la boutique et aiderez une femme en grand deuil à descendre. Ce sera Sarah. Vous réglerez le taxi. Donnez-lui votre bras et entrez dans le cimetière. Le jeune gardien que vous avez vu tout à l'heure s'avancera vers vous et vous proposera son aide. A vous deux, vous aiderez Sarah à monter l'escalier qui mène directement à la tombe de Renée Vivien...

– Pourquoi lui faire monter cet escalier?

– C'est plus court que de passer par l'allée et c'est derrière cette tombe que j'ai découvert la porte d'une chapelle ouverte. Renseignements pris, plus personne ne vient s'y recueillir depuis des années. Le gardien vous conduira jusque-là et vous laissera. Sur le fronton est écrit : Famille Maubuisson. Vous pousserez la porte. J'ai graissé les gonds et fait refaire une clef, la voici. Vous la lui remettrez. »

Léa prit la clef et la glissa dans sa poche.

« Sous le minuscule autel, il y aura de la nourriture, des médicaments et une couverture. Installez Sarah aussi confortablement que possible.

– C'est tout ce que vous avez trouvé pour la cacher? Vous n'avez pas un autre endroit? »

Raphaël Mahl eut un geste d'impuissance.

« J'avais bien pensé à un bordel de garçons où je vais, mais il n'est pas sûr, des Allemands le fréquentent en cachette. Pour l'instant, je n'ai rien de mieux à proposer. »

Léa soupira avec exaspération.

« Au moins, votre plan d'évasion de l'avenue Henri-Martin est-il au point?

– Pas vraiment.

– Comment ça, pas vraiment?

– Le nom qu'elle m'a griffonné est celui d'un sous-fifre minable. Je ne vois pas bien ce qu'on peut en tirer, même avec de l'argent.

– Alors, pourquoi prévoir toute cette mise en scène macabre sans même savoir si elle va servir? »

Il eut une moue attristée.

« Il ne faut pas m'en vouloir, je n'ai aucun sens pratique. Mais ce refuge, je l'ai bien organisé. Je vous promets que je la sortirai de là. J'ai déjà une autre idée. De toute façon, sauf avis contraire de ma part, dans deux jours, elle sera dans ce caveau...

– Morte.

– Non, vivante. Quand vous l'aurez installée, donnez-lui la clef en lui disant de fermer derrière vous.

Expliquez-lui que, dans la nuit, nous la sortirons de là. Vers minuit, on viendra gratter à la porte, quelqu'un lui dira : « Sois sage, ô ma douleur, et tiens-toi plus tranquille... » Elle devra répondre : « Les morts, les pauvres morts ont d'étranges douleurs... »

– Toujours la littérature!

– La poésie, madame, la poésie. A ce moment-là, elle ouvrira la porte et suivra la personne.

– Mais elle va être morte de peur, une partie de la nuit enfermée là-dedans!

– Sarah n'est pas femme à avoir peur, même dans un tombeau, même s'il y a des fantômes.

– Taisez-vous, rien qu'à cette idée...

– Vous préféreriez sans doute Masuy et sa baignoire?

– Je crois que je préférerais quand même les fantômes de la famille Maubuisson.

– J'aime vous voir raisonnable!

– Arrêtez de vous moquer de moi.

– Vous avez bien compris?

– Oui. Une chose cependant. Si par malheur il arrivait que Sarah ne sorte pas ou, une fois sortie, soit de nouveau arrêtée, je vous en tiendrai pour irrémédiablement responsable et je vous tuerai. A moins qu'à mon tour... je ne vous dénonce... »

Avec quelle tendresse il la regarda.

« Je ne doute pas un seul instant de la qualité de votre vengeance. »

8

Quand Léa rentra rue de l'Université, il régnait dans l'appartement une agitation tout à fait inhabituelle.

Sans lui laisser le temps de retirer sa canadienne, Françoise lui saisit les mains et l'entraîna en riant dans une ronde de vitesse qui était un des jeux favoris de leur enfance.

Au début, Léa tenta de se dégager mais sa sœur la maintint fermement.

« Tourne, je t'en prie, tourne... »

Alors, Léa se laissa faire : bras tendus, pieds rapprochés, elles se mirent à tournoyer de plus en plus vite, retrouvant leurs piaillements aigus de petites filles. Dans la vitesse de leur ronde, tout s'effaçait autour d'elles. Disparus les murs de l'entrée! le froid de l'hiver parisien! la grisaille du temps! Sous leurs paupières mi-closes, éclataient les couleurs de l'été langonnais, la chaleur qui montait de la terrasse, la campagne qui se perdait à l'infini. C'était la voix rieuse de leur mère qui criait :

« Françoise, Léa, arrêtez, la tête va vous tourner, vous allez tomber! »

Oh! oui, que la tête tourne, qu'un grand chavirement chasse les images et les peurs de ces derniers jours!... Ne plus entendre à la radio de Vichy la sirupeuse voix de Tino Rossi qui, du matin au soir, vocalise sur le Travail, la Famille, la Patrie, ne plus voir affichée dans le métro, sur les arbres, aux portes des mairies, la liste des otages fusillés. Ne plus croiser des enfants, des vieillards portant l'étoile jaune. Ne plus imaginer les cris de Sarah violée et torturée. Ne plus se sentir si désemparée... si seule, seule... Laurent... Que ce tourbillon ne s'arrête pas. Que les doigts agrippés ne lâchent pas. Que l'esprit se vide... vite... encore plus vite...

« Attention!... vous allez tomber!... »

Françoise et Léa s'écroulèrent, riant et pleurant, projetées à chacune des extrémités de l'entrée.

Lisa se précipita vers Françoise, tandis qu'Albertine se penchait sur Léa.

« Ces enfants sont folles, elles auraient pu se blesser, pleurnichait Lisa en contemplant sa nièce, toujours secouée de rires, qui essayait de se redresser.

– Oh! là! là! quel tournis!... Jamais on n'a été aussi vite. Léa, où es-tu? Je ne vois rien, tout est flou... Ça n'arrête pas de bouger. Tu arrives à te lever?... »

Léa ne remuait pas. Elle restait allongée sur le côté, le visage dissimulé par ses cheveux. Inquiète, Albertine la saisit par l'épaule et la retourna. Pâle, les narines pincées, les joues inondées de larmes, les yeux fermés, elle paraissait évanouie.

« Vite, Lisa, va chercher tes sels.

– Mais pourquoi? je me sens bien.

– Sotte, ce n'est pas pour toi, c'est pour Léa. »

La vieille demoiselle se redressa péniblement et se précipita aussi rapidement qu'elle le pouvait. Elle tomba à genoux près de la jeune fille étendue, souleva sa tête avec précaution et lui fit respirer les sels. Très vite, ses narines palpitèrent et bientôt son nez se fronça avec dégoût.

Dans son coin, Françoise avait réussi à se mettre debout mais devait se cramponner à la commode pour ne pas retomber. Peu à peu le tournoiement se calmait.

« Ah! pour une fois, j'ai gagné, je me suis relevée avant toi. Allez, fais un effort! »

Bien au contraire, Léa concentrait ses efforts à se maintenir dans l'état cotonneux et tourbillonnant dans lequel elle s'était jetée.

Françoise vint s'accroupir devant elle et lui prit les mains.

« Léa, écoute-moi bien : Otto arrive demain!... Nous allons pouvoir nous marier. »

Un dégoût immense tordit le cœur de Léa. Mais Françoise avait l'air si rayonnant, si heureux, qu'elle refoula sa répulsion et réussit à dire presque naturellement :

« Je suis très heureuse pour toi.

– C'est Frederic qui me l'a annoncé. Il a obtenu une permission pour bonne conduite au front. Il va être heureux de voir son fils! »

Toute à son bonheur, la jeune femme ne remarquait pas les sourires contraints de son entourage.

« Quelle bonne journée! »

Léa se mordait la langue.

« Oh! mon Dieu, j'oubliais, c'est l'heure de la tétée. »

Dans un envol de jupes, Françoise, radieuse, quitta la pièce.

« Tu te sens mieux? demanda Lisa.

– Quel tourbillon! »

Léa se redressa et s'appuya quelques instants au chambranle de la porte.

« Comme ta sœur est heureuse! »

Léa la regarda d'une façon qui ne laissait aucun doute sur ses sentiments à l'égard de Françoise.

La demoiselle fit diversion.

« Tiens, tu as reçu une lettre. Elle vient d'Allemagne...

– Pourquoi ne l'as-tu pas dit plus tôt? »

Léa lui arracha la lettre des mains et se précipita dans « son » fauteuil. Elle regarda le dos de l'enveloppe. Mathias! Mathias Fayard! Le fils du régisseur de Montillac, son vieux compagnon de jeux, brusquement devenu un homme et qui voulait si fort l'épouser... Le souvenir de Mathias était accompagné d'odeurs : celle des bois en automne, du raisin dans le fouloir, de l'eau de la Garonne quand il fait très chaud et qu'elle « sent le poisson », de l'humidité des grottes de Saint-Macaire, de la mousse du calvaire de Verdelais, du foin dans la grange, de la sueur après les jeux et l'amour...

Elle déchira l'enveloppe. Il avait une petite écriture, fine et irrégulière.

« Ma belle Léa,

« J'ai su par mon père que tu étais à Paris et c'est là que je t'écris pour te dire que j'aurai bientôt une permission. J'aimerais bien que tu sois rentrée à Montillac lorsque j'y arriverai.

« Je suis heureux d'avoir choisi l'Allemagne contre la volonté de tous. C'est un peuple courageux, uni derrière son chef, sûr de sa victoire. Tous les Allemands se battent, dans les villes et les villages, il n'y a plus d'hommes de dix-huit à soixante ans, ils sont tous éparpillés à travers l'Europe et l'Afrique. Ce sont des étrangers, comme moi, qui travaillent dans les usines, dans les champs.

« Avec le printemps, l'armée de l'Est va reprendre la direction des opérations et, avant l'été, le drapeau allemand flottera sur Moscou et sur toutes les grandes villes russes. Les Allemands sont les meilleurs soldats du monde. Rien ne pourra les vaincre, ils sont notre rempart contre les communistes. Sans leur sacrifice, c'est la fin de notre civilisation. Nous avons perdu la guerre parce que nous n'avons pas voulu voir où était le danger. Nous devons nous joindre à eux pour vaincre ce péril... Je fais ce que j'ai à faire le mieux possible car je sais que je travaille pour la paix du monde. Les gens d'ici supportent des privations dont vous n'avez pas idée. La nourriture et l'habillement sont rationnés et personne ne proteste. Je languis de pouvoir te raconter tout.

« J'ai su par mon père que les vendanges n'ont pas été bonnes. Il paraît que, faute de main-d'œuvre, les vignes sont mal entretenues. Pendant ma permission, je donnerai un coup de main. Mais ce sera de brève durée... Je n'ai pas envie de me retrouver dans un camp de représailles avec les prisonniers russes. Il en meurt des dizaines de milliers de faim et de maladie.

« Je voudrais te serrer dans mes bras, mais tu ne perds rien pour attendre!

« A bientôt, maintenant,

Mathias. »

« L'imbécile! » pensa Léa.

De rage, elle froissa la lettre en une boule minuscule et la jeta à l'autre bout de l'entrée.

Comment Mathias pouvait-il trahir à ce point? Quelle force le poussait? Léa restait plus stupéfaite qu'indignée. Que s'était-il passé? De toutes ses forces, elle aurait voulu comprendre...

Le téléphone sonnait déjà depuis longtemps quand enfin Françoise, son bébé sur les bras, décrocha.

« Allô... j'entends mal, qui est à l'appareil?... Qui?... Fayard?... Fayard, c'est vous!... Je ne comprends pas bien. Dépêchez-vous, nous allons être coupés... Quoi! Ce n'est pas possible, répétez... Oh! non!... Léa, Léa, viens vite au lieu de rester dans ton fauteuil, viens m'aider! »

Albertine et Lisa arrivèrent, venant de leurs chambres.

« Que se passe-t-il? Qu'as-tu à crier comme ça? demanda Albertine.

– Mademoiselle, je vous en prie... Ne coupez pas... Allô, allô... Fayard, vous êtes toujours là? Allô... Où les a-t-on conduites?... A Bordeaux?... Avez-vous prévenu maître Delmas?... Faites-le... Allô... Allô... Ne coupez pas.

– Arrête de pleurer! Qu'est-il arrivé? » cria Léa.

Les sanglots empêchaient Françoise de répondre. Retrouvant la brutalité de son enfance, Léa la saisit par les cheveux et la secoua sans ménagement.

« Parle!

– Laure...

– Quoi? Laure?

– Laure... et... Camille... arrêtées...

– Arrêtées?... Arrêtées pourquoi? par qui?

– Par la Gestapo. Ils sont venus à Montillac, ce matin, vous arrêter, Camille et toi. Tu n'étais pas là... ils ont emmené Camille et Laure... »

Le double cri d'Albertine et de Lisa vrilla longuement l'oreille de Léa. Avec rage, elle repoussa Françoise qui s'accrochait à son bras. Elle s'efforçait de maîtriser le flot d'injures qui montait à ses lèvres. Pour y parvenir, elle tourna le dos, ouvrit la porte du grand salon que l'on tenait fermée à cause du froid et, dans la demi-obscurité de cette fin d'après-midi d'hiver pluvieux, alla poser son front contre la vitre glacée d'une haute fenêtre donnant sur la rue. Peu à peu, elle sentit que sa fureur s'apaisait pour faire place à un désarroi qui affaiblissait son corps. Machinalement, elle remarqua qu'un homme, tapi dans l'angle d'une porte cochère, regardait dans sa direction. Avec indifférence, elle pensa : « C'est peut-être mon tour, maintenant. »

Que voulaient-ils à la petite Laure qui aimait tellement le Maréchal qu'elle avait voulu mettre son portrait sur le piano, dans le salon! Et à la tranquille Camille? Camille? Avait-elle été dénoncée par Fayard? S'était-elle fait prendre en distribuant des tracts ou des journaux clandestins? A moins qu'ils n'aient arrêté Laurent. Laurent!...

Sans même s'en rendre compte, elle se recroquevilla

sur le sol, devant la fenêtre, sur le parquet glacé. Combien de temps resta-t-elle ainsi?

Deux bras la soulevèrent et l'emportèrent vers la lumière.

Une fois de plus, son père l'avait découverte endormie dans une grange et, la serrant contre lui, la ramenait vers sa mère en bougonnant :

« Quel gros bébé! »

Comme il était bien, le gros bébé. Quel bonheur! Elle était enfin rentrée à la maison. Ils étaient tous là! Combien elle avait redouté ne plus les revoir! Mais pourquoi tout paraissait-il si petit... si petit... Pourquoi cette brume les cachait-elle peu à peu?... Non!... Ils n'allaient pas disparaître!... pas maintenant... il y avait Laure, Camille et Sarah! Sarah!...

D'un bond, Léa se redressa.

Elle était sur son lit, entourée de visages anxieux.

« Tu nous as fait peur!...

– Ça va mieux, ma chérie?

– Allonge-toi, tu as besoin de repos.

– Il faut appeler le docteur.

– Tante Lisa, je ne suis pas malade, ce n'est rien. Françoise, que t'a dit exactement Fayard?

– Je te l'ai dit.

– Et ils n'ont rien fait?

– Ils ont tous protesté. Ruth n'a pas voulu se séparer de Laure. Ils l'ont embarquée aussi.

– Et le petit Charles?

– Camille l'a confié à Mme Fayard et à Mme Bouchardeau.

– Où les a-t-on conduites?

– A Bordeaux. Ne t'inquiète pas, c'est peut-être un malentendu, on va les sortir de là...

– Il ne s'agit pas d'un malentendu, tu le sais bien. Tu as toujours su que Camille et moi nous servions de boîte aux lettres, que nous passions du courrier et que nous distribuions des tracts.

– Rien de bien important.

– On fusille pour moins que ça.

– Notre oncle Luc, il est toujours bien avec les Allemands?

– Je le suppose, notre cousine s'est mariée avec l'un d'eux.

– Il faut aller le trouver. Il réussira à les tirer de là.

– Je vais y aller.

– Non, cria Françoise. Je ne veux pas, ce serait trop dangereux pour toi.

– Comme tu les connais bien, petite sœur, pour me donner ce conseil!

– Ne m'accable pas. Otto n'est pas comme eux. Demain, il sera là, il nous aidera, j'en suis sûre. »

A la suite d'un attentat contre une voiture allemande qui avait fait, la veille, un mort et deux blessés, le couvre-feu avait été avancé de deux heures. La soirée fut longue et éprouvante pour tous : Françoise et Léa avaient tenté en vain d'appeler leur oncle, Luc Delmas. L'opératrice leur répondait que les lignes étaient coupées jusqu'à une heure indéterminée. Sur la T.S.F., impossible d'obtenir Londres, le brouillage était tel que la voix du speaker était inaudible. Et pour couronner cette journée, il y eut, peu après minuit, une alerte qui précipita ces femmes épuisées et angoissées dans la cave de l'immeuble aménagée en abri. Elles y retrouvèrent leurs voisins vêtus à la hâte, les épaules recouvertes de couvertures. Estelle avait apporté la bouteille Thermos remplie d'une infusion de tilleul qui ne quittait jamais sa table de chevet en prévision d'une crise de nerfs ou du froid humide qui lentement les pénétrait. La brave femme n'eut pas à en faire usage, chacun restant prostré dans son coin. Seul, le bébé de Françoise manifestait sa mauvaise humeur. Heureusement, l'alerte fut de courte durée.

9

TÔT, le lendemain, Léa partit sur sa bicyclette à la recherche de François Tavernier. Il n'était pas chez lui. Rue Saint-Jacques, dans le restaurant clandestin des Andrieu, Marthe lui dit ne pas l'avoir vu depuis la dernière fois qu'il était venu avec elle. Lui trouvant une « petite mine », elle la força à avaler un bol de soupe et à accepter un saucisson dont elle lui « dirait des nouvelles ». L'aimable cuisinière l'embrassa sur les deux joues en lui promettant, si elle le voyait, de dire à M. Tavernier que sa jeune amie le cherchait.

Un peu réconfortée par la soupe et l'accueil, Léa repartit, pédalant au hasard des rues que n'arrivait pas à égayer un beau soleil d'hiver, le premier après de longs jours de pluie...

Après l'alerte, la nuit dernière, elle n'avait pu se rendormir, tournant et retournant sans cesse les événements de la journée, essayant de mettre un peu d'ordre dans ses pensées. Jamais son impuissance ne lui était apparue aussi totale. Des images intolérables naissaient dans son esprit : Laure violée, Sarah plongée dans sa baignoire, Camille torturée, Laurent et Adrien fusillés, la vieille Sidonie décapitée, Ruth étranglée, le petit Charles assassiné et Montillac brûlant sous l'œil de Mathias et de Fayard. Vainement, elle avait essayé de lire; les lignes dansaient devant ses yeux une danse macabre. N'en pouvant plus, elle s'était levée et avait erré jusqu'au jour, pieds nus dans l'appartement glacial. Peu de temps après l'aube, elle avait de nouveau essayé d'obtenir Bordeaux sans plus de succès que la veille.

Léa traversa le pont de l'Alma, monta en danseuse la large avenue qui menait au Trocadéro. De l'autre côté de la place, le haut mur qui maintenait prisonniers les morts du cimetière de Passy la dominait de sa masse grise. Que faisait-elle là? Essoufflée par l'effort, elle s'arrêta devant la brasserie où elle avait déjeuné avec Raphaël Mahl. Un groupe de jeunes gens – des lycéens, d'après leurs cartables – chahutaient, occupant tout le trottoir. Ils bousculèrent sans le vouloir trois soldats allemands. L'un d'eux eut un geste de colère, vite apaisé par ses camarades. Derrière leur dos, les garçons riaient en faisant le V de la victoire. Ce geste dérisoire et interdit soulagea d'un coup l'angoisse de Léa qui entra dans le café avec un sourire éclatant.

Au comptoir, deux ouvriers sifflèrent l'entrée de cette belle fille qui souriait, les yeux brillants, les joues rougies par le froid. Elle retira d'un geste ample le béret écossais qui emprisonnait ses cheveux.

« Ouah!... fit un des lycéens entré derrière elle, moi Tarzan, toi Jane. »

Tarzan, il se vantait un peu, c'était un maigrichon avec de grosses lunettes de myope. En revanche, Léa, ainsi décoiffée, avait vraiment l'air d'une sauvageonne.

« Vous êtes folle de vous faire remarquer ainsi, sortez! »

D'où surgissait-il, celui-là? Pourquoi venait-il gâcher un de ses trop rares instants de plaisir.

« Mais Raphaël... »

Sans l'écouter, lui tenant le bras, il l'entraîna vers les marches de la station de métro. Sur le quai, après s'être assuré que personne ne les regardait, il s'assit à bout de souffle.

« Qu'est-ce qui vous prend? Allez-vous m'expliquer? demanda Léa en colère.

– Vous avez failli tout gâcher... J'ai rendez-vous pour l'évasion de Sarah. Heureusement qu'il ne vous a pas vue.

– Pourquoi, il me connaît?

– Un peu, vous lui avez même tapé dans l'œil.

– Je ne comprends pas, de qui s'agit-il?

– De Masuy.

– De Masuy?...

– Oui, après avoir bien réfléchi, j'en ai conclu que c'est lui qui devait nous aider.

– Vous ne manquez pas de culot.

– Impossible n'est pas français, ma bonne amie.

– Comment avez-vous fait?

– Je lui ai parlé de diamants.

– Les miens?...

– Non, d'autres, je ne voulais pas vous compromettre dans cette histoire. »

Léa eut du mal à dissimuler son sourire.

« Et ça a marché?

– J'ai rendez-vous maintenant avec lui pour lui montrer un échantillon et, s'il est toujours d'accord, le lui laisser en acompte.

– Et s'il n'est pas d'accord?

– Je le connais, il ne résistera pas à un diamant de huit carats, surtout si je lui promets son pendant après l'évasion.

– Comment vous les êtes-vous procurés?

– C'est une trop longue histoire. Mais après ce coup-là, il me faudra impérativement disparaître.

– Pour demain, rien n'est changé?

– Peut-être. S'il y a un problème ou un changement, le garçon du cimetière, vous vous souvenez de lui?...

– Oui, bien sûr.

– ... viendra vous remettre ceci, dit-il en arrachant

une page du dernier roman de Montherlant et en lui tendant le livre, et il vous dira ce qu'il faudra faire. Maintenant, je dois partir. Rentrez chez vous par le métro.

– Mais ma bicyclette?

– Donnez-moi les clefs du cadenas, je la laisserai dans la journée devant la librairie Gallimard.

– Si vous croyez que c'est mieux comme ça.

– Je le crois. Tenez, voilà votre métro. N'oubliez pas de changer à La Motte-Picquet-Grenelle. »

Léa n'aimait pas prendre le métro, toujours bondé quelle que soit l'heure. Sa nature de campagnarde s'offusquait des odeurs, de la promiscuité et surtout, de cette impression d'être enterrée vive. Dans le compartiment, quelques soldats allemands essayaient de passer inaperçus, aidés en cela par la foule parisienne qui les ignorait superbement. A Sèvres-Babylone, un homme distribuant des tracts du parti communiste venait d'être arrêté par la police française. Un officier allemand serrait la main du commissaire.

Dehors, le soleil brillait doucement, des enfants jouaient dans le square de la bonne dame Boucicaut, les drapeaux de l'hôtel Lutétia étaient toujours là.

« Tu n'es jamais à la maison quand il le faut. Où étais-tu? dit Françoise avec mauvaise humeur.

– A-t-on des nouvelles de Laure et de Camille?

– Oui, oncle Luc a téléphoné. Il a obtenu du commissaire Poinsot que Laure lui soit remise. Il en est responsable jusqu'à nouvel ordre. Poinsot lui a dit que ce serait mieux pour toi si tu rentrais, il t'interrogerait pour la forme.

– Et Ruth? et Camille?

– Pour Ruth, il n'y a pas eu de problème, ils n'avaient rien à lui reprocher. Elle est également chez l'oncle Luc.

– Et Camille? »

Françoise baissa la tête, mal à l'aise.

« Ils l'ont conduite au fort du Hâ. L'interrogatoire aura lieu ce soir, demain peut-être.

– Jamais Camille ne résistera à leur interrogatoire... Pas de nouvelles de Laurent ni d'oncle Adrien?

– Rien. La police bordelaise les recherche tous les deux.

– Je sais.

– Que veux-tu faire? Aller à Bordeaux?

– Je n'en sais rien. Pas avant quelques jours, en tout cas. Toujours rien de François Tavernier?

– Non. Il y a quelqu'un qui a téléphoné pour toi. Une femme, Marthe, je crois.

– Marthe!...

– C'est une amie à toi?

– Non, non... une commerçante... Tiens, j'oubliais, elle m'a donné un saucisson.

– Donné! s'exclama Françoise avec des yeux ronds.

– Vendu, je veux dire.

– Ça m'étonnait aussi. Fais voir. »

Léa tira de son sac le saucisson emballé dans du papier journal et le tendit à sa sœur qui le sortit avec convoitise.

« Qu'il est beau! Ça faisait longtemps que j'en avais pas vu un aussi gros. Estelle, regardez ce que Léa a rapporté!

– Doux Jésus! Il est magnifique. Mesdemoiselles, mesdemoiselles, venez voir. »

Albertine et Lisa accoururent et s'extasièrent à leur tour. Depuis les agapes du 31 décembre, il n'y avait eu à la table familiale que deux fois de la viande de bœuf et une poule plutôt coriace.

« Qu'a-t-elle dit?

– Qui?

– Marthe!

– Qu'elle serait à quatre heures cet après-midi au marché de la rue Mouffetard.

– A quel endroit?

– Il paraît que tu connais, près de l'église Saint-Médard. »

Elle en avait de bonnes, Marthe! L'église Saint-Médard... Jamais Léa n'y avait mis les pieds!... Elle trouverait bien, le principal c'est que François ait été prévenu. Il était le seul à avoir pu donner à Marthe son numéro de téléphone.

« Je suis bien contente, cela a l'air de te faire plaisir, dit Françoise... Et puis, dans quelques instants, je reverrai Otto. »

A ce moment-là, Léa remarqua l'élégante robe de lainage de sa sœur qui avait presque retrouvé sa taille de jeune fille. Elle l'avait oublié, celui-là.

« Il va venir ici?

– Evidemment, fit Françoise sur ses gardes. Il a bien le droit de venir voir son fils.

– Oui. Et moi celui de ne pas avoir envie de le voir. Je m'en vais.

– Léa, tu n'es pas gentille. Otto t'aime beaucoup, il sera très peiné si tu n'es pas là.

– Ça, vois-tu, ça m'est complètement égal. Les compatriotes de ton amant...

– Nous allons nous marier!...

– ... arrêtent Camille, recherchent oncle Adrien et Laurent, me recherchent aussi, font torturer mes amis, en obligent d'autres à trahir, à travailler pour eux à leur sale besogne! Et tout ce que tu trouves à me dire c'est que ton Boche sera peiné!... Tu ne crois pas que tu manques un peu de la plus élémentaire tenue?

– Tu n'as pas le droit de parler ainsi, Otto n'est pas comme ça, il réprouve autant que toi ce que font certains...

– Mes enfants, calmez-vous, ne criez pas si fort, les voisins vont vous entendre!

– Je m'en fiche des voisins, tante Lisa, ça me donne

envie de hurler quand je l'entends dire que son Otto n'est pas comme ça!... Il est exactement comme eux : capable de tout pour son Führer...

– Ce n'est pas vrai...

– Si, c'est vrai, ou alors tu ne l'as jamais écouté parler. Mais ce que je leur reproche le plus à tes amis allemands, ce n'est pas d'avoir gagné la guerre, c'est de nous avoir démontré que nous étions un peuple de couards que la peur a jeté sur les routes comme du bétail imbécile et qui est rentré sagement au bercail, en courbant l'échine, après avoir cru ce que leur susurrait un vieillard gâteux, qui laisse déporter des familles entières, fusiller des otages dont certains ont l'âge de Laure, qui encourage la délation, qui fait que de braves garçons comme Mathias perdent la tête et des hommes comme oncle Luc se déshonorent...

– Léa, ne parle pas ainsi de ton oncle!

– Tante Albertine, nous acceptons trop de choses... »

La sonnette de la porte d'entrée interrompit Léa.

« Mon Dieu, c'est lui!... à cause de toi, je dois avoir une tête impossible », s'écria Françoise en s'enfuyant dans sa chambre.

Léa s'enferma dans la sienne, laissant Albertine et Lisa. Lâchement, elles allèrent chercher Estelle dans sa cuisine afin qu'elle fasse entrer celui qui commençait à s'impatienter.

– Voilà, voilà, on arrive... »

En face d'Estelle se trouvait une sorte de géant en tenue de motard allemand :

« *Wohnt Mme Françoise Delmas hier*[1]? » demanda-t-il.

Les yeux ronds, la tête haut levée, la vieille servante le regardait en hochant la tête. L'homme répéta :

« *Ich komme in Auftrag von Kommandant Kramer*[2].

1. Mme Françoise Delmas, c'est ici?
2. Je viens de la part du commandant Kramer.

– Mademoiselle Françoise, mademoiselle Françoise, cria Estelle, ça doit être pour vous. »

Françoise ayant réparé le désordre de son visage consentit à paraître avec un sourire rayonnant.

« Otto!... »

Elle resta interdite devant le géant qui la salua fort civilement en claquant les talons.

« Madame Delmas?

– Oui...

– *Herr Kommandant Kramer hat eine Mittellung für Sie. Er schickt Ehnen einen Wagen um fünf Uhr. Er bitte Sie, ein Abendkleid anzuziehen. Am frühen Nachmittag werden Ihnen ein paar Modelle Vorgeführt. Aufwiedersehen, madame Delmas*[1]. »

Nouveau claquement de talons.

Françoise restait immobile avec un sourire idiot. Estelle referma la porte.

1. Le commandant Kramer m'a chargé d'un message pour vous. Il enverra une voiture vous prendre à cinq heures. Il demande que vous soyez en robe du soir. En début d'après-midi, des couturiers viendront vous présenter leurs modèles. Au revoir, madame Delmas.

10

Léa arriva un peu avant quatre heures devant l'église Saint-Médard, transie et de mauvaise humeur. Bien qu'elle en eût assez de sillonner Paris à vélo dans le froid, elle préférait cela au métro qu'elle avait dû prendre. Raphaël n'avait pas tenu sa promesse et n'avait pas rapporté sa bicyclette. Elle était descendue à la station Monge, et avait marché jusque-là sous la pluie qui s'était remise à tomber.

Elle regarda autour d'elle; rien qui ressemblât à un visage connu. De frileuses silhouettes de petites vieilles trottinaient vers de longues queues devant une boucherie et une crémerie. La foule grise, résignée, attendait en piétinant, mal abritée sous de vilains parapluies.

Quatre heures sonnèrent. Un gros homme sortit de l'église et ferma la porte à clef derrière lui. Ne sachant que faire, Léa le suivit vers la rue Mouffetard. A l'angle de la rue de l'Arbalète, deux femmes se disputaient pour le dernier kilo de pommes de terre d'un marchand de légumes. A hauteur de la rue de l'Epée-de-Bois, elle fit demi-tour et faillit heurter une femme qui montait.

« Excusez-moi, madame... oh!... »

Sous le foulard noué sous le menton, elle venait de reconnaître Marthe Andrieu.

« On se retrouve un peu plus bas à droite au bistrot qui fait bois et charbon, c'est un cousin qui le tient.

Dites-lui que vous êtes de Montcuq, il saura qu'il a affaire à une amie. »

Il faisait bon dans le café du cousin. Au fond de la petite salle ronflait un poêle rond en fonte verte sur lequel une grosse bouilloire en cuivre soufflait un jet de vapeur. Toutes les tables étaient occupées par des hommes âgés jouant à la manille, aux dominos ou à la belote. La sciure mouillée faisait de petits tas sur le carrelage aux arabesques bleues. Derrière le comptoir, un homme à l'impressionnante moustache poivre et sel, un béret sur la tête, vêtu de la veste noire des bougnats, essuyait le zinc devant deux jeunes gens. Quand il les eut servis, il s'approcha de Léa.

« Bonjour, mademoiselle. Qu'est-ce que ce sera pour vous?

– Je suis de Montcuq », dit-elle en éternuant.

Un éclair de méfiance passa dans ses yeux. Cependant, il répondit, jovial :

« Tous mes pays sont les bienvenus. L'air de Paris ne vous vaut rien, vous voilà bien enrhumée. Je vais vous préparer un bon grog, comme autrefois.

– Sers-en deux, mon cousin.

– Cousine Marthe! Quel bon vent t'amène? Quoi de neuf depuis hier?

– Pas grand-chose, cousin Jules. Le froid m'a prise en faisant une de ces maudites queues. Je m' suis dit : allons nous réchauffer chez le cousin et nous faire offrir une petite goutte.

– Sacrée Marthe! toujours licharde!

– Dame, par les temps qui courent, faut pas manquer de se faire plaisir chaque fois qu'on peut. Pas vrai, mademoiselle?

– Oui, madame. »

Jules retira de dessous le comptoir une bouteille sans étiquette, posa sur le zinc trois verres épais qu'il emplit presque à moitié d'un liquide ambré dans lequel il ajouta subrepticement trois morceaux de sucre et une rondelle de citron.

« Il faut bien ça contre le rhume. Hé! cousine, passe-moi la bouilloire. Fais attention de pas te brûler », dit-il en lui tendant un torchon.

Marthe revint en tenant le récipient à bout de bras.

« Hé! bé, c'est du plomb c'te marmite, s'exclama-t-elle en la posant.

– C'est du solide », fit-il en versant l'eau bouillante.

Chacun tourna en silence sa cuillère.

« A la vôtre, mesdames, fit le bistro.

– A la tienne, Jules.

– A la vôtre, dit Léa en reposant précipitamment son verre.

– C'est chaud! mais c'est comme ça que c'est bon.

– J'attendrai un peu, si vous le permettez. »

Enfin le cousin s'éloigna.

« Avez-vous des nouvelles de François?

– Oui, par mon fils. Il vous fait dire de ne commettre aucune imprudence. Pour le moment, il ne peut absolument pas venir vous voir. Si vous avez un message à lui faire parvenir, je peux m'en charger. Mon garçon qui doit le revoir m'attend à la maison... »

« ... Ne commettre aucune imprudence... comme c'est facile à dire de loin... c'est demain que Sarah aura besoin de moi si Raphaël ne nous a pas trahies toutes les deux... que dois-je faire?... que lui dire?... »

« Vous pouvez vous charger d'une lettre?

– Bien sûr.

– Je n'ai rien pour écrire.

– Je vais demander à Jules. Buvez votre grog, sinon, il ne sera pas content. »

Léa obéit. C'était encore très chaud, mais supportable. C'était fort et bon. A la moitié du verre, une agréable chaleur se répandit en elle. Quand Marthe revint avec une feuille de papier, une enveloppe, un porte-plume et une bouteille d'encre, Léa se sentait presque euphorique. Elle ouvrit l'encrier, trempa dedans la plume sergent-major.

« Cher ami, Camille est dans la même situation que S. Mon oncle Luc, que vous connaissez, me conseille de rentrer. Que dois-je faire? Le fiancé de ma sœur est de retour et Raphaël s'occupe de S. Puis-je lui faire confiance? Donnez-moi vite de vos nouvelles, je me sens seule. Je vous embrasse, Léa. »

Elle plia la feuille et la glissa dans l'enveloppe qu'elle tendit à Marthe.

« Vous oubliez de la cacheter, fit la cuisinière en passant sa langue sur la partie encollée. Dès que je le pourrai, je vous préviendrai.

– Dites-lui que c'est très important, il faut que je le voie.

– Ma pauvre enfant, je ferai tout mon possible. Finissez votre grog et partez sinon vous allez être coincée par le couvre-feu. Vous êtes venue par le métro?

– Oui.

– Vous feriez mieux de rentrer à pied. A votre âge, vous en avez pour moins d'une heure. Prenez la rue de l'Epée-de-Bois; vous tombez rue Monge, tournez à gauche et marchez jusqu'à la Seine. Là, vous reconnaîtrez votre chemin. Adieu.

– Au revoir Marthe, au revoir monsieur Jules, merci pour le remontant, j'ai chaud partout et je me sens des ailes.

– C'est ce qu'il faut. Allez, au plaisir. »

Le froid avait remplacé la pluie, mais grâce au grog elle ne le sentait pas. La nuit était presque tombée, aucune lumière, très peu de gens dans les rues. C'était sinistre. Léa partit en courant.

Essoufflée, elle s'arrêta près du square de Saint-Julien-le-Pauvre. De l'autre côté de la Seine se dressait la masse sombre de Notre-Dame. Après quelques instants, elle repartit sans courir. L'idée de se retrouver en présence d'Otto et de Françoise lui était insupportable.

Le couvre-feu était dépassé depuis vingt-cinq minutes quand elle arriva rue de l'Université... Accrochée à la porte, sa bicyclette. C'était bon signe. Raphaël avait fini par tenir parole. Elle la détacha, poussa la porte et entra avec sa machine. Sous le porche, une main saisit son bras. Léa retint un cri.

« C'est vous, mademoiselle Léa?... N'ayez pas peur, je suis l'ami de M. Raphaël. J'ai un message pour vous : ne venez pas au cimetière demain.

– Vous n'avez rien à me donner?

– Oh! si, j'oubliais, la page du livre, tenez, la voilà. »

Il craqua une allumette pour qu'elle pût vérifier.

« Ne bougez pas de chez vous, c'est important. Vous y aurez des nouvelles de la personne que vous savez. Avez-vous quelque chose à faire dire à M. Raphaël?

– Non, je ne vois pas. Est-ce que tout se passe bien?

– Je n'en sais rien. Je fais ça pour faire plaisir à M. Raphaël et parce que c'est plus amusant que d'être gardien de cimetière.

– Quel est votre nom?

– Pour vous, je suis Violette. C'est joli, n'est-ce pas? C'est M. Raphaël qui m'a donné ce joli nom. Vous aimez?

– Beaucoup », fit Léa en se retenant de rire.

L'appartement était calme. Les demoiselles de Montpleynet écoutaient à Radio-Paris un concert de musique classique. Dans le petit salon, il faisait bon.

« Pas de nouvelles de Camille?

– Non, aucune, par contre, nous avons eu Laure et Ruth au téléphone. Elles rentrent dans deux jours à Montillac. »

Léa alla dans sa chambre se changer. Peu de temps après, elle revint ayant enfilé un gros pull blanc et mis une longue jupe écossaise qui avait appartenu à sa mère. Ses pieds étaient enfouis dans d'épais chaussons pas très élégants, mais chauds, et ses cheveux brossés lui faisaient une magnifique parure.

« Que tu es belle, ma chérie! s'exclama Lisa. La jeunesse est une si bonne chose. Profites-en, mon petit, elle est si courte.

– Si tu crois que c'est agréable d'être jeune en ce moment!

– C'est vrai que ta génération n'a pas beaucoup de chance, fit la vieille demoiselle en reprenant son tricot.

– Françoise est partie?

– Oui, elle dîne chez Maxim's où son fiancé doit la présenter à ses supérieurs, dit Albertine d'un ton faussement désinvolte.

– Ça ne vous choque pas cette situation? »

Lisa se leva pour mettre une pelletée de charbon dans le poêle, laissant à sa sœur le soin de répondre.

Quand Albertine releva son visage aux traits sévères corrigés par la bonté du regard, ses yeux, autrefois d'un beau bleu, étaient pleins de larmes. Chose si rare chez elle que Léa en fut gênée. La vieille demoiselle retira ses lunettes et maladroitement entreprit de les essuyer.

« Cela fait plus que nous choquer. Je passe sur notre honte qui est, tu l'imagines, très grande, pour ne penser qu'à l'avenir malheureux qui attend évidemment ta pauvre sœur.

– Elle l'a cherché!

– C'est méchant ce que tu viens de dire là. Cela aurait pu t'arriver...

– Jamais! Jamais, je ne serais tombée amoureuse d'un ennemi!

– Tu parles comme une enfant romantique. Cela ne serait peut-être pas arrivé si ta mère avait été près de vous...

– Ne parle pas de maman, je t'en prie.

– Pourquoi ne pas en parler? Crois-tu que notre souffrance soit moins grande que la tienne?... En la perdant, c'est notre enfant que nous avons perdu, ta tante et moi. Sans cesse, nous nous reprochons de n'avoir pas su veiller sur Françoise. D'avoir, par notre égoïsme peut-être, précipité les choses. Si nous étions restées à Montillac...

– Cela n'aurait rien changé.

– C'est possible, mais s'il y avait eu une chance pour qu'il en soit autrement nous sommes impardonnables de n'avoir pas su protéger contre elle-même l'enfant de notre fille. »

Maintenant, de grosses larmes coulaient sur les joues ridées d'Albertine.

« Ma petite tante, pardonne-moi, c'est de ma faute, je ne veux pas que tu pleures. Tante Lisa, viens m'aider à la consoler. »

Mais Lisa, bouleversée par le chagrin de sa sœur, n'était pas en état de consoler qui que ce soit. Pas plus d'ailleurs que Léa qui se mit à pleurer à son tour. C'est ainsi qu'Estelle les trouva quand elle vint pour mettre la table.

« Mesdemoiselles!... pour l'amour du Ciel, qu'avez-vous? Que se passe-t-il?

– Ce n'est rien », dirent-elles en chœur en se mouchant bruyamment.

Croyant qu'on lui cachait quelque chose, la bonne Estelle mit le couvert en grognant.

Le frugal repas fut morose. Radio Londres brouillée. Léa alla se coucher de bonne heure.

La journée du lendemain lui parut interminable. Elle allait du téléphone aux fenêtres donnant sur la rue, des fenêtres à la porte du palier. Rien, rien que le silence entrecoupé parfois par les cris du bébé confié à Estelle. Françoise n'était pas rentrée.

Après le dîner, Léa s'installa dans le fauteuil de l'entrée, essayant vainement de lire les journaux.

La nuit était tombée depuis plusieurs heures déjà quand on sonna à la porte palière. Léa, qui se trouvait juste derrière, sursauta.

« Qui est là?

– C'est Raphaël, ouvrez vite. »

Avec une angoisse qui la faisait trembler, elle obéit.

Raphaël n'était pas seul. Il soutenait une femme en deuil voilée de crêpe.

« Vous êtes seule?

– Oui. Le couvre-feu a été retardé; mes tantes sont allées au théâtre et Estelle est avec le petit.

– Parfait. »

Léa regarda la femme.

« Sarah?... risqua-t-elle.

– Oui. Vite, répondit Raphaël. Allons dans l'appartement du fond, elle va se trouver mal.

– Mais pourquoi l'avoir amenée ici? C'est dangereux.

– J'ai été pris de court, je vous expliquerai. L'essentiel est qu'elle soit vivante... »

Léa, une lampe électrique à la main, les guida dans le couloir obscur et leur ouvrit la porte d'une chambre. Avec des gestes d'une grande douceur, Raphaël allongea Sarah sur le lit et releva son voile.

« Oh! non », gémit Léa en plaquant sa main contre sa bouche.

Un pansement souillé entourait le front de Sarah, un de ses yeux était fermé, ses lèvres éclatées avaient doublé de volume. Mais ce qui l'horrifiait, c'était les trois trous purulents qui marquaient chacune de ses joues grises.

« Brûlures de cigare », fit Raphaël d'une voix atone.

La jeune fille s'approcha, les yeux secs, et regarda attentivement son amie. Sans un mot, elle retira le chapeau de veuve, déboutonna le manteau qu'elle enleva, aidée par Raphaël.

« Allumez le bois qui est dans la cheminée et allez chercher le radiateur électrique qui est dans la salle de bain. Puis, vous irez faire chauffer de l'eau dans la cuisine. »

Les flammes montaient hautes et claires. Bras croisés, Léa marchait de long en large, suivie de l'œil par Sarah. Elles n'avaient échangé aucune parole. Raphaël revint avec un broc d'eau chaude et des serviettes qu'il posa près du lit. En silence, avec précaution, ils la déshabillèrent entièrement. Elle tremblait.

« Il y a de l'eau chaude dans la cuisine. Prenez la cuvette et l'éponge qui sont dans le cabinet de toilette. »

Quand Raphaël eut rempli d'eau la cuvette, il la tint devant Léa.

L'éponge parcourait avec légèreté le beau corps supplicié, contournant les brûlures des seins, tapotant la blessure de la rue Guénégaud, enlevant les souillures du ventre, des cuisses et des jambes. Quand ils la retournèrent sur le ventre, elle ne put retenir un gémissement. Le dos n'était qu'une plaie. Ils avaient dû s'acharner longuement pour en arriver là.

« Regardez dans l'armoire à pharmacie ce qu'il y a pour faire des pansements. »

Malgré le feu et le radiateur, Sarah grelottait. Léa la recouvrit de l'édredon rouge.

« C'est tout ce que j'ai trouvé. »

Teinture d'iode et compresses, il allait falloir se débrouiller avec ça.

Après avoir bu une tisane et avalé un des calmants de Lisa, Sarah, revêtue d'une longue chemise de fine batiste appartenant à Albertine et recouverte de trois édredons, s'était endormie. Raphaël et Léa, assis sur le tapis devant la cheminée, parlaient à voix basse en fumant les cigarettes anglaises apportées par Raphaël.

« Que s'est-il passé? »

Mahl aspira une longue bouffée avant de répondre.

« Comme promis, en échange du second diamant, Masuy a libéré Sarah, mais dans quel état! Le salaud a dû essayer de la faire parler jusqu'au bout. Il voulait en avoir pour son argent. J'avais prévu une autre planque, celle du cimetière était compliquée et dangereuse...

– Je ne comprends pas : pourquoi vouloir cacher Sarah, du moins dans l'immédiat, puisqu'elle a été libérée par Masuy lui-même?

– Parce qu'il ne lui faudra pas longtemps pour constater que le second diamant est faux.

– Evidemment.

– J'avais laissé dans le vélo-taxi ce déguisement de veuve. Je le lui ai mis. Vous vous souvenez de mon appartement de la rue de Rivoli?

– Très bien.

– Je n'ai pas rendu les clefs à son propriétaire. Celui-ci ayant été envoyé en villégiature en Allemagne, j'ai pensé à l'utiliser.

– Et alors?

– Alors? Quand nous sommes arrivés, une voiture stationnait devant la porte. C'était celle de Masuy. J'ai fait demi-tour avec Sarah évanouie. Vu son état, pas question d'essayer le cimetière. Je ne savais plus où aller. Alors j'ai pensé à vous.

– Nous avons eu une grande chance. Vous auriez pu tomber sur Françoise et son fiancé. Qu'aurions-nous dit à ce brillant officier s'il nous avait rencontrés portant une femme torturée?

– J'aurais trouvé quelque chose. Il rentre ce soir?

– Je ne crois pas. Il paraît que ma sœur s'installe avec lui et leur enfant dans un grand hôtel. Mais il risque quand même de venir à tout moment. De plus, la présence de Sarah fait courir de grands risques à mes tantes.

– Je sais, mais pour le moment, que faire d'autre? Sarah est hors d'état de marcher avant plusieurs jours...

– Avant plusieurs jours! Mais vous semblez oublier que Masuy sait que nous nous connaissons. Il ne va pas lui falloir longtemps pour trouver l'endroit où j'habite. Et s'il vient ici, nous serons tous arrêtés.

– J'y ai pensé. S'il découvre votre adresse, il découvrira également que votre sœur reçoit des officiers allemands. Je le connais, il se montrera prudent.

– J'espère que vous avez raison car je ne supporterai pas ce qu'a supporté Sarah, je n'aurai pas son courage. Vous non plus, n'est-ce pas?

– Comme je vous l'ai déjà dit, les gens de mon espèce sont très lâches devant la douleur physique.

– Chut! J'entends mes tantes. Quand elles seront dans leurs chambres, vous pourrez partir.

– Mais je ne pars pas! Où irai-je? Je n'ai plus aucun endroit où aller. Laissez-moi passer la nuit ici. Demain, Violette m'apportera de quoi me changer.

– Comment a-t-il su que vous viendriez ici?

– Il devait m'attendre devant l'immeuble de la rue de Rivoli. Il m'a vu tourner place des Pyramides et prendre la direction du Pont-Royal. Il a couru derrière moi. Je me suis arrêté à l'angle du quai où il m'a rejoint. Je lui ai dit que j'allais rue de l'Université. Il m'apportera des vêtements demain.

– Vous étiez donc tellement sûr de rester ici? »

Raphaël Mahl se releva péniblement.

« Je n'étais sûr de rien. »

Pour la première fois depuis le début de la soirée, Léa le regarda attentivement. Quelle sale mine il avait!... Une mauvaise graisse alourdissait ses mouvements, son front se dégarnissait, un tic nerveux relevait parfois un coin de sa bouche, et ses mains, qu'il avait belles, bien qu'un peu trop potelées, étaient de plus en plus fréquemment agitées de tremblements.

Il s'en rendit compte car il redressa son corps avachi et dit :

« C'est bon, je m'en vais.

– Ne faites pas l'idiot. Restez ici pour ce soir. On verra demain. Ne bougez pas, je vais chercher une couverture. »

Léa n'avait pu dormir un seul instant. Elle n'avait pas cessé d'aller voir Sarah. Le sommeil agité, le front brûlant et les paroles incohérentes de son amie l'inquiétaient. A plusieurs reprises, elle avait failli réveiller Raphaël. Mais il dormait si bien à même le sol, roulé dans sa couverture.

N'y tenant plus, vers six heures, elle se leva, enfila sa vilaine robe de chambre et alla dans la cuisine faire chauffer de l'eau. Il restait encore un peu de café offert par Frederic Hanke pour le Nouvel An. Egoïstement, Léa se dit qu'elle allait se faire un vrai café, qu'après tout, elle l'avait bien mérité. Elle prit le moulin, y versa les précieux grains, s'assit sur le tabouret et, le moulin bien calé entre ses cuisses, entreprit de moudre. Très vite, la bonne odeur la ramena dans la cuisine de Montillac quand la cuisinière, en échange d'un de ses fameux caramels ou de ses non moins fameuses pâtes de coings, lui demandait de « broyer », comme elle disait.

Ce pauvre souvenir d'un temps heureux eut raison du calme dont elle avait fait preuve depuis la veille. Elle sentit un poids lui écraser la poitrine, une nausée monter dans sa gorge tandis que son visage se couvrait de larmes. Courbée sur le moulin, elle sanglotait comme sanglotaient les enfants abandonnés devant leur mère morte sous les bombardements d'Orléans. Tout son corps, secoué de chagrin, lui faisait mal. Elle se balançait d'avant en arrière comme font souvent les enfants. Le carillon de l'horloge de la cuisine la fit sursauter. Elle essaya de se redresser.

Une silhouette noire s'encadrait dans la porte. Elle étouffa un cri. Le moulin à café tomba sur le carrelage avec un grand bruit qui résonna dans l'appartement silencieux. Le tiroir et le réservoir s'ouvrirent, poudre et grains s'éparpillèrent dans la cuisine.

La silhouette avança.

« François! »

Debout, face à face, ils se tenaient immobiles, aux aguets. Rien ne bougea.

Les deux mains de François écartèrent doucement ses cheveux. Des deux pouces, il lui caressa les joues... Elle ferma les yeux et se calma peu à peu.

« Excusez-moi. »

Raphaël Mahl entra, enveloppé dans sa couverture, le visage bouffi et les cheveux ébouriffés. Instantanément, François lâcha Léa et mit sa main dans sa poche.

« Que faites-vous ici? »

Raphaël allait répondre, mais Léa le devança :

« Je lui ai donné l'hospitalité pour cette nuit, il ne savait pas où aller.

– Je suppose que vous n'aviez pas le choix. Et Sarah?

– Elle est dans la chambre du fond. »

François lui lança un regard admiratif.

« Depuis quand?

– Depuis hier soir. C'est Raphaël qui l'a amenée.

– Merci, mon vieux. Comment va-t-elle?

– Mal, répondit Raphaël. Il faut appeler un médecin.

– C'est impossible! s'exclama Léa, il nous dénoncera.

– Il faut en prendre le risque. Je vais la voir, dit François. En attendant, essayez de récupérer un peu de café, j'en boirai bien une tasse.

– Un moment... Comment êtes-vous entré?

– Vous m'avez donné la clef!

– Oui, c'est vrai, excusez-moi.

– Je suis venu dès que j'ai su que vous me demandiez. C'était au sujet de Sarah, sans doute?

– Oui. Et aussi de...

– Vous me direz le reste tout à l'heure. Je vais voir Sarah. N'oubliez pas le café.

– Raphaël, aidez-moi à ramasser tout ça. Dépêchons-nous, Estelle va bientôt se lever. »

Pendant quelques minutes, ils œuvrèrent en silence, remettant les grains dans le moulin.

« Avez-vous un balai que je nettoie le reste? demanda Raphaël.

– Dans le placard là-bas, je crois. »

Au passage, Raphaël éteignit le gaz sous l'eau qui bouillait, trouva le balai pendant que Léa se remettait à moudre après avoir passé un peu d'eau sur son visage. Souriante, elle regardait l'écrivain faire le ménage.

« On dirait que vous avez fait ça toute votre vie.

– Ma chère, je suis une vraie femme d'intérieur, demandez à mes amis, minauda-t-il.

– Arrêtez de faire l'idiot, ce n'est pas le moment.

– Ma bonne, c'est toujours le temps de rire et de plaisanter, surtout à notre triste époque. Car ni vous ni moi ne savons de quoi demain sera fait ni même si nous serons vivants.

– Ne dites pas de choses comme ça!

– Auriez-vous peur, belle enfant? Pourtant le valeureux chevalier est accouru à votre appel... Comme vous êtes belle quand vous souriez ainsi. Je ne vous avais encore jamais vu un si doux sourire. Ah! l'amour... jeunesse, que je vous envie. »

Sans cesser de sourire, Léa haussa les épaules, se leva et versa le contenu du tiroir du moulin dans le filtre de la cafetière.

« Il n'y en a pas assez, je vais en moudre encore un peu.

– Laissez-moi faire, j'adore ça. Allez voir Sarah, je suis inquiet. »

Dans la chambre, assis sur le lit, François tenait dans ses mains celles de la jeune femme.

« Comment va-t-elle? » murmura Léa en s'approchant.

Il secoua la tête sans répondre.

Elle s'agenouilla contre lui et regarda leur amie. De grosses gouttes de sueur perlaient à son front, les trous de ses joues ressortaient à vif sur sa peau grisâtre.

« François?... Sarah ne va pas mourir? »

Oh! Ces larmes qui tremblaient au bord des paupières de cet homme! Pourquoi cela l'étonnait-elle autant? Elle avait vu des hommes pleurer : son père, Laurent, Mathias, cela l'avait émue mais pas étonnée. Elle se releva.

« Je vais appeler le docteur Dubois.

– Qui est le docteur Dubois? Vous êtes sûre de lui?

– Vous le connaissez, c'est le médecin qui soignait Camille. Il est peut-être toujours à Paris.

– Je m'en souviens, c'est un excellent homme. Appelez-le. »

Léa ne fut absente que quelques instants.

« Nous avons beaucoup de chance. Il venait de rentrer chez lui après une nuit passée à l'hôpital. J'ai eu beaucoup de mal à lui faire comprendre, sans trop en dire, de quoi il s'agissait. Il arrive. Il se souvenait très bien de Camille et de moi. Quelle heure est-il?

– Six heures et demie.

– Mon Dieu! Estelle doit être levée. Si elle trouve Raphaël dans sa cuisine, ça va faire un drame. »

Tout était consommé!...

Estelle et Raphaël, assis l'un en face de l'autre, une tasse de café à la main, discouraient comme de vieilles connaissances.

« Ah! vous voilà, mademoiselle Léa. J'ai bien failli mourir de peur en voyant monsieur avec mon tablier en train de préparer le plateau du petit déjeuner. Heureusement qu'il m'a expliqué très vite de quoi il s'agissait.

– J'ai expliqué à Mlle Estelle que j'avais manqué le dernier métro et que par bonté, vous m'aviez permis de dormir dans le salon.

– Où vous auriez pu périr de froid, grommela la domestique.

– Estelle, demanda Léa en souriant, savez-vous si Françoise reviendra ici aujourd'hui?

– Certainement, le fiancé de Mlle Françoise doit venir présenter ses hommages à vos tantes. »

Léa et Raphaël se lancèrent un regard inquiet.

« Vous ne savez pas quand?

– Il me semble que Mlle Albertine a parlé de l'après-midi. Mademoiselle Léa, vous auriez dû être plus économe avec le café et mettre de la chicorée. D'abord, c'est plus digeste... Il est vrai que c'est un peu moins bon », dit-elle en finissant sa tasse avec une mine gourmande.

Après un soupir heureux, elle se leva.

« C'est pas tout ça, je suis là à bavarder, alors que je devrais être en train de faire la queue à la boucherie de la rue de Seine. Aujourd'hui, M. Mulot reçoit du mouton. Je vais aller m'habiller. Mesdemoiselles n'aiment pas que je me promène en robe de chambre et en bigoudis. »

Quand elle fut enfin sortie, Léa prépara un plateau sur lequel elle mit les tasses et la cafetière. Fouineur,

Raphaël découvrit un paquet de biscuits à peine entamé qu'il brandit fièrement.

Sans bruit, ils entrèrent dans la chambre de Sarah.

Tous les trois burent, en silence, leur café sans quitter des yeux la malheureuse qui, inconsciente, gémissait.

Le coup de sonnette les fit sursauter. Un revolver apparut dans la main de Tavernier.

« Léa, allez ouvrir. Dépêchez-vous. »

La jeune fille obéit.

« Qui est-ce? demanda-t-elle à travers la porte.

– Le docteur Dubois. »

Comme il avait changé! Il ressemblait maintenant à un grand vieillard.

« Bonjour, mademoiselle Delmas. Vous avez du mal à me reconnaître. Moi aussi. Chaque matin, devant ma glace, je me dis : « Qui est ce vieux bonhomme? » Vous aussi vous avez changé. Vous êtes plus ravissante encore. Allons, trêve de badinages. Pourquoi m'avez-vous appelé en faisant tant de mystères? Hébergez-vous une escadrille anglaise?

– Venez, docteur. S'il vous plaît, ne parlez pas trop fort, mes tantes dorment encore.

– Comment se portent-elles?

– Bien, dit Léa en ouvrant la porte de sa chambre.

– Nom de Dieu! s'écria sourdement le médecin en découvrant Sarah. Qui a fait ça?

– Des gens que ni vous ni moi n'aimons, docteur, fit François Tavernier en s'avançant.

– Monsieur?... Ah! je vous reconnais : l'homme aux croissants! »

Tout en parlant, il examinait les brûlures des joues.

« Avec quoi ont-ils fait ces horreurs?

– Avec un cigare, dit Raphaël.

– Les salauds!... Il y a longtemps qu'elle est tombée entre leurs mains?

– Une dizaine de jours.
– Pauvre femme. Messieurs, voulez-vous sortir?
– Nous préférerions rester. Mesdemoiselles de Montpleynet ne savent pas que nous sommes ici. Elles ignorent jusqu'à la présence de notre amie.
– Très bien. Tournez-vous. Mademoiselle Delmas, aidez-moi à l'asseoir... Là, c'est bien... Maintenez-la dans cette position... Ils n'y ont pas été de main morte! Mademoiselle, ma trousse est à côté de vous, passez-moi la grande boîte métallique... merci. »
Il en sortit une crème qu'il appliqua sur le dos de Sarah qu'il recouvrit ensuite de compresses. Puis il procéda à un examen plus intime. A l'intérieur des cuisses les croûtes de brûlures de cigarettes étaient déjà anciennes.
« A-t-elle pu vous parler?
– Non, répondit Léa. Elle m'a reconnue, mais n'a dit que des mots incohérents.
– Elle a une forte fièvre, due au choc émotionnel de la torture. Je vais lui faire une piqûre maintenant et une autre ce soir. De ce côté-là, cela devrait aller mieux dans le courant de l'après-midi. Quant au reste, il faut laisser le temps faire son œuvre.
– Et ce sera long? questionna Léa.
– Tout dépend de son état général. Une semaine ou deux.
– Une semaine ou deux!... Mais c'est impossible! Non seulement mes tantes ne sont pas au courant mais la Gestapo aura vite fait de la découvrir.
– Mon enfant, je n'y peux rien. Elle est intransportable au moins pendant deux ou trois jours. Vous devriez prévenir vos tantes. »
Atterrée, Léa se laissa tomber sur un fauteuil bas.
« Et dans trois jours? demanda François Tavernier.
– Je pourrai la cacher à l'hôpital, dans mon service, jusqu'à ce qu'elle soit capable de marcher... Voici un médicament pour calmer ses souffrances. Dix gouttes

toutes les trois heures. Je repasserai en fin de journée. Courage, ajouta-t-il en caressant les cheveux de Léa, tout se passera bien. Vous avez déjà une certaine habitude d'infirmière. Souvenez-vous de Mme d'Argilat.

– Ce n'est pas la même chose, la Gestapo n'était pas encore arrivée.

– C'est vrai, mais comme aujourd'hui, vous risquiez votre vie pour sauver quelqu'un... A ce soir. Au revoir, messieurs, au revoir, mademoiselle. »

Doucement, Léa referma la porte de l'entrée et s'appuya contre elle, l'air désemparé.

« Bonjour, ma chérie, j'ai cru entendre la porte se refermer. Quelqu'un est-il venu à cette heure? »

Albertine de Montpleynet était là, en robe de chambre recouverte d'un long châle en laine des Pyrénées d'un bleu très doux. Les bandeaux de ses cheveux gris disparaissaient sous un foulard de soie blanche. Avec ses mitaines et ses gros chaussons fourrés, elle était l'image de la France frileuse, essayant, à force de superposition de vêtements, de supporter le froid qui régnait dans les appartements. Contrairement à sa sœur Lisa, jamais Albertine ne se plaignait des multiples privations que leur imposait l'Occupation. Elle disait souvent qu'elles étaient des privilégiées face à beaucoup de gens et que cela, elles ne devaient jamais l'oublier. Lisa l'avait grondée quand elle avait porté aux réfugiés du dernier étage une partie des victuailles offertes à l'occasion du baptême du petit Pierre.

Sans qu'elle en eût jamais parlé, Léa devinait que sa tante n'acceptait pas sans répugnance les « cadeaux » que leur valait la situation de Françoise. Elle redoutait la visite d'Otto Kramer officialisant sa liaison. Elle avait cru mourir d'humiliation quand, chez le pharmacien de la rue du Bac, deux clientes avaient parlé de collaboration en la regardant avec insistance. Bouleversée, elle était sortie sans acheter ce dont elle avait besoin. Depuis, elle retournait, sans cesse, ce mot dans sa tête. Elle savait ce qu'on disait des collaborateurs à la radio de Londres. Grande admiratrice du maréchal Pétain, comme la plupart des Français au début de la guerre, les mesures prises par Vichy envers les juifs mais, surtout, l'arrestation de sa vieille amie, Mme Lévy qui était née dans l'immeuble, l'avait définitivement détournée du Maréchal. Si Lisa et Estelle continuaient à lui faire confiance, c'était pour faire comme beaucoup de dames du club de bridge que sa sœur et elle fréquentaient deux fois par semaine, boulevard Saint-Germain. Depuis quelque temps, elle se sentait bien isolée.

« Voyons, Léa, réponds-moi, quelqu'un est-il venu? Qu'as-tu, mon petit? Tu as l'air d'un oisillon tombé du nid.

– Ma tante, il faut que je te parle. Allons dans ta chambre, c'est assez long à expliquer. »

Vingt minutes plus tard, Albertine de Montpleynet poussait la porte de la chambre de Léa et s'approchait du lit où reposait Sarah.

Un peu inquiets, François Tavernier et Raphaël Mahl la regardaient.

« Tout est arrangé, leur murmura Léa. Ma tante accepte que Sarah reste là jusqu'à ce que le docteur Dubois puisse l'emmener. »

La vieille demoiselle contemplait en silence ce qui avait été le visage d'une très jolie femme. D'horreur et de stupéfaction, elle restait clouée sur place, devenant de plus en plus pâle. Quand enfin, elle détourna les yeux de la face suppliciée, Albertine demanda à François Tavernier d'une curieuse voix de petite fille :

« Monsieur, comment cela est-il possible? »

Sans répondre à sa question, il s'avança vers elle, la prit par les épaules et l'entraîna à l'extrémité de la pièce.

« Je vous remercie, mademoiselle, de ce que vous

faites pour Mme Mulstein. Je tiens cependant à vous rappeler que cette femme est recherchée par la Gestapo et que tous les habitants de cet appartement risquent d'être arrêtés.

– Je le sais, monsieur, mais je manquerais à tous mes devoirs de chrétienne et de Française si je lui refusais l'asile. Pour l'instant, je ne dirai rien à ma sœur pas plus qu'à Françoise et à Estelle. Avec Léa, nous veillerons Mme Mulstein à tour de rôle, enfermées dans cette chambre. Il faudra être particulièrement prudents cet après-midi lors de la visite du commandant Kramer.

– Si vous le permettez, je serai présent lors de cette visite. Mes relations avec certains membres du haut-commandement allemand détourneront son attention de tout ce qui pourrait lui sembler suspect...

– Vous avez des relations avec le haut-commandement allemand!

– Oui, mais je ne peux rien vous dire de plus si ce n'est que j'agis par ordre, répondit-il à voix basse.

– Par ordre? Je ne comprends pas.

– Il vaut mieux. N'oubliez pas une chose : pour vous, je suis un homme d'affaires qui fait la cour à Léa. C'est ce qu'il faut absolument que croie, cet après-midi, le commandant Kramer. »

Albertine de Montpleynet regarda attentivement cet homme aux traits puissants, aux joues mal rasées, à la bouche trop grande mais dont les yeux très beaux disaient la force et la sincérité. D'un geste spontané, elle lui tendit la main.

« Je ferai ce que vous me direz, monsieur. J'ai confiance en vous. »

Avec un sourire complice, François s'inclina et baisa respectueusement la main de Mlle de Montpleynet.

« Voyons, monsieur! On baise la main des femmes mariées, pas celle des vieilles filles!

– Ma petite tante, tu es merveilleuse! Toi, une

vieille fille! Tu veux rire! Tu es plus jeune que nous tous, s'écria Léa en se jetant au cou de sa tante.

– Tu vas me faire tomber, laisse-moi, je dois aller m'habiller. »

Au moment où elle quittait la chambre, on sonna à la porte d'entrée un coup long puis trois brefs. Tous s'immobilisèrent sauf Raphaël qui calmement annonça :

« C'est Violette qui m'apporte des vêtements. Nous étions convenus de ce signal. Puis-je ouvrir, mademoiselle? »

Albertine passa une main lasse sur son front.

« Faites comme bon vous semble, monsieur, je ne comprends rien à ce qui se passe. Je préfère vous laisser. »

Avant d'ouvrir, Raphaël demanda à Léa :

« Puis-je me mettre dans une autre pièce pour me changer? Je ne voudrais pas qu'il voie Sarah.

– Mettez-vous dans la chambre de Françoise. C'est la troisième porte sur votre droite... Attention, voici Estelle. »

Léa se précipita vers elle et la tira dans la cuisine, malgré ses protestations.

On ouvrit enfin à celui que Raphaël Mahl surnommait Violette. Il entra, portant une lourde valise.

« Bonjour, m'sieu-dames, bonjour monsieur Raphaël. J'ai pris tout ce que j'ai pu. Il était temps, car les fridolins sont arrivés comme je tournais le coin de la rue.

– Tu n'as pas oublié le nécessaire de maquillage?

– Vous inquiétez pas, tout est là.

– Merci, mon mignon. Tu n'as pas été suivi?

– Vous plaisantez!... Ils sont pas encore nés ceux que la Violette ne sèmera pas quand elle voudra.

– As-tu trouvé une planque?

– Oui, rue...

– Tu me diras ça plus tard. Maintenant, viens m'aider à m'habiller.

– C'est bien la première fois, m'sieu Raphaël, que vous voulez que je vous habille », ricana Violette.

Mahl le poussa dans la chambre de Françoise dont il referma soigneusement la porte.

Léa et François se retrouvèrent seuls avec la même expression d'avidité sur leurs visages.

« J'ai envie de toi.

– Moi aussi mais... comment faire?

– Allons dans le « logis froid ».

– Mais, il y fait *très* froid!

– Je te réchaufferai.

– Nous ne pouvons pas laisser Sarah seule.

– Elle dort. Viens. »

Enlacés, ils entrèrent dans la pièce sombre et glaciale. A tâtons, Léa alluma une petite lampe posée sur une table basse près d'un des canapés recouverts d'une housse blanche comme d'ailleurs tous les meubles de cette pièce dont on avait roulé les tapis. Ainsi, le salon avait l'air d'être le lieu de rencontre d'un mobilier fantôme. Le froid était total.

Les bras de François se refermèrent autour de Léa. Accrochés l'un à l'autre, oscillant vers un canapé sur lequel ils tombèrent, soulevant un peu de poussière, mélangeant baisers et paroles.

« J'ai eu si peur quand Marthe m'a dit que tu me recherchais...

– J'ai cru que tu ne viendrais jamais...

– Tu m'as manqué, petite garce... Sans cesse, je pensais à toi et je n'arrivais pas à travailler...

– Tais-toi, embrasse-moi... »

Les doigts de François ne se lassaient pas d'explorer le corps de Léa, nu sous l'épaisse et inélégante chemise de nuit, frissonnant de froid et de plaisir mêlés. Son ventre impatient allait au-devant de celui de son amant. La peur, la Gestapo, la torture, la mort, Sarah, Camille, Laurent, plus rien n'existait que ce désir vital pour elle d'être prise par cet homme dont chaque caresse était un bonheur.

Quand il glissa en elle, ses jambes se nouèrent autour de ses reins comme pour mieux assurer une prise qui ressemblait à une capture.

A l'issue de cette étreinte, ils se sentirent prisonniers l'un de l'autre. Mais trop las et trop heureux pour tenter de se libérer.

Le froid eut raison de leur bien-être. Ils se rajustèrent et quittèrent cet endroit où une housse blanche gardait l'empreinte de leurs corps.

Sans bruit, ils entrèrent dans la chambre où reposait Sarah. Son teint avait perdu un peu de sa couleur grisâtre et son souffle était régulier : elle dormait. Main dans la main, les deux amants la regardaient avec tendresse.

« A-t-elle été votre maîtresse? demanda doucement Léa.

– Cela ne vous regarde pas, mon doux cœur, et n'a aujourd'hui plus guère d'importance. Je la considère comme ma meilleure amie. C'est la personne au monde à l'estime de laquelle je tiens le plus.

– Et moi, alors?

– Vous? Ce n'est pas pareil, vous êtes une enfant. Même cette guerre et cela, dit-il en montrant le visage détruit de Sarah, ne réussiront pas à vous faire passer dans le camp des adultes.

– Je crois que vous vous trompez. Cela vous arrange de ne voir en moi qu'une enfant à demi responsable, un joli petit animal dont on se sert quand l'adulte, le grand homme que vous croyez être a besoin d'un corps facile et aimable. Je suis une femme, j'ai vingt ans et vous n'êtes pas si vieux. Je ne sais même pas votre âge. Quel âge avez-vous? »

Il la regarda en souriant.

« Décidément, même dans cette tenue si peu érotique, on a envie de vous sauter dessus.

– Oh! mon Dieu! j'avais oublié cette horrible robe de chambre. Je vais me changer, vous ne perdez rien pour attendre... »

Quand Léa revint vêtue d'un pull-over et d'un cardigan de laine angora rouge sombre, tricotés par Lisa, et d'une courte jupe plissée noire mettant en valeur ses jambes habillées de ses meilleurs bas de laine noire, François, assis sur le lit, parlait avec Sarah. Ayant peur de les gêner, elle s'arrêta au milieu de la chambre.

« Avance, ma chérie », fit Sarah d'une voix à peine audible.

Léa eut un mouvement d'hésitation.

« Venez, vous êtes la première personne qu'elle ait demandée. »

Sarah lui tendit la main.

« Viens près de moi. »

Léa obéit et s'assit à son tour près de la malade.

« Je suis tellement heureuse de voir que tu vas mieux. Souffres-tu beaucoup?

– François m'a donné les gouttes. Je te remercie pour tout ce que tu as fait.

– Ce n'est rien. Ne te fatigue pas à parler.

– Il le faut. François va faire en sorte que la Gestapo ne vienne pas ici.

– Mais comment?

– Peu importe. Fais tout ce qu'il te dira de faire.

– Mais...

– Promets-le-moi. »

De mauvaise grâce, Léa acquiesça.

« Quand me ferez-vous confiance? demanda-t-il.

– Quand vous me traiterez en adulte.

– Arrêtez de vous disputer. Une seule personne est dangereuse ici, c'est Raphaël.

– Mais c'est lui qui t'a sauvée! »

Sarah ne put répondre, elle avait trop présumé de ses forces et venait de perdre connaissance.

François se précipita dans le cabinet de toilette et revint avec une serviette humide qu'il posa sur le front meurtri. La fraîcheur ranima la jeune femme. D'un sourire las, elle le remercia en murmurant :

« Je me tais pour récupérer mes forces. »

Elle se rendormit presque aussitôt.

« Il faut empêcher Raphaël de nuire, dit François.

– Vous voulez dire le tuer? fit Léa en écarquillant les yeux.

– Sans aller jusque-là, il faut le neutraliser durant quelques jours, le temps que Sarah et vous-même soyez à l'abri.

– Comment allez-vous faire?

– J'ai une idée, je vais lui proposer un séjour de sybarite avec sa Violette.

– Qu'est-ce que ça veut dire?

– Cela veut dire, belle ignorante, que pendant quelque temps il vivra dans l'indolence et la volupté avec son giton, lui évitant par là de jouer les sycophantes, ou mouchards si vous préférez.

– Et s'il n'accepte pas?

– Il n'a pas le choix. Des hommes à moi l'attendent en bas pour les conduire lui et son ami dans un lieu de rêve. »

On frappa doucement à la porte de la chambre.

Une grande femme assez forte, outrageusement maquillée, coiffée d'un turban savamment drapé, vêtue d'un tailleur gris, d'une blouse rose et d'un assez beau renard, entra, vacillant sur ses hautes chaussures à semelles compensées.

« Raphaël!...

– Pas mal, n'est-ce pas? Vous vous y êtes presque laissée prendre. Malheureusement, j'ai un peu forci depuis la dernière fois où j'ai mis ce tailleur, il me faudrait une nouvelle gaine. Qu'en pensez-vous? »

Léa haussa les épaules.

« Mon pauvre Raphaël, vous êtes ridicule ainsi.
– C'est le seul moyen que j'aie trouvé pour échapper à ces messieurs. »

François Tavernier se dirigea vers la porte.

« Excusez-moi un instant. Très bien votre déguisement, mon cher, très bien.
– Où va-t-il? fit Mahl d'un ton soupçonneux.
– Je n'en sais rien. Voir ma tante Albertine, sans doute. Où est Violette?
– Il m'attend dans la chambre de votre sœur. Je ferai prendre des nouvelles de Sarah demain. Je vais voir comment la faire sortir de Paris. Je vous tiendrai au courant... »

François Tavernier entra.

« Au revoir, Léa, je vous laisse, Sarah et vous, entre de bonnes mains, fit-il en désignant Tavernier.
– Dès que ce sera possible, donnez-nous de vos nouvelles, dit celui-ci.
– Comptez sur moi. Prenez bien soin de notre amie. A son réveil, embrassez-la pour moi... »

Léa l'accompagna jusqu'à la porte d'entrée près de laquelle se tenait, avec sa grande valise, Violette.

Une dernière fois, Raphaël l'embrassa et lui dit :

« Prenez bien soin de vous, soyez prudente et surtout, ne retournez pas avenue Henri-Martin. »

Dans le hall de l'immeuble, quatre hommes attendaient. Quand ils virent surgir le couple, ils le saisirent, l'entraînèrent dans la rue et le poussèrent dans une camionnette garée devant le porche.

Aucun mot ne fut échangé. Les deux amis n'offrirent aucune résistance.

A son tour, François Tavernier quitta la rue de l'Université, promettant de revenir vers trois heures pour être présent lors de la visite du lieutenant Kramer. Juste au moment de sortir, il se retourna avec un sourire farceur.

« Tenez, dit-il à Léa en lui tendant une enveloppe de papier brun. Dans tout ce tumulte, j'avais oublié que j'étais aussi facteur. »

Puis redevenant subitement sérieux, il ajouta :

« Je vous conseille de la lire et de la brûler aussitôt. Elle est arrivée par un chemin sûr, mais maintenant qu'elle est entre vos mains, vous êtes en danger. »

Il disparut dans l'escalier sans autre commentaire.

« Léa,

« Sois prudente. Je ne veux pas qu'il t'arrive malheur à cause de moi. Les souffrances de Camille me sont insupportables et te savoir en liberté est mon seul réconfort. Pèse mûrement chacun de tes gestes et ne prends pas de décision sans en avoir parlé avec F.T.

« J'ai peur. Je n'ai pas peur pour ma vie, j'y ai renoncé depuis longtemps, mais j'ai peur des conséquences catastrophiques que peut engendrer chacun de mes actes. L'idée que l'on torture Camille, en ce moment même, pour arracher d'elle des renseignements qu'elle ne connaît pas me rend fou. Il faut toute la force de conviction de mes camarades pour que je ne tombe pas dans le piège qui m'est tendu. Je ne peux rien faire pour elle : il faudrait attaquer le fort du Hâ!... Je cherche à tout prix à me noyer dans l'action. L'arrestation de Camille me plonge dans une angoisse qui fait de moi un adversaire dangereux. J'ai appris à tuer. Je sais porter mes coups là où il le faut. J'ai tué jusqu'ici parce qu'il fallait le faire, je ne suis pas convaincu aujourd'hui de ne pas y prendre plaisir.

« Chaque jour nous sommes plus nombreux. Beaucoup de ceux qui fuient le S.T.O. viennent nous rejoindre, nous sommes de plus en plus efficaces, de plus en plus mobiles, mais chaque nouvelle recrue augmente les risques d'infiltration. Nos opérations se multiplient. Tout cela est si fort et si intense que nous

nous demandons tous comment nous reprendrons le cours de la vie. Et pourtant, chacun de nos gestes est destiné à ce que la vie reprenne, paisible, plus paisible encore qu'auparavant si cela est possible...

« Camille me prouve l'immensité de son amour par son silence, prouve-moi ton affection par ta prudence.

« Je t'embrasse,

Laurent. »

« P.S. : J'ai renoncé à joindre mon journal à cette lettre. Je préfère qu'il ne soit pas brûlé. Tu dois faire disparaître TOUT ce que tu as de moi. »

Léa tortilla la lettre comme une mèche et y mit le feu dans la cheminée. Elle regarda la flamme détruire le papier et ne le laissa tomber que lorsqu'elle sentit la brûlure au bout de ses doigts. Elle était trop nouée par l'angoisse pour pouvoir réfléchir ou seulement ressentir distinctement quoi que ce soit. La seule chose qui aurait pu, peut-être, l'aider à cet instant était de se réfugier dans les bras de François.

11

Otto Kramer ne s'aperçut à aucun moment que Léa et Albertine ne s'étaient jamais trouvées ensemble dans le petit salon où les demoiselles de Montpleynet avaient reçu, avec leur courtoisie habituelle, le fiancé de leur nièce. Françoise, tout heureuse d'avoir retrouvé son amant, ne remarqua rien non plus. Sans doute cela fut-il dû en grande partie à la présence et aux propos tour à tour drôles et provocants de François Tavernier qui avait retrouvé pour la circonstance son allure d'homme du monde cosmopolite. En allemand, il parla de cette guerre qui n'en finissait pas, des restrictions, du marché noir qui permettait de survivre, des *Voyageurs de l'Impériale,* le dernier roman d'Aragon, de Léa dont il était amoureux (sans succès, hélas!) et surtout du petit Pierre, qui somnolait dans les bras de sa mère, et qu'il trouvait le plus beau bébé du monde.

« *Das ist genau meine Meinung*[1] », avait déclaré le père.

Françoise avait parlé avec enthousiasme du superbe appartement luxueusement meublé qu'ils avaient trouvé près du Bois, de la nurse, de la cuisinière et du valet de chambre qu'ils avaient engagés.

1. C'est tout à fait mon avis.

Agacée par ce bavardage, Léa avait glissé, perfide, avec un ton innocent :

« Le mariage? C'est pour quand? »

Interrompue dans l'énumération de ses bonheurs domestiques, Françoise rougit et répondit acerbe :

« Dès qu'Otto aura reçu l'autorisation du Führer, ce qui ne saurait tarder puisque son père a donné son consentement.

– J'en suis ravie pour toi, ma chérie, et pour vous aussi, Otto. Mais je croyais que les mariages entre Allemands et Françaises étaient interdits? »

L'air gêné du commandant Kramer n'avait échappé à personne.

« Pas toujours...

– Tant mieux, dans ce cas nous irons bientôt à la noce. »

Léa s'était tournée vers l'officier allemand.

« J'espère que grâce à vos relations, vos amis de Bordeaux relâcheront Camille d'Argilat?

– Françoise m'en a déjà parlé. J'ai fait téléphoner au chef de la Gestapo, il doit me rappeler dans la soirée.

– Comment? Mme d'Argilat a été arrêtée et vous ne m'en aviez rien dit, s'était écrié François Tavernier, jouant la naïveté.

– Cher ami, je vous ai si peu vu ces derniers temps.

– Il y a longtemps?

– Nous l'avons appris le 10 janvier.

– Que lui reproche-t-on?

– Ils veulent savoir où est son mari. »

A ce moment-là, Albertine était entrée en portant une théière et avait dit d'un air enjoué :

« Je vous rapporte un peu de thé chaud, l'autre doit être froid. »

C'était le signal convenu. A son tour, Léa devait remplacer sa tante au chevet de Sarah.

« François, voulez-vous venir avec moi, je voudrais

vous montrer quelque chose? » avait-elle demandé à Tavernier en quittant le salon.

C'était dans sa chambre, auprès de Sarah endormie, qu'elle lui avait raconté ce qu'elle savait de l'intervention de son oncle Luc à propos de Camille.

Devant son air soucieux, Léa avait murmuré :

« C'est grave?

– Très. A votre avis, Mme d'Argilat sait-elle où se trouve son mari?

– Bien évidemment non, elle me l'aurait dit.

– Cela m'étonnerait. »

Léa en avait eu le souffle coupé.

« Comment osez-vous! Me croyez-vous capable de dénoncer Laurent?...

– Quelle fougue! Non, bien entendu. Mais sous la torture, on ne sait jamais comment on se comportera.

– Je préférerais mourir plutôt que de dire quelque chose pouvant nuire à Laurent. »

Avec une pointe d'ironie méchante, il avait continué :

« Je ne doute pas de votre courage, mais je connais les méthodes de ces messieurs. Il est plus facile d'accepter de mourir que de supporter certaines tortures. Nous avons tous en nous une faille qui peut nous rendre capables de dénoncer l'être auquel nous tenons le plus. Au bourreau de la découvrir. Pour certains, c'est le viol, pour d'autres la castration, l'énucléation, l'éventration, l'absence de sommeil, les serpents, les insectes, les menaces envers un enfant. Bien entendu, je ne parle que d'authentiques héros capables de supporter les sévices les plus divers...

– Je ne vous crois pas. Je suis sûre qu'il y a des gens qui ne parlent pas.

– Cela arrive, mais c'est très rare. Les plus courageux préfèrent se tuer comme votre compatriote bordelais le professeur Auriac après un premier interrogatoire dirigé par le fameux commissaire Poinsot à qui vous avez déjà eu affaire.

– Sarah, elle, n'a pas parlé.

– Qu'en savez-vous? »

Une nouvelle fois, Léa était restée bouche bée.

Tour à tour, son regard s'était longuement posé sur Sarah et François. Les yeux humides, elle lui avait craché au visage :

« Comment osez-vous dire ça de celle dont l'opinion, d'après vous, compte plus que tout? Vous êtes immonde!

– Non, réaliste.

– Il a raison », avait dit une petite voix venant du lit.

D'un même élan, Léa et François s'étaient retrouvés auprès de leur amie.

« Il a raison, avait repris Sarah, un jour de plus à subir les ignobles caresses de ces salauds, j'aurais parlé. Vois-tu Léa, la souffrance, on peut s'y habituer, je crois, mais l'humiliation d'être attachée, écartelée par des mains et des sexes couverts du sang d'autres victimes, la bouche forcée par un membre sali de ses propres excréments... La promesse d'être livrée à un molosse si l'on s'obstine à se taire... c'est affreux... Si Raphaël n'avait pas réussi à me sortir des pattes de Masuy et de ses complices, j'aurais raconté tout ce qu'ils auraient voulu...

– Ne parlez plus de ça, Sarah. Je n'ai pas douté un seul instant de votre courage. Je suis un imbécile d'avoir eu l'air de le mettre en doute pour donner une leçon à Léa... Je dois partir. Je reviendrai pour la visite du docteur Dubois. Sarah... je vous en prie, ne pleurez pas. Je ne voulais pas vous blesser.

– Vous ne m'avez pas blessée... c'est le souvenir de tout ça. Partez maintenant et revenez vite. A votre retour, vous me donnerez des nouvelles de Raphaël.

– Ne vous inquiétez pas, il est en lieu sûr et bien traité... A tout à l'heure. »

Après son départ, Sarah avait voulu se rendre dans le cabinet de toilette, soutenue par Léa. Elle avait poussé un grand cri en se voyant dans le miroir au-dessus du lavabo...

« Ils ont fait de moi un monstre! »

Léa avait cherché quelque chose à répondre. Elle avait eu honte, rétrospectivement, d'avoir un moment jalousé la beauté de Sarah. C'était horrible de voir ces larmes contourner les cratères sanguinolents.

« Laisse-moi seule un instant », avait-elle demandé.

Léa avait obéi. A ce moment précis, on avait frappé à la porte. Ce n'était pas le signal d'Albertine.

« Qui est-ce?

– Nous partons, avait crié Françoise à travers la porte, nous voulons te dire au revoir... »

Rapidement, Léa avait recouvert le désordre du lit, et couru tourner la clef de la serrure.

« Tu t'enfermes dans ta chambre, à présent?

– J'ai dû faire ça machinalement, j'avais tellement mal à la tête.

– Cela va mieux? avait demandé avec gentillesse le fiancé de Françoise.

– Oui, un peu, je vous remercie. Je me suis allongée quelques instants », avait-elle dit en refermant la porte de l'air le plus naturel.

Dieu merci, les adieux ne s'étaient pas éternisés, mais Léa avait dû promettre de venir déjeuner un jour prochain.

Quand elle était revenue dans la chambre, Sarah était recouchée et paraissait dormir. Sur un des fauteuils, Léa s'endormit à son tour.

Elle avait été réveillée par les voix du docteur Dubois, d'Albertine et de François Tavernier. Honteuse, elle s'était redressée en frottant ses yeux.

« Pardonnez-moi, je m'étais endormie.

– Nous avions remarqué, avait dit d'un ton bonhomme le médecin. C'est très mal pour une garde-malade.

– Je suis confuse. Comment trouvez-vous Mme Mulstein?

– Aussi bien que possible. C'est heureusement une forte constitution. Dans deux jours, elle sera sur pied... J'ai prévu une ambulance pour après-demain. Officiellement, ce sera pour votre tante, prise d'un malaise nécessitant son hospitalisation. Tout ira bien. Un de mes amis, résistant et spécialiste des grands brûlés, la prendra en charge.

– Merci, docteur. Ensuite nous nous occuperons de faire passer Mme Mulstein en Suisse ou en Espagne. Combien de temps pensez-vous la garder à l'hôpital? avait demandé François Tavernier.

– Cinq jours maximum pour sa sécurité et celle de mes camarades.

– Ce sera le 18 janvier?

– Oui, une ambulance la transportera le 18 au matin, c'est plus normal pour les sorties, et la conduira où vous nous indiquerez. Ensuite, Mlle Delmas pourra venir rechercher sa tante.

– Je vais devoir rester tout ce temps à l'hôpital? avait demandé Albertine.

– C'est la condition de la réussite de notre plan. »

A ce moment-là, Sarah s'était redressée et avait murmuré :

« Je suis confuse de vous causer tant de dérangement. »

Elle n'avait pas paru comprendre pourquoi tous avaient éclaté de rire.

« Ne vous inquiétez de rien, mon enfant, avait dit la vieille demoiselle, ne pensez qu'à guérir. Le plus difficile ce sera de mentir à Lisa et de lui causer de l'inquiétude...

– Il est très important que votre sœur soit la première à croire à votre malaise, avait dit le médecin.

– Je sais bien, docteur, mais depuis notre plus

tendre enfance, nous n'avons eu aucun secret l'une pour l'autre... »

Accrochée au bras de François, Léa frissonnait dans le froid maussade et humide qui recouvrait Paris. Devant les boutiques, les ménagères faisaient d'interminables queues en tapant des pieds pour essayer en vain de se réchauffer.

Tout s'était passé comme prévu. Sarah, qui avait retrouvé quelques forces, était partie pour une destination inconnue et Léa avait dû soigner Lisa, tombée vraiment malade à l'idée que sa sœur était à l'hôpital... Mathias avait écrit pour dire qu'il était à Bordeaux et Françoise avait téléphoné. Les nouvelles étaient bonnes : Camille allait être relâchée, et Léa pouvait librement retourner à Montillac. Le commandant Kramer se portait garant. Léa avait retrouvé aussitôt une partie de sa joie de vivre et de sa gaieté, et pour fêter cela, François avait décidé de l'emmener déjeuner chez Chataîgnier, rue du Cherche-Midi. En passant devant la librairie Gallimard, boulevard Raspail, machinalement, ils avaient ralenti le pas et jeté un coup d'œil à la vitrine où *Les Décombres* de Rebatet semblait vouloir écraser tous les livres.

« Voici l'ouvrage le plus immonde publié l'année dernière, fit François Tavernier, plein hélas, de talent et de vérités pénibles, au milieu d'un déversement de haine et d'ordures sur les juifs et autres métèques... »

Sortant de la librairie comme un diable de sa boîte, Raphaël Mahl les interpella :

« Léa, François!

– Que faites-vous à Paris? lui dit sèchement Tavernier. Je croyais que nous étions convenus que vous partiez pour le Midi immédiatement après notre dernière rencontre.

– Ne m'en veuillez pas, cher ami, ce voyage n'est retardé que de quelques jours.

– Mais je croyais que Masuy vous faisait rechercher? dit Léa.

– Plus maintenant. Grâce à moi, il a mis la main sur un stock d'or des plus importants. Nous sommes de nouveau en affaires.

– Après ce qu'il a fait à Sarah!...

– Ma chère Léa, il a bien voulu oublier ma participation dans l'escamotage de notre amie et la manière dont je l'ai roulé. En échange, j'oublie les sévices subis par notre pauvre Sarah.

– Vous oubliez!... »

Raphaël saisit la main de la jeune fille qui se levait sur lui.

« Je n'ai pas le choix. C'est ça ou une balle dans le ventre, dit-il durement. Ça fait mal, belle enfant, une balle dans le ventre, continua-t-il en reprenant un ton badin... Rassurez-vous, vous n'avez rien à craindre de lui, il connaît maintenant les relations allemandes de votre famille et il est bien trop prudent pour s'attaquer à une amie de M. Tavernier, familier de l'hôtel Lutétia et de l'ambassade d'Allemagne! »

Pâle et glacée, Léa percevait les menaces cachées à l'évocation de ces lieux. Elle ne se trompait pas.

« Cher François, si vous ne nous aviez aussi bien traités, Violette et moi, jamais je ne vous aurais pardonné notre séquestration et je ne doute pas que vos amis de l'Abwehr ou notre aimable ambassadeur, Son Excellence Otto Abetz, eussent été intéressés par vos activités pour le moins contradictoires. Mais vous avez agi en homme du monde prudent et avisé, nous comblant mon ami et moi par une table des mieux garnies, par des vins des plus capiteux dans un lieu de rêve où ne manquaient ni littérature ni musique. Je me suis donc montré reconnaissant en oubliant de parler de vous...

– Je suppose que je dois vous remercier, fit sèchement François.

– Je n'irai pas jusque-là.

– Vous savez bien qu'à plus ou moins brève échéance vous serez arrêté, peut-être assassiné.

– Peut-être... Vous savez, il faut se faire une raison; la mort n'est jamais accidentelle.

– Vous êtes complètement fou, c'est à en rire. »

Raphaël Mahl abandonna le badinage et dans son regard passa une brusque expression de souffrance.

« Si vous croyez que c'est drôle d'être moi! Vous encore, vous pouvez rire de mes folies, mais moi, il faut bien que j'en souffre! »

A travers la vitre, Mahl fit un signe d'amitié au jeune vendeur qui rangeait les livres. Léa le reconnut et lui fit également bonjour de la main.

« Quel charmant jeune homme! Vous connaissez le dernier mot de Cocteau? C'est lui qui me l'a rapporté. Le poète dînait au bistrot de Mlle Valentin avec Auric. Celui-ci lui racontait qu'un juif se plaignait de devoir porter l'étoile jaune. « Consolez-vous, lui dit « notre ami, après la guerre, vous nous ferez porter un « faux nez. » Toujours drôle, la grande chérie. Vous ne trouvez pas? »

François Tavernier s'abstint de répondre mais eut du mal à réprimer un sourire. Quant à Léa, elle éclata de rire, puis, tout aussitôt, s'en voulut d'avoir ri.

« Riez, jeune fille, riez, le rire vous va si bien... Il faut rire avant que de pleurer. Au revoir, belle enfant, Dieu vous garde. Adieu, monsieur, j'espère ne plus avoir à vous rencontrer, fit-il en poussant la porte de la librairie. »

Avant d'entrer, il se retourna et dit en les regardant :

« Merci pour tout ce que vous avez fait pour Sarah. »

Jusqu'à la rue du Cherche-Midi, Léa et François n'échangèrent pas une parole. Chez Chataîgnier, la salle était bourrée. Le maître d'hôtel les conduisit à leur place près d'une longue table de douze couverts.

« J'espère que nos voisins ne seront pas trop bruyants, fit Tavernier.

– J'ai beau être gourmande, je n'aime pas ces endroits, dit Léa en regardant autour d'elle.

– Moi non plus, mais que cela ne vous coupe pas l'appétit. Aujourd'hui, je veux que vous oubliiez tout ce qui n'est pas nous. Je vous veux égoïstement pour moi seul.

– Buvons une bouteille de bordeaux. J'ai envie de retrouver l'odeur de mon pays. »

Quelques instants plus tard, le sommelier apportait avec les précautions d'usage une sublime bouteille.

La cuisine était à la hauteur du vin.

Ils suivaient fidèlement leur programme, ne parlant que de choses tendres ou légères : des jupes qui raccourcissaient, des coiffures qui s'élevaient, des dancings clandestins, des zazous qui imposaient la mode à toute une jeunesse, des voyages qu'ils feraient ensemble quand la guerre serait finie... Sous la table, ils avaient mêlé leurs jambes.

Près d'eux, plusieurs personnes passèrent : hommes à la mine épanouie, au verbe haut, jolies femmes aux toilettes voyantes et aux rires aigus. Ils prirent place à la grande table, rejoints par un homme au visage massif, au regard vif et intelligent derrière d'épaisses lunettes, au corps d'athlète.

« Qui est-ce? demanda Léa.

– Un homme remarquable qui se perd : Jacques Doriot, le fondateur du P.P.F., le Parti populaire français. Nous sommes loin des campagnes du *Cri du peuple* contre le marché noir et les restaurants à cinq cents francs par tête!

– Vous y êtes bien dans ces restaurants!
– C'est vrai. »
L'harmonie du début était rompue. Ils terminèrent leur repas en silence.

Dans la rue, malgré sa réticence, il lui prit le bras.
« Ne boudez pas, mon cœur, il nous reste peu de temps à passer ensemble.
– Que voulez-vous dire?
– Je pars demain à la première heure.
– Où?
– Je ne peux pas vous le dire.
– Longtemps?
– Je n'en sais rien.
– Vous ne pouvez pas me laisser seule!
– Il le faut et vous êtes tout à fait de taille à vous défendre.
– Sarah aussi était de taille à se défendre. Voyez ce qu'ils lui ont fait. »
Une brève crispation passa sur le visage de Tavernier. Il ne pouvait quand même pas lui dire qu'il en crevait de devoir la laisser à la merci des Masuy et compagnie! Il se maudissait de se sentir amoureux de cette gamine. Dans ce qu'il avait à faire, tout sentiment aurait dû être banni. C'était prendre des risques inutiles et surtout lui en faire courir. Depuis leurs brèves retrouvailles à Montillac, conscient du danger, il avait évité de penser à elle. Sans trop de difficultés, à vrai dire. Depuis le début de la guerre, les filles, même les plus sages, étaient moins farouches. L'urgence de vivre était telle qu'elles en oubliaient les convenances et se donnaient avec presque autant de simplicité que Léa. Mais de l'avoir revue à la fois plus forte et plus fragile avait ravivé ce sentiment pour lequel il n'éprouvait aucune sympathie et qui ne servait, selon lui, qu'à compliquer la vie.
« Pourquoi ne dites-vous rien?

– Que voulez-vous que je dise? Mahl a raison : les relations de votre sœur vous protègent, du moins tant que le commandant Kramer est à Paris. A votre place, je regagnerais Montillac pour au moins trois raisons. La première, c'est que votre dominicain d'oncle et votre cher d'Argilat n'en sont pas très loin.

– Qu'en savez-vous?

– Je le sais... La deuxième, c'est que Mme d'Argilat a besoin de vous, et la troisième, c'est que vous ne pouvez pas laisser le domaine aux seules mains de votre maître de chais.

– Si Laurent et oncle Adrien sont si près comme vous dites, pourquoi n'ont-ils rien fait pour Camille?

– Faire quelque chose pour elle, c'était risquer d'aggraver son cas et l'on ne s'évade pas du fort du Hâ. Par contre, il est plus facile de sortir du camp de Mérignac.

– Mais je croyais qu'elle devait être relâchée?

– Cela a été retardé.

– Pourquoi?

– Je n'en sais rien... Sans doute pour amener Laurent à commettre une imprudence. Ils agissent souvent comme ça dans l'espoir de faire craquer leur adversaire. Il est très clair qu'ils n'ont rien tiré de Camille. Soit qu'elle ne sache rien, soit qu'elle ait fait preuve d'un vrai courage.

– Elle en est bien capable. Sous ses airs doux et timides, c'est la personne la plus têtue que je connaisse.

– Heureusement pour son mari. »

Agacée, Léa haussa les épaules.

« Je suis sûre qu'elle ne sait rien. Je crois que je vais suivre votre conseil. Je vais rentrer à Montillac... »

Tout en parlant, ils étaient arrivés au domicile de Léa.

« Vous montez? demanda-t-elle.

– Je ne peux pas, j'ai un rendez-vous. J'essaierai de passer avant le couvre-feu. Si vous ne me voyez pas, ne m'en veuillez pas...

– Rassurez-vous, je ne vous en voudrai pas. »

Elle eut l'impression de l'avoir blessé et en éprouva une joie mauvaise suivie de l'impression d'un grand vide. Elle le poussa dans l'entrée de l'immeuble et là, à l'abri des regards des rares passants, elle se jeta contre lui.

« François... »

De sa main, il ferma ses lèvres.

« Ne dites rien. Restez là, collée à moi, sans bouger. Embrassez-moi. »

Cette nuit-là Léa attendit en vain.

12

« Chère Léa,

« Je sors de l'enfer. Après mon dernier interrogatoire avec Dohse dans la maison de la Gestapo, du 197 route du Médoc, on m'a jetée dans un des cachots de la cave. Il était si bas que je ne pouvais pas m'y tenir debout. Sur le sol, de la terre humide et de la paille et partout, des excréments et des vomissures : une horreur. Des cris venant des autres cachots. Un homme à qui on avait arraché les testicules et qui hurlait. Une femme qui ne cessait de gémir. Je me suis écroulée de fatigue et de terreur. Je ne sais même pas combien de jours j'ai passé là, à demi somnolente, grelottant de fièvre, sans manger, faisant mes besoins à même le sol, comme une bête.

« Quand il a compris que, même si je le voulais, je ne pourrais plus parler, Dohse m'a fait conduire au fort du Hâ. J'ai passé trois jours avec quarante de fièvre à l'infirmerie et je suis maintenant dans une cellule avec trois autres femmes. Presque le luxe. On peut tenir debout, on peut se laver, on peut se mettre de la poudre contre les poux. En montant sur un des lits, on peut même voir à travers les barreaux les toits de la ville. Un « café » le matin, deux cents grammes de pain, une soupe à dix heures, une autre à quatre heures et, de temps en temps, un casse-croûte de la Croix-Rouge avec des biscuits qui sentent l'huile rance.

Et puis la vie de la prison : les messages de « radio-barreaux », les nouvelles qu'on grappille à la messe le dimanche, le bonheur de se faire donner un moignon de crayon et un bout de papier, le bonheur de trouver une combine pour expédier une lettre... J'ai eu la visite d'Amélie Lefèvre, la mère de Raoul et Jean, et de Ruth qui est venue me donner des nouvelles de mon petit Charles. Je pense à lui à chaque instant et il me donne la force de tenir. Je suis sans nouvelles de L. Je n'ai aucune idée de ce que je vais devenir, aucune idée du temps que je vais devoir passer ici. Ma seule certitude c'est qu'un prochain jour, ils vont venir me chercher pour un nouvel interrogatoire et que je ne sais comment je supporterai de nouveau les gifles, les brimades et le cachot. Mes compagnes sont admirables, Odile, une ajiste de dix-neuf ans qui a été arrêtée parce qu'elle distribuait des tracts; Elisabeth, communiste, dont le mari a été fusillé le 21 septembre 42; Hélène dont l'époux a rejoint le maquis et qui a été dénoncée parce qu'elle hébergeait des aviateurs anglais. Ensemble, nous nous soutenons dans les moments de cafard.

« S'il m'arrive malheur, occupe-toi de Charles, c'est ce que j'ai de plus précieux au monde. Pardonne-moi de t'avoir écrit si petit, mais le papier vaut de l'or. Prends garde à toi. Je t'aime tendrement. Dieu te protège.

Camille. »

Léa, enroulée dans une couverture, se leva lentement et posa les feuillets sur son lit. Son jeune visage exprimait à la fois l'incrédulité et l'horreur.

« Comment en sommes-nous arrivés là? » dit-elle à voix haute.

Il lui semblait que les murs de sa chambre se resserraient et qu'ils devenaient ceux d'une prison.

Du revers de la main, elle se frotta les yeux, elle venait de prendre une décision : retourner à Montillac. Là-bas, sur place, elle verrait avec Mathias, les époux Debray et Mme Lefèvre, ce qu'ils pouvaient tenter pour obtenir la libération de Camille. Cette décision ramena le calme dans son esprit mais, avant de partir, il fallait qu'elle ait une conversation avec Otto Kramer.

La sonnerie lointaine du téléphone retentit. Quelqu'un répondit. Peu après, on frappa à la porte : c'était Estelle qui venait lui dire que Françoise la demandait. Pour une fois, celle-ci tombait bien.

Léa accepta l'invitation à dîner pour le lendemain.

Après le repas du soir pris dans le petit salon, Léa assise par terre devant le feu de la cheminée lut à ses tantes et à Estelle la lettre de Camille. Pas une des trois vieilles femmes ne l'interrompit. A la fin, Lisa essuya avec de grands gestes ses yeux rougis, Albertine tapota les siens d'une main tremblante, Estelle se moucha bruyamment. Leurs ouvrages de tricot, de tapisserie ou de raccommodage restèrent abandonnés sur leurs genoux.

Léa se leva et alla allumer la T.S.F.

Après quelques tâtonnements, elle trouva Radio-Londres. Le brouillage, ce soir, ne couvrait pas trop les voix. Il était 21 heures 25, le 15 janvier 1943.

« *Fils d'un ouvrier du Nord assassiné par les Allemands en 1917, ancien combattant de la campagne de France, compagnon de captivité des vingt-sept martyrs de Châteaubriant, évadé en juillet 1941 après neuf mois de tortures dans les prisons allemandes, Fernand Grenier, député de Saint-Denis, vous parle...*

Français et Françaises,

Après avoir connu les prisons de Fontevrault et de Clairvaux, après avoir vécu neuf mois avec Charles Michel, Guy Môquet et nos martyrs de Châteaubriant, après avoir partagé, à Paris même, le quotidien danger des combattants de la Résistance, après avoir connu les mêmes privations, les mêmes souffrances morales, les mêmes espoirs que notre peuple enchaîné mais indompté, je viens d'arriver à Londres, délégué par le comité central du Parti communiste français pour apporter au général de Gaulle et au Comité national français l'adhésion des dizaines de milliers des nôtres qui, malgré la terreur, dans les usines comme dans les rangs des francs-tireurs et partisans, dans les universités aussi bien que dans les oflags du Reich, de Nantes à Strasbourg, de Lille à Marseille, mènent chaque jour, au péril de leur vie, la lutte implacable contre l'envahisseur hiltlérien détesté.

Je suis venu pour affirmer ici que, dans l'esprit du paysan comme de l'ouvrier, de l'industriel patriote comme du fonctionnaire, de l'instituteur laïque comme du prêtre, nulle équivoque n'existe : on est avec Vichy ou avec la France qui résiste et qui combat... »

Le brouillage qui s'était amplifié depuis quelques instants rendit les propos de l'orateur inaudibles.

Lisa roulait des yeux effrayés.

« Vous avez entendu!... le général de Gaulle accepte les communistes!... Cet homme est complètement fou. Les communistes!

– Tais-toi, dit sèchement Albertine, tu ne sais pas de quoi tu parles. La France a besoin de tous ceux qui veulent combattre. Pour l'instant, ils ne sont pas très nombreux...

– Ce n'est pas une raison pour prendre n'importe qui!

– Taisez-vous, on entend un peu mieux. »

« ... L'immense masse des Français, tous ceux qui luttent, tous ceux qui résistent, tous ceux qui espèrent – et ceux-là sont la France innombrable, la France tout court – sont avec le général de Gaulle, qui eut le mérite, désormais historique, de ne pas désespérer alors que tout croulait, et avec tous les hommes de la Résistance qui se sont peu à peu groupés et qui

continuent à se rassembler au sein de la France combattante en vue du combat sacré, pour la libération de la patrie... »

Une nouvelle fois, le brouillage couvrit la voix de Fernand Grenier. Léa reprit ses manipulations. Estelle en profita pour aller chercher l'infusion du soir; Albertine remit une bûche.

« Il va falloir économiser le bois, nous n'en avons presque plus. »

« *... Amis de France, vos souffrances sont terribles, votre courage magnifique et grandes vos espérances. Vous saluez chaque victoire de l'Armée Rouge, chaque raid destructeur de la R.A.F., chaque tank ou canon qui sort de l'arsenal américain. Continuez à tenir bon! Soyez solidaires les uns avec les autres et aidez-vous mutuellement! Accentuez toujours votre action tenace et héroïque contre l'occupant! Qu'un immense souffle de fraternité, qu'un permanent courage vous animent!...* »

Le brouillage reprit, cette fois définitivement.

Les quatre femmes burent en silence leur boisson chaude puis se séparèrent pour la nuit.

Le lendemain, Léa s'habilla avec le plus grand soin pour le dîner de sa sœur. Elle mit une robe de fin lainage noir drapée aux hanches et au décolleté profond, cadeau de François Tavernier. C'était une robe de Jacques Fath qui avait dû coûter très cher. C'était la première fois que Léa la portait. Elle fixa sur ses cheveux relevés, un minuscule tambourin orné d'une voilette derrière laquelle brillaient ses yeux soigneusement maquillés. Elle mit à son cou le collier de perles offert par Camille et emprunta l'inévitable cape de renard noir d'Albertine. Par chance, des bas à la couture impeccablement droite, autre cadeau de François, moulaient ses jambes qu'elle savait très belles et qui, rehaussées par les hautes semelles compensées de ses chaussures de faux daim noir, lui donnaient une allure qu'elle jugea « folle ». Ce fut également l'avis de Lisa qui lui prêta sa dernière paire de gants en bon état.

Elle prit le métro jusqu'à l'Etoile.

Dès qu'elle y pénétra, Léa détesta l'appartement de l'avenue de Wagram. Otto Kramer et sa sœur l'avaient loué meublé à un célèbre médecin qui préférait l'air de la Côte d'Azur à celui de Paris.

« Un juif, sans doute », avait dit Françoise en parlant de leur propriétaire.

Cette réflexion agaça Léa.

« Evidemment, ça ne ressemble pas aux appartements de la bonne bourgeoisie bordelaise qui aime à cacher ses richesses. Ici, c'est tout le contraire, on les montre. On les montre même un peu trop.

– C'est bien aussi mon avis, dit en riant Otto Kramer, mais nous étions pressés. Que vous êtes belle et élégante! Venez voir la nursery, vous verrez comme votre neveu y est bien. »

La nursery était une grande pièce très claire où ils retrouvèrent Frederic Hanke qui essayait, en le berçant, un peu fort peut-être, de calmer les cris de son filleul.

« Mais vous voyez bien que cet enfant a faim, s'écria-t-il à leur entrée.

– Léa, je suis très content de vous revoir. Vous ne voulez pas essayer d'user de votre autorité de marraine? »

Léa prit le bébé du bout des doigts et lui dit en le recouchant dans son berceau :

« Maintenant, tu vas être sage et dormir. »

A leur stupeur à tous, l'enfant se tut et ferma les yeux.

« Bravo, quelle autorité! Il faudra venir plus souvent car ni sa mère ni moi ne parvenons à l'empêcher de pleurer.

– On en reparlera plus tard... quand il aura recommencé! Pour l'instant, j'ai un service à vous demander : je veux retourner rapidement à Montillac et mon ausweis pour me rendre à Bordeaux est périmé. »

Léa lui tendit la carte marquée de l'aigle hitlérienne qui couvrait une partie de sa photo.

« Demain, je vous ferai porter une nouvelle autorisation. Bientôt, vous n'en aurez plus besoin puisque la ligne de démarcation va être supprimée du fait de l'occupation de la zone sud.

– Je sais, fit Léa plus tristement qu'elle ne l'aurait voulu.

– Oh! excusez-moi, je vous fais de la peine. Un jour, votre pays sera à nouveau libre et nos deux nations unies et réconciliées. »

Elle ne répondit pas, mais les deux officiers allemands lurent clairement dans ses yeux : jamais.

Ils passèrent dans la salle à manger à la table luxueusement mise.

« Nous ne sommes que tous les quatre?

– Cela vous ennuie? Nous avons pensé que vous n'auriez aucune envie de vous trouver en compagnie de mes compatriotes.

– Je vous remercie, c'est très bien comme ça. »

Léa avait tellement appréhendé de se retrouver au milieu d'officiers allemands en uniforme qu'elle éprouva un réel soulagement qui lui rendit sa bonne humeur. D'autant qu'Otto et Frederic étaient en civil.

« J'ai fait préparer tout ce que tu aimais, dit Françoise avec un bon sourire.

– Quoi? Dis vite.

– Tu le verras bien, gourmande. »

Le repas se déroula le mieux du monde et Léa, à chaque plat, manifesta sa reconnaissance à sa sœur pour tous les soins qu'elle avait mis à lui faire plaisir : œufs en meurette, navarin...

« Je l'ai fait avec seulement quinze grammes de beurre en suivant la recette d'Edouard de Pomiane. Tu sais, celui qui a fait le livre indispensable en ce moment : *Cuisine et Restriction* », dit Françoise avec fierté.

Quant au clafoutis aux abricots secs, il était délicieux. Léa en reprit deux fois.

A aucun moment, durant le dîner, on ne parla de la guerre. Il ne fut question que de musique, de littérature, de cinéma et de théâtre. Au café, on passa dans le salon où brûlait un feu. Françoise dit à la domestique qu'elle servirait elle-même.

Ils burent lentement et en silence, regardant bouger les flammes. Otto se leva et se mit au piano qui occupait toute une partie de la pièce.

« C'est surtout à cause du piano que nous l'avons loué », chuchota Françoise à l'oreille de sa sœur.

Durant une heure le temps fut aboli. Il n'y eut plus ni Français, ni Allemands, ni vainqueurs, ni vaincus, il n'y eut que la musique qui les unissait dans une fraternité sans frontières.

Longtemps après que la dernière note se fut éteinte, ils demeurèrent silencieux, redoutant de reprendre pied dans le réel. Ce fut Léa qui rompit la première le précaire silence en disant d'une voix où perçait une émotion sincère :

« Merci, Otto, de nous avoir procuré ces instants de vraie paix. »

Emu, le commandant Kramer se leva et vint lui baiser la main.

« Merci d'être venue. »

Maintenant, Léa pouvait lui demander ce qu'il savait de « l'affaire » de Camille.

Otto Kramer ne répondit pas tout de suite à la question de la jeune fille. Il parut, un long moment, absorbé dans de sombres réflexions. Quand, enfin, il se décida à parler, c'est à son ami qu'il s'adressa :

« *Soll ich him alles sagen*[1] ?

– Ja.

– Je ne vous cacherai pas que Frederic et moi, nous sommes très inquiets pour Mme d'Argilat. Elle a été, comme vous le savez, arrêtée sur dénonciation, accusée de servir d'agent de liaison entre son mari et votre oncle le père Delmas, tous les deux dans la Résistance et recherchés par la police française et la Gestapo. Mme d'Argilat a été trouvée en possession de tracts appelant les jeunes gens à rejoindre le maquis. Cela était suffisant pour l'arrêter. De plus, Dohse la soupçonne d'appartenir au même réseau que Laurent d'Argilat.

– C'est complètement idiot! Camille ne s'intéresse qu'à son enfant et ne comprend rien à tout ça. De plus, sa santé est mauvaise et elle est sans nouvelles de Laurent depuis des mois.

– Léa, ne nous prenez pas pour des imbéciles. Quand j'étais à Langon, c'est par dizaines que nous avons reçu des lettres de dénonciation concernant Mme d'Argilat et vous-même. Frederic et moi, nous en avons détruit beaucoup bien que certaines aient été très précises. Tant qu'il s'agissait de passer un peu de courrier d'une zone à l'autre, nous pouvions fermer les yeux. Mais maintenant, les choses sont plus graves et les faits reprochés à Mme d'Argilat sont passibles, s'ils sont prouvés, de la peine de mort. Votre amie est un pion entre les mains de Dohse dont il veut se servir dans l'espoir que Laurent d'Argilat et ceux de son réseau commettront une imprudence pour la délivrer. Par chance, il ne paraît pas croire qu'elle connaisse réellement l'activité de son mari ni qu'elle sache où il se trouve... Dans ces conditions, il se montre prudent pendant les interrogatoires. D'autant qu'il connaît les

1. Dois-je tout lui dire?

liens familiaux qui unissent votre oncle Luc Delmas avec notre pays. »

Le visage torturé de Sarah Mulstein passa devant les yeux de Léa.

« Je sais ce que vos amis de la Gestapo font subir à ceux qu'ils interrogent et de quelle manière sont traités leurs prisonniers.

– Je suis le premier à le déplorer. Mais vous, vous devriez l'ignorer. Pour votre tranquillité future, je vous supplie d'oublier. »

Léa se leva, furieuse.

« Oublier!... vous osez me dire d'oublier ce que les vôtres font subir quotidiennement à des hommes, des femmes et des enfants. Saviez-vous qu'il avait dix-sept ans, Guy Môquet, quand on l'a fusillé, et ceux de Souges en septembre dernier, assassinés parce qu'un attentat avait été commis à Paris, vous saviez qu'ils étaient soixante-dix? Et cette vieille amie juive de mes tantes que l'on a embarquée pour un de vos camps et qui disait en pleurant : « Messieurs, il doit y avoir une « erreur, je suis française, mon mari a été tué à la « guerre de 14 et mon fils est prisonnier parce qu'il « s'est battu pour la France. »

Françoise, les yeux remplis de larmes, lui prit le bras.

« Je t'en prie, tais-toi.

– Ne me touche pas! Lâche-moi!

– Léa, je vous comprends, mais c'est la guerre, ni vous ni moi n'y pouvons rien. Tout ce que je pourrai faire qui ne sera pas contraire à mon honneur de soldat, je vous promets de le faire pour Mme d'Argilat. Mais pour votre sécurité et celle de tous les vôtres, je vous supplie de ne pas répéter en public ce que vous avez dit ici.

– Pouvez-vous me jurer que ce que je vais vous confier concernant la détention de Camille au fort du Hâ, ne sera pas utilisé contre elle? »

Otto Kramer réfléchit quelques instants avant de répondre.

« Vous avez ma parole.

– Pourrais-je vous entretenir seul? »

Françoise se leva :

« Venez, Frederic, vous voyez bien que nous gênons. »

Ce qu'elle pouvait être agaçante avec ses faux grands airs. Petite, déjà, elle était d'une susceptibilité qui avait toujours horripilé Léa et dont même leur père se moquait.

« Ce que j'ai à dire ne me concerne pas, c'est pour ça que je pense...

– Tu n'as pas à te justifier, l'interrompit sa sœur en quittant la pièce suivie de Frederic.

– Mon pauvre ami, je ne sais pas comment vous pouvez la supporter.

– Arrêtez de vous quereller comme des gamines, gronda-t-il avec un bon sourire. Asseyez-vous en face de moi.

– Voilà, fit-elle. J'ai reçu une lettre de Camille. On l'a laissée plusieurs jours enfermée dans une cave où elle ne pouvait même pas tenir debout. Elle a été à trois reprises interrogée par Dohse. N'obtenant rien d'elle, il l'a fait jeter dans une cellule infecte d'où elle est sortie malade. Que fera-t-il la prochaine fois? Les geôliers du Bouscat n'ont pas bonne réputation. On dit, à Bordeaux, que certains jours, les cris traversent l'épaisseur des murs des caves. Je vous en supplie, faites en sorte que Camille échappe aux mains de ces gens-là.

– Je méprise autant que vous les actes de " ces gens-là ". Dans l'armée, nous n'aimons pas ceux de la Gestapo. Malheureusement, elle est de plus en plus puissante et son pouvoir policier s'étend également sur nous. Croyez-moi, la France est un des pays occupés à en souffrir le moins. Quant à Mme d'Argilat, je n'étais pas au courant du traitement qu'on lui a fait subir. On m'a donc menti quand on m'a assuré qu'elle était bien traitée. Dohse doit être convaincu qu'elle possède des renseignements importants pour que, malgré ses relations, il la détienne dans ces conditions. Il ne va pas être facile de lui faire lâcher sa proie.

– Mais je vous assure qu'il se trompe : Camille n'est pas au courant des activités de Laurent!

– Elle vous l'a dit?

– Non, mais nous vivons ensemble, si elle avait eu des nouvelles de Laurent, j'aurais été la première à le savoir.

– Je ne voudrais pas vous faire de la peine, Léa, mais quand on participe à une activité clandestine, on ne va pas le crier sur les toits. Bien que les résistants, comme vous les appelez, soient d'une imprudence dont nous sommes souvent les premiers à nous étonner.

– Je n'en crois rien. Camille savait très bien qu'elle pouvait me faire confiance et que j'étais prête... »

Léa s'arrêta net.

« N'ayez pas peur, continuez. Je ne peux vous blâmer, je sais qu'à leur place, j'aurais agi comme votre oncle et le mari de votre amie, j'aurais continué à combattre. Cela dit, mon devoir et celui des soldats allemands engagés dans cette guerre est de les en empêcher. Ça aussi, vous devez le comprendre. Quand nous arrêtons et nous fusillons des poseurs de bombes, exécutons des otages, emprisonnons les distributeurs de tracts, ceux qui cachent des aviateurs anglais, ou qui communiquent avec Londres à l'aide d'émetteurs clandestins, c'est, malgré l'armistice, la guerre qui continue. De ça, je n'ai pas à rougir. Mais quand la Gestapo interroge brutalement de supposés résistants et des femmes, j'ai honte. Quoique la plupart du temps, elle laisse cette sinistre besogne aux gestapistes français. Savez-vous que, quand j'étais encore à Langon, deux cents agents français appointés renforçaient les rangs de la Gestapo et des groupes auxiliaires?

Depuis la réunion du chef de la Gestapo de Bordeaux, Dohse, et des commissaires de la brigade Poinsot en avril 41, vos compatriotes ont fait du bon travail pour ne pas dire du zèle.

– Taisez-vous.

– Ce n'est qu'une partie de la triste réalité. Croyez-vous que nous leur forcions beaucoup la main aux préfets, aux maires, aux magistrats, aux policiers de France? Ils obéissent aux ordres du chef de l'Etat français, le maréchal Pétain qui leur a demandé, ainsi qu'à tous les Français, de collaborer avec nous. C'est eux qui sont dans la légalité. Votre Maréchal n'est pas venu au pouvoir par un coup d'Etat que je sache.

– L'honneur, c'était de continuer la guerre.

– Avec quoi? Vous oubliez que la défaite de l'armée française a été consommée en quelques jours. »

Léa détourna la tête, elle revit sur la route d'Orléans ces groupes de soldats sales, barbus, dépenaillés, ayant jeté leurs armes pour courir plus vite, pillant les maisons abandonnées, jetant hors de leur voiture des civils...

« Pour en revenir à Mme d'Argilat, je vais faire jouer le peu de pouvoir que je possède en sa faveur, c'est tout ce que je peux vous promettre. Si je réussis à la faire sortir du fort du Hâ, faites en sorte qu'elle se tienne tranquille car elle sera surveillée encore plus attentivement qu'avant son arrestation. Si je ne réussis pas, non seulement j'aurai perdu tout crédit, mais mon intervention me vaudra, sans doute, d'être renvoyé sur le front de l'Est. Ce n'est pas pour moi que je redoute cette éventualité, mais pour Françoise et mon fils. Je n'aimerais pas les laisser seuls ici avant d'avoir pu régulariser leur situation. »

Léa se leva.

« Merci. »

Elle se dirigea vers la porte du salon et cria :

« Françoise! Françoise! Frederic! vous pouvez venir.

– Tu es folle de crier comme ça, tu vas réveiller Pierre! »

Le lendemain, Léa avait non seulement son ausweis renouvelé mais une place réservée en première classe dans le train de Bordeaux qui partait deux jours plus tard. Elle employa ces deux jours à aller au cinéma et au théâtre avec Françoise et à consoler ses tantes attristées par son départ. A Albertine, elle laissa un message pour François Tavernier au cas où il passerait rue de l'Université prendre de ses nouvelles.

Elle quitta Paris sans regret.

13

En arrivant à la gare Saint-Jean, à Bordeaux, Léa eut la surprise de découvrir Mathias sur le quai. Il était venu l'attendre. Elle le vit tout de suite, avant même que le train soit arrêté. Il paraissait plus grand, plus fort et sa tête était presque rasée. Elle éprouva aussitôt de la joie et un indicible malaise.

Il se précipita pour prendre sa valise, l'embrassa sur les deux joues, se dandinant un instant devant elle, comme s'il ne savait pas trop par quoi commencer, comme s'il mesurait le temps passé, puis il l'entraîna jusqu'au train de Langon. Lorsqu'ils furent installés dans leur compartiment, il lui prit la main que Léa retira.

Pourquoi ses yeux avaient-ils perdu leur lueur malicieuse?

« Je voulais être le premier à t'annoncer une bonne nouvelle : Mme Camille a quitté le fort du Hâ.

– Elle est à la maison? »

Mathias avait eu l'air un peu gêné.

« Non. Elle a été transférée au camp de Mérignac...

– C'est ça que tu appelles une bonne nouvelle?

– Oui, car dans le camp de Mérignac, on y circule plutôt librement, les gardiens sont français et je connais le directeur.

– Cela m'est bien égal que tu connaisses ou non le

directeur, ce que je veux c'est que Camille soit libérée.

– Prends patience, on s'en occupe, c'est une question de jours. Crois-moi, pour l'arracher à Dohse, ça n'a pas été facile, il a fallu négocier.

– Négocier?... Qui? toi?... Tu connais ce salaud?

– Salaud, c'est vite dit. Il fait son boulot, maintenir l'ordre dans une ville comme Bordeaux où grouillent des agents anglais, des terroristes communistes et des marioles qui ne demandent qu'à déclencher la bagarre! »

Elle le fusilla du regard.

« Te rends-tu compte de ce que tu dis? avait-elle sifflé entre ses dents pour que leurs voisins ne l'entendent pas.

– Je me rends très bien compte que si toi et Camille vous ne changez pas d'attitude et que vous continuiez à faire les yeux doux du côté de la Résistance, vous serez exécutées. Et moi, je ne veux pas que tu sois exécutée. »

Léa haussa les épaules et se recroquevilla sur la banquette. Elle était touchée par cette passion naïve et brutale de Mathias mais terrifiée à l'idée de ce qu'il avait pu faire. Tel qu'elle le découvrait là, il était capable de tout pour lui plaire et à coup sûr de trahir. Que faisait-il avec les Allemands? Elle préféra très vite changer de sujet, parler des vignes et du domaine et finit par faire semblant de dormir.

A la gare, elle avait retrouvé avec plaisir sa bicyclette bleue que Mathias lui avait amenée avec son vélo. Malgré un petit vent vif qui soufflait dans la côte du domaine de la Prioulette, Léa était arrivée avant lui devant les barrières blanches qui marquaient l'entrée de la propriété. L'espace d'un instant, elle avait tendu l'oreille, s'attendant à entendre la voix de son père.

Un dîner l'attendait dans la grande cuisine aux dalles de pierre. Dans la cheminée noircie brûlait un feu de sarments qui faisait briller le cuivre des casseroles et des bassines accrochées aux murs blanchis à la chaux. Sur la longue table recouverte de toile cirée bleue, on avait dressé le couvert des jours de fête. La première chose que Léa remarqua en entrant ce fut que l'on avait disposé les fauteuils du salon autour de l'âtre. Suivant son regard, Ruth lui dit :

« Nous n'avons pas assez de charbon ni de bois pour chauffer une autre pièce. Ici, nous profitons de la chaleur de la cuisinière que nous allumons pour faire les repas et, le soir, pour le plaisir des yeux, nous jetons une brassée de sarments dans la cheminée. Avec ce froid, la cuisine est devenue le seul endroit agréable de la maison. Il y a des jours où nous ne nous résignons pas à regagner nos chambres. Les lits sont glacés, malgré les bouillottes. Moi, ça va encore; en Alsace, le froid est autrement plus vif qu'ici et j'ai été élevée à la dure, mais ta sœur et ta tante en souffrent beaucoup. Leurs pieds et leurs mains sont couverts d'engelures. Moi, je n'en ai qu'aux mains, mais c'est à force de laver dans l'eau à peine dégelée. »

Pauvre Ruth, de gouvernante, d'institutrice, de dame de compagnie, elle était devenue, avec la même bonté, le même souci d'efficacité, la bonne à tout faire de la maison. Comme autrefois, Léa se jeta à son cou.

Ruth retrouva les mots des câlins d'autrefois :

« Mon beau soleil, ma toute petite... ma sauvageonne... que je suis heureuse que tu sois de retour. Montillac sans toi, n'est plus Montillac. Te souviens-tu de ce que ton pauvre père disait? »

Léa fit non de la tête.

« Il disait que tu étais le génie de cette maison, que sans toi, elle n'existerait pas de la même manière et qu'elle pourrait bien un jour perdre son âme si tu la quittais à jamais.

– Cela n'arrivera pas, Ruth, et papa le savait. Il y a ici, dans cette terre, entre ces murs, quelque chose qui fait partie de moi, comme mes bras, ma tête ou mon cœur et sans lesquels je ne peux vivre. Tu vois, chaque fois que je quitte la maison, je crains de ne jamais y revenir et à chaque retour, montent en moi un bonheur et une force qui me surprennent toujours.

– C'est ça l'amour, petite. »

Bernadette Bouchardeau les avait rejointes. Elles s'installèrent à table pour manger des haricots secs et un poulet donné par Fayard. Léa donna des nouvelles de Paris et Ruth raconta son arrestation avec Camille et Laure.

Léa ne parvenait pas à se défaire tout à fait du malaise qu'elle avait éprouvé dès le quai de la gare Saint-Jean. Elle ne parvenait pas à retrouver son Montillac. Cette grande maison frileuse n'était pas vraiment la sienne. Elle en avait assez du froid, de la faim : elle voulait l'été, le soleil, les fruits... Laure avait beaucoup grandi, c'était une femme maintenant. Charles trottait partout – il ressemblait à sa mère, la même bouche et les mêmes yeux... Léa avait l'impression que tout s'était fait à son insu, dans son dos presque. Malgré les gestes quotidiens retrouvés, malgré les habitudes, Montillac lui échappait. On avait déplacé les meubles, Ruth semblait moins alerte, plus ridée...

Au moment précis où la gouvernante saisissait le petit Charles pour aller le coucher, la porte s'ouvrit toute grande.

Un homme avec une moustache tombante, un béret enfoncé au ras des sourcils, une valise à la main, vêtu d'une canadienne s'avança sur le seuil.

« Fermez vite, vous faites sortir toute la chaleur », s'écria Bernadette Bouchardeau.

L'homme obéit.

« Qui êtes-vous? Que voulez-vous? demanda-t-elle. Il fait nuit, ce n'est pas une heure pour se présenter chez les gens. »

L'homme ne répondait rien, il regardait autour de lui comme quelqu'un qui retrouve un lieu familier.

Léa se leva, le cœur arrêté.

« Mais enfin, monsieur, allez-vous répondre : qui êtes-vous?

– Tais-toi, ma tante. Sois le bienvenu, Laurent. »

Il y eut un mouvement de panique. Tout le monde voulut saluer Laurent en même temps, le serrer contre soi. Ruth voulait à toute force lui mettre son fils dans les bras. Le petit hurlait de terreur devant ce grand moustachu qu'il ne connaissait pas...

Laurent les calma.

« Soyez discrets. Je préférerais que Fayard et Mathias ne soient pas attirés par des cris. »

Il s'attabla pour manger un peu. Ses yeux ne cessaient d'aller de Léa à Charles qui avait gagné un supplément de veillée et jouait par terre.

« J'ai été prévenu par Tavernier que Léa devait arriver ce soir. Je pense que tu es là avec la bénédiction des autorités et donc tu pourras rendre visite à Camille. Je voulais te donner un message pour elle... J'ai un rendez-vous important la concernant demain à Bordeaux. »

Bernadette Bouchardeau fouillait les placards pour trouver un peu de nourriture. Laurent eut du mal à la persuader qu'il n'avait plus faim. Il se mit à quatre pattes et Charles accepta sans discuter ce nouveau compagnon de jeu. Il se laissa même emporter jusqu'à son lit et se fit promettre une partie de cache-cache pour le lendemain...

Quand, enfin, tout le monde fut couché, Léa et Laurent se retrouvèrent serrés l'un contre l'autre sur le petit banc de pierre à l'intérieur de l'âtre. Léa était heureuse. Elle caressait la moustache de Laurent en riant, lui passait la main sur la poitrine. Il était devenu dur comme une pierre. Elle lui passa l'index sur la patte d'oie qu'il avait maintenant au coin de l'œil.

« Tu as vieilli.

– Toi aussi. Mais tu es plus belle encore. Tu as l'air d'une vraie dame maintenant. Même Tavernier s'en est rendu compte. »

Pendant des heures, ils parlèrent de ce qu'avait été leur vie depuis leur séparation.

Recherchés par les hommes de Lécussan, Adrien et Laurent avaient dû quitter Toulouse et se réfugier dans le Limousin, couchant au hasard dans les greniers ou les bergeries chez des résistants ou des sympathisants. La zone était sous les ordres d'un certain Raoul, un ancien instituteur communiste, entré dans la clandestinité depuis février 1941, pourchassé par les hommes du commissaire Combes, puis par la Gestapo. Au bout de deux mois de cette vie errante, Adrien avait choisi de regagner clandestinement Bordeaux où il pensait pouvoir faire un meilleur travail que dans les bois. Laurent, lui, était resté pour faire l'instruction militaire des jeunes. Ensemble, ils avaient attaqué des mairies et des perceptions pour récupérer des cartes d'alimentation, indispensables à leur survie, des cachets officiels, des cartes d'identité vierges et de l'argent.

« Avec la guerre, je suis devenu bandit de grand chemin! »

Cependant, il n'était pas communiste et, très vite, des dissensions profondes étaient nées entre lui et les responsables clandestins du Parti. Il envisageait de plus en plus sérieusement de retourner à Toulouse pour essayer de se faire envoyer à Londres, puis en Afrique du Nord pour combattre. Il en était là de ses réflexions quand il avait appris l'arrestation de Camille et sa détention au fort du Hâ. Le soir même, il quittait le maquis limousin et entrait en contact, à

Toulouse, avec son ancien réseau. Là, on lui avait ménagé une rencontre avec Grand-Clément.

« L'assureur de papa! » s'était exclamée Léa.

Le même, qui était devenu *le* chef de l'organisation civile et militaire de la région de Bordeaux, ce qui n'avait pas manqué de surprendre Laurent, d'autant qu'en 40, Grand-Clément n'avait pas caché ses sympathies pour le gouvernement de Vichy. Mais parmi les résistants, il n'était pas le seul à avoir fait confiance, pendant un certain temps, au maréchal Pétain. A Toulouse, on avait dit à Laurent de se rendre au café Bertrand, et de demander David qui, en août 42, avait été parachuté de Londres près de Châteauroux. Laurent devait se présenter à lui sous le pseudonyme de Lucius. David serait prévenu de sa venue prochaine par un message de Radio-Londres. Le rendez-vous était pour le lendemain.

Léa montra la lettre de Camille qu'il lut avec une émotion dont elle s'étonna de n'éprouver aucune jalousie. Elle lui fit part de sa conversation avec Otto Kramer et de ses promesses. Curieusement, elle ne lui parla ni du retour de Mathias, ni de ce qu'il lui avait dit concernant ses nouvelles relations. Elle se contenta de lui apprendre que Camille était maintenant au camp de Mérignac.

« C'est demain le jour de visite, j'irai. Ecris-lui, si tu veux, je m'arrangerai pour lui remettre ta lettre.

– Non, je ne peux pas accepter, c'est trop dangereux.

– Ecris-la quand même, si je vois qu'on est trop surveillé, je la garderai. Je vais te chercher du papier à lettres et de l'encre. »

Quand elle revint, il était assis à la table.

Doucement, elle lui mit la main sur l'épaule.

« Ne t'inquiète pas. »

Il leva les yeux vers elle, l'enlaça et posa sa tête

contre son ventre. Longtemps ils restèrent ainsi, immobiles.

Léa se ressaisit.

« Je vais me coucher. Ruth a préparé ton lit dans la chambre de papa. J'espère qu'il ne sera pas trop froid, elle a mis deux bouillottes. A quelle heure veux-tu te lever demain?

– Pas très tôt, mon rendez-vous est à trois heures de l'après-midi.

– Alors, dors bien. A demain », fit-elle en l'embrassant comme une sœur.

« Léa... Léa, ce n'est rien... n'aie pas peur... ce n'est qu'un mauvais rêve. »

Laurent avait été réveillé en sursaut par les cris et les gémissements qui venaient de la chambre de la jeune femme. Il s'était précipité. En proie à son cauchemar habituel, assise dans son lit, en larmes, elle repoussait les assauts de l'homme qu'elle avait tué à Orléans. Par un raffinement du sort, l'homme avait maintenant un compagnon : Masuy, le tortionnaire de Sarah qui s'avançait vers elle traînant une baignoire remplie d'immondices d'où surgissaient des serpents.

Léa se réveilla en nage et vit dans la clarté douce de la lampe le visage de Laurent.

« Je t'en prie, viens près de moi, j'ai peur. »

Dès qu'il la tint serrée contre lui, elle se rendormit comme un enfant.

Léa avait convaincu Laurent de ne pas bouger de l'étage tant qu'elle ne se serait pas assurée que Fayard et sa femme n'étaient pas dans les parages. En fait, elle redoutait la perspicacité jalouse de Mathias. Elle avait raison. La veille, par discrétion, le jeune homme s'était éclipsé aussitôt après avoir déposé les bagages de Léa dans sa chambre et n'avait pas reparu.

Quand elle entra dans la cuisine, il était là, bavardant avec Ruth qui finissait son déjeuner. Léa embrassa la vieille gouvernante et son ami d'enfance.

« Tu as une mine superbe, lui dit-il. Tu as l'air reposé, malgré l'heure tardive à laquelle tu t'es couchée. »

Aussitôt, elle fut sur la défensive.

« Je me couche à l'heure qui me plaît.

– Ne te fâche pas, je disais ça comme ça. »

Léa se détendit.

« J'ai très mal dormi, j'ai fait d'épouvantables cauchemars.

– Ce soir, je te donnerai une infusion de tilleul, dit Ruth toujours efficace.

– Tu sais bien que le tilleul m'énerve, déjà quand j'étais petite...

– Oui, oui, c'est vrai, je confonds avec Françoise. Toi, c'est de la fleur d'oranger. Veux-tu que je te fasse griller du pain?

– Non merci, je vais le faire moi-même.

– Il y a un peu de café sur la cuisinière.

– Merci, Ruth. »

Tout en parlant, elle s'était coupé une tranche de gros pain dur et, piquée au bout d'une fourchette, avait posé la tartine devant les braises de la cheminée.

« Tu en veux une? demanda-t-elle à Mathias.

– Non merci, j'ai déjà déjeuné. Tiens, je t'ai apporté du beurre.

– Mais, c'est ta ration de tout un mois!

– Ne t'inquiète pas. Je sais où m'en procurer. »

Assis en face d'elle, il la regardait manger.

Tout à coup, le visage de Léa se rembrunit.

« Qu'as-tu?

– Je pense à Camille, je n'ai rien à lui apporter à part des confitures et des vêtements.

– J'y ai pensé. J'ai pour elle un panier plein de bonnes choses.

– Avec du beurre?

– Avec du beurre, du sucre, des petits gâteaux, du saucisson, des pâtés et même du savon.

– Tu es formidable!

– Je sais », fit-il en se rengorgeant.

Léa éclata de rire.

« Le camp ouvre à deux heures, il faut prendre le train de onze heures, tu n'as pas beaucoup de temps. »

Elle jeta un coup d'œil à l'horloge de la cheminée.

« Je monte m'habiller, passe me prendre dans une demi-heure. »

Dès qu'il fut sorti, elle prépara un plateau pour Laurent qui s'extasia sur le beurre.

Le temps leur manquait pour aménager un rendez-vous sans danger dans Bordeaux, d'autant que Laurent ne savait pas à quelle heure il pourrait voir Grand-Clément. Ils décidèrent donc de se dire au revoir. Quand Léa fut prête à partir, elle se serra contre lui.

« Sois prudente et ne prends pas de risque inutile. »

Elle eut un petit haussement d'épaule fataliste et quitta la chambre. La lettre pour Camille était cachée dans sa chaussure droite.

14

LA petite main gantée de laine rapiécée serre très fort l'anse du lourd panier tandis que les pieds chaussés de bottillons à semelles de bois piétinent dans la boue du chemin entouré de barbelés qui mène à l'entrée du camp de Mérignac. Une foule de gens, des femmes pour la plupart, font la queue, attendant l'ouverture de la porte. Tous frissonnent dans leurs mauvais vêtements, silencieux, tête baissée, comme s'ils avaient honte d'être là. Soudain, un même mouvement les agite : là-bas, on vient d'ouvrir un des battants de la haute porte de bois hérissée de barbelés. Les corps se redressent... les cœurs battent plus vite. Léa change son panier de main. La colonne avance lentement, chacun prépare ses papiers. Une vieille femme, encombrée de paquets, laisse tomber les siens. Personne n'a un geste pour l'aider. Enfin, c'est son tour. Elle regrette d'avoir demandé à Mathias de la laisser seule. Après avoir regardé sa carte d'identité, le gendarme la laisse passer tandis qu'un autre lui fait signe d'entrer dans la baraque qui jouxte l'entrée. Là, d'autres gendarmes examinent sur une table le contenu des valises, paniers, sacs et autres paquets, notent le nom du visiteur et celui du visité. Derrière un rideau sale, une fouille plus intime : pour les femmes, c'est une gardienne qui est chargée de l'inspection. Léa se raidit sous les mains qui palpent son manteau et son corps par-dessus la robe.

« Retirez vos chaussures. »

Léa ferme les yeux pour cacher la lueur de joie qui les éclaire. Quelle bonne idée elle a eue de retirer la lettre dans les toilettes du train. Calmement, elle tend ses chaussures à la femme qui les explore.

« Faut pas m'en vouloir. Vous savez, il y en a qui cachent des lettres là-dedans, dit-elle en les lui rendant. Vous pouvez sortir. »

Léa reprend son panier. Elle n'a pas quitté ses gants. La lettre est cachée dans celui de gauche. Elle fait quelques pas dans le sol boueux sans rien voir autour d'elle, n'osant croire à sa réussite. Quelqu'un, en la bousculant, la ramène à la réalité.

Ainsi, c'est donc ça, ce camp de Mérignac, dont on parle tant dans la région, la réserve d'otages : une dizaine de baraquements en bois au toit de tôle ondulée, entourés de barbelés et surmontés de miradors. Quelques détenus errent librement. Une baraque est aménagée, pour la circonstance, en parloir : un petit coin pour les femmes, un plus grand pour les hommes, chauffée par un poêle à bois qui trône au centre de la pièce. Léa reste sur le seuil.

« La porte, bon Dieu! » hurle une voix d'homme.

Léa entre, poussée par un gendarme qui referme derrière elle.

« C'est qui qu' vous cherchez, ma p'tite?

– Mme d'Argilat, bredouille-t-elle.

– Elle arrive, vous inquiétez pas. On a été la chercher à l'infirmerie. »

A l'infirmerie! Camille est donc toujours malade!

« Léa!... Oh! Léa! »

Ce corps si léger, ce visage si pâle, si terriblement amaigri, ces cheveux ternes, ces mains brûlantes, ces yeux... ces yeux qui disent toute leur joie de la revoir... Ces baisers qui couvrent ses joues. Ces larmes qui mouillent ses lèvres et viennent se mélanger aux siennes...

« Comment va Charles?

– Bien, répond Léa. J'ai des nouvelles de Laurent », chuchote-t-elle.

Elle sent contre elle le maigre corps s'affaisser. Avec l'aide d'une des prisonnières, elle l'allonge sur un banc.

« Malade comme elle est, elle aurait dû rester couchée.

– Non, non, murmure Camille en se redressant. Ce n'est rien », ajoute-t-elle à l'intention du gendarme qui s'approche.

La jeune femme regarde à peine le contenu du panier mais s'enveloppe avec un air de ravissement dans un grand châle de laine tricoté par Ruth. C'est le moment que choisit Léa pour lui glisser la lettre.

« C'est de Laurent. »

Camille rougit et serre en tremblant le papier chiffonné.

« Oh! merci. »

Elle tousse. Léa lui met la main sur le front : il est brûlant.

« Tu as de la fièvre, tu es folle de t'être levée.

– Ne me gronde pas. Les visites sont interdites à l'infirmerie, je n'aurais pas pu te voir. Surtout, ne dis pas à Laurent que je suis malade.

– As-tu vu le médecin?

– Oui, oui, il est venu hier. Il passe une fois par semaine. Parle-moi de Paris, de tes tantes, de Françoise et de son bébé. Est-il mignon? »

Léa bavarde de mille choses. Camille rayonne.

Lorsque le temps de la visite est écoulé, elles ont l'impression de ne s'être rien dit.

Camille fait promettre à Léa de revenir et éclate en sanglots.

« J'ai peur de ne pas tenir », dit-elle.

Bras ballants, délestée de son panier, Léa s'éloignait du camp avec une seule pensée : il faut la sortir de là.

Mathias, à vélo, s'arrêta à sa hauteur.

« Mademoiselle, puis-je vous déposer quelque part? »

Il était revenu la chercher! C'était gentil car les trams entre Bordeaux et Mérignac étaient plutôt rares, mais cela ne l'arrangeait pas : elle voulait se rendre discrètement au café Bertrand, quai des Chartrons.

« Peux-tu me conduire chez mon oncle Luc?

– Bien sûr. Tu en auras pour longtemps?

– Je n'en sais rien, une heure ou deux, peut-être. Nous nous retrouverons à six heures au café qui est à côté du Grand Théâtre.

– Comme tu veux. »

Léa s'installa en amazone sur le cadre, presque confortablement entre les bras de Mathias.

Tout en roulant, ils parlèrent de Camille, de son état de santé. Le jeune homme lui réaffirma qu'elle ne resterait plus longtemps et que Rousseau, le directeur du camp, lui avait promis de veiller à ce qu'elle ait un peu plus de confort. Une gêne inexplicable empêchait Léa de poser les questions qui lui brûlaient la langue.

Il la laissa, allée de Chartres, devant chez son oncle. Elle entra dans l'immeuble et attendit quelques instants dans le vaste hall dallé de marbre blanc, puis ressortit. Mathias avait disparu. Rapidement, elle se dirigea vers le quai des Chartrons qui était tout proche.

Excepté quelques silhouettes sombres, recroquevillées sous le crachin glacial qui s'était mis à tomber, les quais étaient déserts. Léa avait ralenti le pas pour ne pas risquer de passer devant le café Bertrand sans le voir. Son entrée ne dérangea pas les joueurs de cartes installés à une des tables. Elle avança sous l'œil débonnaire d'un petit serveur rondouillard, le ventre ceinturé du tablier bleu des hommes du vin. A part lui et les joueurs, le café était vide. Le petit homme passa derrière le comptoir.

« Que buvez-vous, mademoiselle?

– Je voudrais voir David », fit-elle dans un souffle.

Le visage ouvert se referma.

« Vous devez vous tromper, il n'y a pas de David ici.

– Je suis sûre que si, un de mes amis avait rendez-vous avec lui cet après-midi.

– C'est possible, mais moi j' suis pas au courant. »

Une brusque lassitude envahit Léa qui, comprenant qu'elle ne tirerait rien du bonhomme, s'installa à une table.

« Donnez-moi un café, s'il vous plaît. »

La mixture qu'il lui apporta était infecte, mais elle était chaude. Le patron avait disparu dans l'arrière-salle.

Quelques secondes plus tard, Laurent était debout devant elle.

« Tu es folle, que fais-tu là?

– Je t'attendais.

– Viens, ne reste pas ici. »

Sans répliquer, elle le suivit dans la pièce derrière le bar. Il n'y avait pas de fenêtre, seulement un lit défait, une table de bois blanc, une armoire normande et des chaises de bistrot. Deux hommes, debout, la regardaient entrer.

« C'est bien elle, dit Laurent en la poussant devant lui. Vous pouvez lui faire confiance, Fortunat et moi-même l'avons souvent utilisée.

– Mais pourquoi est-elle venue? C'est formellement dangereux. »

Ils commençaient à l'agacer ces deux-là avec leurs airs inquisiteurs. Et de quel Fortunat voulait parler Laurent? Elle ne connaissait personne de ce nom-là. Ils étaient ridicules tous les trois avec leurs mines de conspirateurs. Soudain, le plus petit des inconnus lui sourit.

« Laisse-la, tu vois bien que tu lui fais peur. »

Peur?... Enfin, si ça leur faisait plaisir de la prendre pour une faible femme.

Le petit brun qui avait parlé lui demanda :

« Pourquoi avez-vous demandé à voir David?

– Je savais que Lau...

– Ne prononcez pas de nom.

– Je savais que... mon ami avait rendez-vous avec lui.

– Qui vous l'avait dit? »

Léa poussa un soupir excédé.

« Lui, évidemment.

– C'est exact? questionna-t-il d'un ton sec en se tournant vers Laurent.

– Oui.

– Vous rendez-vous compte que vous avez été d'une grande imprudence? Et je crois que vous avez eu raison, fit-il en éclatant de rire. Excusez-moi, mademoiselle, pour cet interrogatoire. Permettez-moi de me présenter : Aristide et voici David. Et vous, comment doit-on vous appeler? »

Léa s'entendit répondre sans réfléchir :

« Exupérance.

– Exupérance... fit Aristide, c'est un drôle de nom; il sonne comme « espérance », c'est un bon choix. »

Laurent la regarda avec un sourire complice. Il savait, lui, d'où venait ce prénom : ensemble, ils avaient contemplé la « petite sainte » dans sa châsse de la basilique de Verdelais.

« J'ai vu Camille, j'ai pu lui remettre ta lettre.

– Comment va-t-elle? »

Léa choisit d'oublier sa promesse.

« Elle est malade, il faut qu'elle sorte au plus vite. »

Laurent s'appuya au dossier d'une chaise, sans rien laisser paraître de son inquiétude.

« Aristide pense que c'est très aventureux d'aller voir Grand-Clément. Il n'a pas confiance.

– Mais il a tort, s'exclama David qui n'avait rien dit jusque-là. Grand-Clément, je le connais. Ensemble nous avons repéré et installé de nouveaux terrains de parachutage et aménagé de nouvelles caches d'armes. C'est un homme sûr qui a toute la confiance de l'O.C.M. Je ne sais pas ce qu'Aristide a contre lui, jamais il n'a voulu le rencontrer.

– Ecoute, David, on ne va pas encore se disputer à propos de ton grand homme. Il est peut-être « sûr » comme tu dis, mais il parle trop, mène une vie trop voyante, trafique trop. Tout le monde ici sait que « monsieur » Grand-Clément est « un grand chef de la Résistance ». Je ne comprends pas ce qui leur a pris à Paris, de nommer un guignol comme ça responsable de la région B2. Il n'y a que la Gestapo à Bordeaux pour n'être pas au courant.

– Tu exagères! Chacun sa manière de combattre.

– Je sais que je suis peut-être injuste, mais quelque chose me dit que cet officier de marine, ancien royaliste, familier du colonel de La Rocque, nous jouera un mauvais tour.

– Toi et ton don de double vue. »

Léa avait assisté, amusée, à cet échange de points de vue sur « l'assureur de papa ». Elle essayait de se souvenir de l'impression qu'il lui avait faite lors de leur seule et unique rencontre. Elle revoyait un homme plutôt grand, présentant bien, genre homme d'affaires comme on aime à Bordeaux, rien de bien marquant.

« Et si moi, j'allais le voir? »

Les trois paires d'yeux se braquèrent sur elle.

« J'ai déjà eu affaire à lui.

– Comment ça ? » demanda Aristide.

Léa raconta comment elle avait été chargée de remettre des documents à Grand-Clément sous couvert des contrats d'assurance de son père.

Aristide l'écouta sans rien dire. Ce n'était peut-être pas une mauvaise idée, il fallait voir.

« Quand le rendez-vous est-il prévu ?

– Demain, chez lui, une heure avant le couvre-feu.

– On peut l'annuler, dit David. S'il le faut, je m'en charge.

– D'accord, annule-le, fit Aristide.

– Je devais rentrer à Montillac ce soir. Je dois téléphoner sinon ils vont s'inquiéter. Je dois également rejoindre un ami avec qui je devais rentrer à Langon.

– Vous n'avez pas le temps. Quelqu'un va téléphoner de la poste à votre famille. Quant à votre ami, il se fera une raison. Un des nôtres vous suivra de loin jusqu'au cours de Verdun et vous attendra afin d'assurer votre protection. Vous poserez une question à Grand-Clément : L'O.C.M. est-elle d'accord pour aider à l'évasion de Mme d'Argilat ? »

Depuis quelques instants, Léa, visiblement, n'écoutait pas : elle réfléchissait à toute vitesse.

« C'est absurde. Si je demande cela à Grand-Clément, qui parle trop comme vous le dites, on saura que je vous aide et je serai suspecte à mon tour. De plus, si l'évasion de Camille réussit, elle sera obligée de se cacher jusqu'à la fin de la guerre. Dans son état, et pour son fils, ce n'est pas souhaitable.

– Vrai ! dit Aristide. Que proposez-vous ?

– D'aller le voir en mon nom et de le supplier de faire quelque chose par humanité.

– Mais, il sait que vous êtes mouillée dans la Résistance puisque vous lui avez déjà transmis des documents, dit David.

– J'y ai pensé. Je vais jouer l'écervelée qui n'a rien compris de l'importance de sa démarche. »

Aristide ne médita pas longtemps sur cette proposition. Son bon sens le séduisait.

« Je crois qu'elle a raison. David, préviens Tête-de-pioche qu'il la suive discrètement, dès qu'elle sortira. Exupérance, vous ne devez pas revenir ici, ce serait trop dangereux. »

David quitta la pièce.

« Je me débrouillerai.

– Je ne sais pas si je dois te laisser prendre de tels risques pour moi, dit Laurent.

– Ce n'est pas pour toi, c'est pour Camille. »

Le plus drôle, c'est qu'elle était sincère et qu'elle se rendait compte que, depuis leur dramatique fuite sur les routes de l'exode, elle n'avait cessé de se sentir responsable de la jeune femme.

Sans rien dire, Laurent la serra contre lui.

David rentra.

« Tête-de-pioche l'attend caché dehors. Si en sortant de chez Grand-Clément quelque chose ne va pas, mettez ce foulard sur votre tête à la place de votre chapeau. Tête-de-pioche comprendra et se tiendra prêt à intervenir. Il vous suivra jusqu'à ce que vous lui fassiez signe en mettant ainsi vos doigts devant votre bouche pour lui signaler que vous êtes en sécurité. Vous avez tout compris?

– Mais oui, ce n'est pas si compliqué.

– Je vous attendrai demain au Régent, place Gambetta, à partir de midi. »

Le patron entra à son tour.

« Tout va bien, elle peut y aller. »

Léa leur fit à tous un petit signe et sortit en passant devant le cafetier qui lui dit :

« Ne m'en voulez pas, petite, mais j'avais des consignes. »

En guise de réponse, Léa lui dédia son plus joli sourire.

Dehors, il faisait presque nuit, de faibles lueurs passaient sous les portes, aucune lumière ne s'échappait des fenêtres, des boutiques. Les réverbères étaient éteints. Il faisait froid et humide. Heureusement, le cours de Verdun n'était pas très loin du quai des Chartrons.

Devant le 34, plusieurs voitures stationnaient et des gens élégamment habillés entraient. Léa hésita, ce n'était peut-être pas le meilleur moment pour voir Grand-Clément. Tant pis. Elle était là, il fallait y aller. Elle sonna.

Une soubrette ouvrit la porte et s'effaça pour la laisser passer sans rien lui demander.

« Vous ici, chère amie!... »

Léa se retourna et reconnut immédiatement celui qu'elle redoutait de ne pas reconnaître. Lui aussi l'avait reconnue.

« Que voulez-vous?

– Il faut que je vous parle.

– Ce n'est pas le moment, j'attends des amis, revenez demain.

– Non, c'est une question de vie ou de mort, dit-elle en forçant mélodramatiquement sa voix, vous seul pouvez m'aider. »

Grand-Clément eut un petit sourire satisfait.

« Croyez, mademoiselle, que je ne demande pas mieux que d'aider une charmante personne telle que vous, mais le moment est mal choisi.

– Je vous en prie, je vais vous dire brièvement de quoi il s'agit.

– C'est bon, venez dans mon bureau. Ma chérie, dit-il à une jeune femme qui venait vers eux, j'en ai pour quelques minutes, reçois nos invités à ma place. »

Il la fit entrer dans le bureau qu'elle connaissait

déjà. Là, elle entreprit de le séduire, de l'émouvoir et de le convaincre.

A la fin de l'entretien, il promit qu'une personne aussi chaleureusement recommandée serait très prochainement libérée.

« Pas prochainement, immédiatement.

– Comme vous y allez. A vous entendre, on croirait que les Allemands n'attendent qu'un ordre de moi pour relâcher leurs prisonniers.

– Je suis sûre que vous allez réussir.

– Revenez me voir demain à quatre heures, je vous dirai ce qu'il en est », conclut-il en se levant.

Dans l'entrée, un homme assez grand retirait son manteau, aidé par la bonne.

« Oncle Luc!

– Léa! que fais-tu ici? Je te croyais à Paris chez tes tantes.

– Je suis venue demander à monsieur Grand-Clément de m'aider à faire sortir Camille d'Argilat du camp de Mérignac.

– Vous connaissez cette jeune fille?

– C'est la fille de mon frère Pierre, décédé l'année dernière. Mme d'Argilat est une de ses amies. Elles vivent ensemble près de Langon avec ma sœur, depuis que le mari de cette jeune femme a disparu. Je la connais bien. C'est une personne de qualité. Si vous pouvez faire quelque chose pour elle, je vous en serai reconnaissant.

– Cher maître, j'ai promis à votre nièce de faire tout mon possible.

– Je vous en remercie.

– Au revoir, mon oncle.

– Où vas-tu? Tu ne rentres pas à Montillac ce soir? Il n'y a plus de train et c'est bientôt l'heure du couvre-feu. Si tu veux, tu peux dormir à la maison.

– Je te remercie, oncle Luc, mais j'ai rendez-vous chez des amis.

– Comme tu veux. Tout va bien à Montillac?

– Ça va. Au revoir. Au revoir, monsieur.

– Au revoir, mademoiselle, à demain. J'espère que j'aurai de bonnes nouvelles à vous donner. »

Il faisait nuit noire. Léa n'avait pas retiré son chapeau. Maintenant, il s'agissait de savoir si Mathias était toujours au café du Grand Théâtre. Il y était.

Il y était, furieux.

« D'où sors-tu? Pourquoi m'as-tu monté ce bateau? Tu n'étais pas chez ton oncle, personne ne t'y a vue. Où étais-tu?

– Je t'expliquerai.

– Hé! les amoureux, moi je ferme! Dans dix minutes, c'est le couvre-feu.

– Ça va, ça va, on y va. Tu ne perds rien pour attendre. J'ai horreur que l'on se moque de moi.

– Je regrette, monsieur, mais c'est fermé. »

L'homme qui se tenait sur le seuil, les mains enfoncées dans les poches de son imperméable, ne quittait pas Léa des yeux. C'était Tête-de-pioche, elle l'avait oublié. Elle fit le signe convenu. Il partit en disant :

« Adieu, la compagnie. »

« Où allons-nous? demanda Léa dès qu'ils furent sortis dans la pluie et le froid.

– Explique-moi où tu étais pendant que je faisais le pied de grue en t'attendant?

– Plus tard, si tu le veux bien. Pour le moment, je suis glacée et je meurs de faim.

– Ruth et ta sœur doivent s'inquiéter!

– Elles sont prévenues. Sais-tu où nous pourrions aller? »

Sa question resta sans réponse. Ils marchèrent quelques instants en silence, traversèrent l'esplanade des Quinconces semblable à un grand trou noir. Le jeune homme tira de sa poche une lampe électrique qu'il tendit à Léa. Ils contournèrent les sacs de sable des allées de Tourny et arrivèrent dans une ruelle proche d'une église.

Un escalier étroit, raide et glissant montait vers une porte vitrée sur laquelle était écrit en grosses lettres émaillées « ôtel »; le h avait disparu laissant la trace de son contour. Mathias, qui n'avait pas lâché son vélo, poussa la porte entrechoquant les tubes de cuivre d'un carillon qui tintèrent longtemps. L'endroit, faiblement éclairé, sentait la pisse de chat et la soupe à l'oignon avec, par-dessus, le relent sucré d'un parfum bon marché.

« Ça pue ici », fit Léa à voix basse.

Mathias haussa les épaules.

« Qu'est-ce que c'est? » fit une voix éraillée.

Le point incandescent d'une cigarette brilla dans le fond de la pièce.

« C'est moi, madame Ginette. Vous m'avez gardé ma chambre?

– Ah! c'est toi, petiot. T'as d' la chance, j'aurais pu la louer dix fois, mais je m' suis dit : « Faut pas qu'un « gars bravasse comme lui se r'trouve à la rue. » Putain de moine!... C'est-y qu' t'es accompagné? »

De l'ombre, sortit la femme la plus grosse que Léa eût jamais vue. Sur sa trogne outrageusement maquillée, luisaient deux petits yeux intelligents et méchants, bavant de rimmel, enfoncés dans la graisse. Le corps difforme, enveloppé d'un peignoir de velours râpé, s'avança vers eux, traînant ses pieds chaussés de mules avachies. Léa recula comme un enfant apeuré.

« Madame Ginette, c'est mon amie d'enfance dont je vous ai déjà parlé.

– Hé! pibaste[1], tu ne m'avais pas dit que la pissouse était si gironde et pas l'air momiasse[2] avec ça. Avec

1. Paysan arriéré.
2. Personne molle.

une nore pareille, tu dois pas te tirer sur l'élastique bien souvent.

– Madame Ginette!...

– Quoi, « madame Ginette », j'ai bien l' droit d' donner mon avis chez moi. Ma parole, on dirait un roucoulit[1]. J' vais pas te la dévergonder ta pucelle. Quoique avec ces calots-là, ça m'étonnerait qu'elle ait pas déjà perdu son berlingue. Pas vrai, mignonne? Ce n'est pas à une calibreuse comme moi qu'on raconte des craques. »

Léa écarquillait les yeux devant cette avalanche de mots qu'elle ne comprenait pas dits avec un accent bordelais de Mériadeck des plus prononcés.

« Madame Ginette, je vous en prie!...

– Tu me pries de quoi, espèce de ragassous[2]... D'un poil du cul, il fait un brancard de charrette. J' suis braviste, mais tu vas me faire prendre le bouille[3]. J' te complimente sur ta donzelle, j' te fais pas la béquette[4] au contraire! J' sais pas c' qui m' retient de te foutre mon agassin aux derges[5]. Brancaille[6]! Tu m' les chauffes...

– Mathias, si nous partions, dit Léa, je crois que madame n'a pas envie de nous recevoir.

– C' qu'elle cause bien c'te palombe jolie! « Je crois « que madame n'a pas envie de nous recevoir »... C'est pas ça, mon p'tit cœur. Mais voilà-t-y pas un cagnous[7] qui me prend pour une bestiasse, qui fout'camp sans rien dire, revient d' même aque son biclo et son « amie d'enfance ». Ça veut jouer les feintous[8] alors que qu' ça n'a pas le gano pour payer sa carrée. Si tu

1. Jeune amoureux.
2. Homme qui ne pense qu'aux choses du sexe.
3. Se mettre en colère.
4. La tête.
5. Fesses.
6. Exclamation remplaçant un juron.
7. Paresseux.
8. Homme porté sur la plaisanterie.

veux faire caillou[1] ici, hil de pute, faut les allonger, sinon, polope.

– Tenez, madame, voilà tout ce que j'ai sur moi. Est-ce que cela suffira? » demanda Léa froidement en sortant quelques billets de son sac.

La grosse les compta et les enfouit dans une des poches de son peignoir.

« On peut dire que t'es baillous[2], toi. Tu connais l' chemin.

– Oui, merci. »

Mathias appuya sur un interrupteur. La mauvaise lumière qui jaillit d'une unique ampoule nue révéla un long couloir vers lequel il poussa Léa.

« Hé! mouquirous[3], t'oublies ton biclo. »

Il revint sur ses pas prendre son vélo qu'il mit sur son épaule.

La chambre était à l'image du reste : sinistre et glaciale. A bout de nerfs, Léa se mit à pleurer debout au milieu de la pièce, désemparée. Mathias pouvait tout supporter, sauf de la voir pleurer. Il la prit dans ses bras. Elle le repoussa.

« Ne me touche pas. »

Elle s'allongea sur le lit, retira ses bottillons et se recouvrit du gros édredon bleu qui paraissait d'un luxe et d'une propreté incongrus dans cet endroit misérable.

« Je reviens. »

Elle se souleva, inquiète : il n'allait pas la laisser là, seule dans cet endroit dégoûtant avec cette grosse femme qui lui faisait peur.

« Ne crains rien. Je vais chercher à manger. J'en ai pour dix minutes. »

Tout le temps que dura son absence, Léa resta enfouie sous le gros édredon.

1. Dormir.
2. Chanceux.
3. Morveux.

« Tu vas étouffer là-dessous, fit-il en la découvrant. La soupe n'attend pas, elle va refroidir. Si madame veut bien se donner la peine, madame est servie. »

C'était à n'y pas croire! Où avait-il été chercher cette table à roulettes recouverte d'une impeccable nappe blanche aux plis bien marqués sur laquelle s'étalait une argenterie digne d'un hôtel de luxe? Une bouteille de Margaux reposait dans son panier d'osier près d'une corbeille contenant quatre petits pains blancs, d'un poulet froid, une salade, une crème au chocolat et une grande soupière d'où s'échappait le fumet délicieux d'un tourrain à l'ail.

Léa n'en revenait pas! Ce garçon qu'elle croyait connaître par cœur, était de plus en plus mystérieux. Il était sans doute le seul à pouvoir se procurer à Bordeaux, après le couvre-feu, un repas que n'eût pas repoussé une honnête femme d'avant-guerre.

« D'où cela vient-il?

– Pas d'ici, en tout cas. J'ai un copain qui est cuisinier dans un restaurant pas loin. Tu peux manger sans crainte, tout le gratin de Bordeaux le fréquente.

– Ce doit être hors de prix. Je croyais que tu n'avais pas d'argent.

– C'est exact, mais j'ai du crédit. Allez, à table. Cesse de tourniquer et viens manger. »

Léa avala une cuillerée, puis repoussa son assiette.

« Pourquoi es-tu parti en Allemagne?

– Ça te défrise, hein? Tu ne supportes pas que je sois du côté du plus fort. Je le sens bien, depuis que tu es revenue de Paris, tu m'évites... Tu n'imagines pas que ce sont les Laurent d'Argilat et les Adrien Delmas qui vont faire la loi? Tu penses qu'on va se laisser bouffer par les communistes sans rien dire?

– Mais ni Laurent ni oncle Adrien ne sont communistes.

– Peut-être, mais ce sont des terroristes, comme eux.

– Tu es complètement fou, mon pauvre Mathias... Tu trouves sans doute normal qu'on torture les gens.

– C'est la racaille juive qu'on torture.

– Racaille juive! Camille?

– Elle n'avait qu'à faire attention et ne pas se marier avec n'importe qui!

– Salaud!

– Tu vas le voir, le salaud... Tu n'as pas toujours dit ça. »

Il tendit la main.

« Si tu me touches, ce n'est plus la peine de remettre les pieds à Montillac. Jamais. »

Il pâlit. Là, il n'y avait plus d'amie d'enfance, mais la patronne du domaine que son père et lui cultivaient. C'était la première fois que Léa lui parlait sur ce ton. Un ouvrier! Un domestique! Voilà ce qu'il était. Elle s'était envoyée en l'air avec lui comme les marquises et les baronnes s'envoyaient leurs pages.

« Tu oublies, ma pauvre fille, que « ton » Montillac est hypothéqué et que si mon père et moi nous te laissons tomber, tu n'auras plus qu'à vendre à bas prix.

– C'est dégueulasse, ce que tu dis là. Je croyais que tu aimais cette terre autant que moi.

– On n'aime pas longtemps ce qui ne vous appartient pas. »

Il lui saisit les poignets d'une main, la renversa sur le lit et s'assit sur ses jambes pour l'immobiliser. De sa main libre, il déboutonna sa braguette et sortit son sexe.

« Non, Mathias! arrête.

– Tu ne vas pas me faire croire que tu n'aimes plus ça! »

Il lui retrousse sa robe, arrache sa culotte. Léa se débat, se cabre, lui crache au visage, serre les cuisses... il la gifle à toute volée. Sa lèvre éclate et le sang gicle.

Elle hurle... Il lui ouvre les jambes et se plante en elle.

Léa le regarde, effarée. Elle a mal comme jamais elle n'a eu mal, une horrible peur l'envahit. Ses larmes coulent, mouillant l'oreiller.

« Arrête, Mathias... Arrête! j'ai mal.

– Ecoute-moi bien. Tu vas finir maintenant de faire ta mijaurée. J'ai tout ce qu'il faut pour te faire coffrer quand je veux : les lettres que tu passais, les petits messages sur la bicyclette bleue... je sais tout. J'ai beaucoup d'amis à la Gestapo. Je te tiens. Alors tu vas rester bien sage. Je vais retourner en Allemagne, le temps qu'on finisse d'écraser la vermine et puis je reviendrai bien tranquillement, tu m'épouseras et nous deviendrons les maîtres de Montillac... Je suis patient. »

Il se laissa tomber de tout son poids sur elle, cherchant sa bouche, son sexe lui fouillant le ventre. Léa serrait les dents, tremblant de tous ses membres.

« Je t'aime, Léa, je t'aime. »

Il jouit en elle et s'affaissa.

Un long moment plus tard, il se dégagea. Il y avait du sang sur son sexe.

Léa tira l'édredon sur son corps meurtri et resta prostrée.

Il lui caressa le visage; elle repoussa sèchement sa main. Il la regarda longtemps sans rien dire. Elle dormait ou faisait semblant. Il éteignit la lumière.

15

LÉA se réveilla la première avec une douleur terrible dans le ventre. Il avait l'air de faire beau, un rayon de soleil essayait de pénétrer dans la chambre au travers des rideaux de vilain tissu rougeâtre, révélant un accablant papier à grosses fleurs bleu et rouge, décollé et déchiré par endroits. Une grande glace en face du lit lui renvoyait son image et celle de Mathias endormi.

Elle se redressa. Sa montre indiquait onze heures. Onze heures! Au prix d'un grand effort, elle parvint à se lever. Grelottante dans la pièce glaciale, elle enfila ses bottines et son manteau. Mathias se retourna dans le lit. Elle resta un instant immobile puis chercha son sac sous le lit, heurta la table sur laquelle tintèrent les verres et les assiettes. Mathias dormait toujours.

Au bout du couloir, un homme malingre, au teint jaune, un mégot éteint aux lèvres, balayait nonchalamment.

Dehors, le ciel bleu avait remplacé le crachin de la veille. Il y avait dans l'air comme une odeur de printemps qui se faufilait dans les ruelles sans joie. Les douze coups de midi sonnèrent à Notre-Dame. Léa se mit à courir tout le long de la rue Montesquieu. Toujours courant, elle traversa le cours de l'Intendance, dut s'arrêter pour laisser passer un tramway et arriva essoufflée devant le Régent. C'était l'heure de l'apéritif; la terrasse était pleine. Plusieurs tables étaient occupées par des officiers allemands.

David était fou de lui avoir donné rendez-vous ici! Il n'était pas à la terrasse. Léa se résigna à entrer dans l'établissement. Tout de suite, elle le vit assis sur une banquette, lisant *La Petite Gironde*. Il avait l'air rajeuni et heureux.

« Vous connaissez la nouvelle? »

Elle fit non de la tête.

« Hier à Radio-Londres, ils ont annoncé que Leningrad était libérée. Avec Aristide, on en aurait pleuré quand on a entendu Jacques Duchesne dire ça d'une voix enrouée. Vous vous rendez compte! Ils ont tenu seize mois... Vous n'avez pas l'air très contente...

– Ce n'est pas ça, mais j'ai une migraine épouvantable... C'est une très bonne nouvelle. »

Il la regarda plus attentivement.

« C'est vrai que vous avez moins bonne mine qu'hier. Vous n'avez pas eu de problèmes?

– Non, tout s'est bien passé.

– Et Grand-Clément?

– Il m'a promis de faire tout ce qui serait possible. Il m'a donné rendez-vous chez lui aujourd'hui à quatre heures.

– Parfait. Je dirai à Tête-de-pioche de s'y trouver. N'oubliez pas, si quelque chose ne va pas, mettez le foulard.

– Mademoiselle désire boire quelque chose?

– Oui... non..., je ne sais pas.

– Avez-vous mangé ce matin?

– Non, je n'ai pas faim. Donnez-moi un vichy-fraise et de l'aspirine si vous en avez.

– Je vais voir, mademoiselle. »

Un groupe de jeunes gens entra en riant bruyamment. Près d'elle, Léa sentit David se raidir. Ces garçons avaient pourtant l'air bien inoffensif.

Le serveur revint avec la consommation et deux comprimés sur une soucoupe.

« Vous avez de la chance, la patronne en avait dans son sac.

– Vous la remercierez pour moi.

– Je vous dois combien?

– Un vichy-fraise et un verre de sauternes... Six francs, monsieur, sans le service.

– Voici. Dépêchez-vous, il faut filer. »

Léa avala ses comprimés et suivit David. Dehors, il lui prit le bras et l'entraîna rue Judaïque.

« Pourquoi sommes-nous partis si vite?... A cause des jeunes gens?

– Oui.

– Pourquoi?

– J'espère pour vous que vous n'aurez jamais à les revoir. Ce sont des hommes du commissaire Poinsot.

– Eux? On dirait des étudiants!

– Drôles d'étudiants. Ils savent mieux manier le gourdin que la langue française. Ce sont de dangereuses petites brutes sans scrupules qui torturent et tuent autant par plaisir que pour de l'argent.

– Pourquoi m'avoir donné rendez-vous dans cet endroit?

– Parce que c'est encore au milieu de l'ennemi qu'on est le plus en sécurité. Nous allons nous séparer là. Qu'allez-vous faire en attendant l'heure d'aller chez Grand-Clément?

– Je vais marcher un peu, l'air me fait du bien. Ensuite, j'irai peut-être au cinéma.

– C'est une bonne idée. On passe *Les Visiteurs du soir* de Carné, à l'Olympia. Ce n'est pas mal même si la fin est un peu ratée.

– Je l'ai vu à Paris. Que devrai-je faire en quittant Grand-Clément?

– Vous rendre à la gare Saint-Jean pour prendre votre train. Devant le kiosque à journaux, une femme tenant un guide des vins de France à la main vous abordera en vous disant : « Le train de Paris a du « retard aujourd'hui », vous lui répondrez : « Je ne « crois pas. » Faites-lui un compte rendu de l'entretien et prenez votre train pour Langon.

– Et si, pour une raison ou une autre, je ne peux pas me trouver à la gare?

– Nous le saurons par Tête-de-pioche qui n'aura cessé de vous suivre. Mais les ordres sont que vous retourniez chez vous le plus vite possible.

– Les ordres? fit Léa en fronçant les sourcils.

– Oui, que vous le vouliez ou non, vous appartenez maintenant au réseau et vous devez obéir dans votre intérêt et dans celui de tous. Aristide est très strict là-dessus.

– Où est Lau... Lucius?

– En lieu sûr, dans les Landes. Vous aurez de ses nouvelles bientôt. Au revoir, Exupérance. Good luck.

– Au revoir, David. »

« Votre amie sera libérée demain. »

Léa n'en croyait pas ses oreilles. Il se moquait, ce n'était pas possible!

« Comment ça?

– La Gestapo est arrivée à la conclusion que Mme d'Argilat ne savait rien des activités de son mari et qu'elle ignorait l'endroit où il se trouvait. Vous ne le sauriez pas, vous, par hasard? »

L'inattendu de la question faillit la désarçonner. Comment maîtrisa-t-elle la pâleur que l'angoisse lui jetait au visage et put-elle répondre d'une voix parfaitement innocente?

« Moi? Non. Je ne l'ai pas revu depuis l'enterrement de mon père. »

Dupe ou non, Grand-Clément ne laissa rien paraître.

« Voilà un homme prudent comme on les aime chez nous.

– Chez nous?

– Oui, dans la Résistance.

– Mais c'est très dangereux », fit-elle avec un mélange de peur et d'admiration si bien joué que son interlocuteur approuva en se rengorgeant :

« Très, mais la libération de notre pays est à ce prix. »

Léa, qui commençait à en avoir assez de jouer les idiotes et se sentait de plus en plus mal à l'aise face à cet homme qu'elle ne discernait pas, lui demanda :

« A quelle heure Mme d'Argilat doit-elle sortir?

– En fin de matinée. Il faudra prévoir une voiture car elle est très affaiblie par sa maladie. Je me suis permis d'en parler à votre oncle, maître Delmas, qui m'a dit mettre sa voiture à votre disposition pour raccompagner Mme d'Argilat chez elle.

– Vous avez bien fait, je vous remercie pour tout. Mais comment avez-vous réussi?

– A vrai dire, je n'y suis pas pour grand-chose. Quand j'en ai parlé au directeur du camp de Mérignac, il m'a dit qu'il venait de recevoir l'ordre de libérer Mme d'Argilat et une dizaine d'autres détenues pour raisons familiales. »

Etait-ce la vérité? En tout cas, c'était plausible. Léa se contenta de cette explication et quitta Grand-Clément qui lui dit :

« J'espère vous revoir dans des circonstances plus agréables. »

Elle n'aurait pas eu le souvenir de la nuit comme une grosse boule noire dans le ventre, elle aurait dansé de joie sur le cours de Verdun. Elle se laissait caresser par l'ultime rayon de soleil de cette belle fin d'après-midi d'hiver. Elle décida de se rendre chez son oncle Luc Delmas pour se laver enfin et se débarrasser de cette impression de souillure... et réfléchit pour la première fois de la journée à ce qui s'était passé.

Le Mathias de son enfance et de son adolescence était mort dans un hôtel sordide tenu par une immonde prostituée. Il n'y aurait jamais de pardon. Ce qu'elle ne parvenait pas à évaluer c'était le degré de réalité des menaces de Mathias. Elle le savait maintenant capable de tout, mais ignorait l'étendue exacte de son pouvoir sur elle. Pas question de le chasser de Montillac tant qu'elle ne connaîtrait pas la situation véritable du domaine et les révélations qu'il pouvait faire à la Gestapo...

Il faisait chaud dans la salle à manger de maître Delmas et le repas servi par la vieille et fidèle cuisinière était aussi insipide qu'avant la guerre.

Entre son oncle Luc et son cousin Philippe, qui avait enfin terminé ses études de droit pour seconder son père au cabinet, Léa se sentait de plus en plus mal à l'aise.

« C'est une chance que papa ait été un ami du préfet, sans cela, Mme d'Argilat avait de fortes chances de passer plusieurs mois en prison.

– Tu trouves normal, toi, un avocat, que l'on mette en prison quelqu'un qui n'a rien fait?

– Elle n'a peut-être rien fait, mais son mari est bel et bien recherché par la police.

– Laquelle? La française ou l'allemande?

– Tu sais très bien qu'ici les polices collaborent.

– Ce serait difficile de l'ignorer...

– Mes enfants, ne vous disputez pas. Tu as tort, Léa, d'adopter cette attitude. Ici, à Bordeaux, nous ne faisons que suivre les directives du chef du gouvernement. Toute autre conduite serait contraire aux intérêts de notre pays. Par le choix qu'il a fait, le maréchal Pétain a préservé la France du désordre et de l'anarchie communiste, sans compter des milliers de vies humaines épargnées...

– Oncle Luc, tu oublies qu'ici des vies humaines, comme tu dis, n'ont pas pesé lourd et que des dizaines d'otages ont été exécutés.

– C'est la triste conséquence d'actes de banditisme commis par des irresponsables à la solde de Moscou et de Londres...

– Mon oncle! Comment oses-tu dire ça quand des hommes comme oncle Adrien et Laurent d'Argilat... »

Maître Delmas se leva si brutalement que sa lourde chaise se renversa. D'un geste coléreux, il jeta sa serviette sur la table.

« Je ne veux plus entendre parler de mon frère. Pour moi, il est mort, je l'ai déjà dit. Quant à Laurent d'Argilat, je ne comprends pas ce qui lui est arrivé, c'était pourtant un bon officier. Bonsoir, tu m'as coupé l'appétit. »

Luc Delmas sortit en claquant la porte. Léa acheva son verre de vin.

« C'est malin de l'avoir mis dans cet état. Il ne va pas dormir de la nuit.

– Ça ne lui fera pas de mal, un peu d'insomnie. Il pourra réfléchir à ce qu'il fera après la guerre quand les Allemands l'auront perdue.

– Ma pauvre fille! Ce n'est pas demain la veille, tu ferais mieux de t'occuper de tes amoureux plutôt que d'affaires concernant les hommes.

– Mon pauvre Philippe! Tu seras toujours aussi bête. Incapable de voir le monde autrement qu'à travers les yeux de ton père. Pierrot l'a compris, lui. Il a préféré ficher son camp. »

Ce fut au tour de son cousin de se lever, pâle soudain.

« Heureusement que tu n'as pas parlé de mon frère devant papa, sinon je t'aurais jetée dehors. »

Léa haussa les épaules et demanda :

« Où est-il? Avez-vous de ses nouvelles?

– Il est en prison en Espagne.

– En prison?...

– Oui, et il ne l'a pas volé. Papa a failli en mourir quand il a trouvé dans sa chambre le petit mot annonçant son intention de rejoindre l'Afrique du Nord pour s'engager.

– Evidemment, ce n'est pas toi qui aurais fait une chose pareille.

– Tu peux te moquer. Sans le mauvais exemple d'oncle Adrien, jamais le petit ne serait parti. Heureusement, il a été arrêté avant d'avoir pu passer au Maroc...

– Heureusement!...

– Oui, papa a des amis avocats à Madrid qui lui ont permis de le faire rapatrier.

– Il repartira.

– Ça m'étonnerait. On ne sort pas facilement d'un collège de jésuites, surtout si le père insiste sur la nécessité de préserver une jeune âme en péril!

– Les grands moyens!

– Indispensables par les temps qui courent, ma chère. Tu ferais mieux de prendre exemple sur le fils de votre maître de chais.

– Mathias?

– Oui, le fils Fayard qui, malgré ses origines, se comporte mieux que bien des jeunes gens de notre monde.

– Ah! ça, pour se comporter bien, il se comporte bien! Tu es ridicule, mon pauvre vieux, on croirait entendre tante Bernadette : « les jeunes gens de notre « monde »! Notre monde, il est foutu, balayé, disparu à tout jamais. Toi et tes pareils vous êtes des survivants, des dinosaures...

– Dinosaures ou pas, en attendant, c'est grâce à des gens comme nous que le pays est encore debout.

– Tu trouves que c'est être debout que de vivre écrasé par les bottes allemandes et de leur lécher la semelle?

– Je vois que tu écoutes attentivement les pauvres

types de Radio-Londres qui, bien protégés dans leur île, appellent à la subversion tous les fainéants communisants de notre malheureux pays.

– Tu oublies les bombardements quotidiens en Angleterre.

– Il n'y en aura jamais assez contre ces salauds d'Anglais.

– Toi, un Bordelais, parler comme ça de nos chers cousins!

– Tu n'es pas drôle, crétine. »

C'était à nouveau, la même incompréhension, les mêmes disputes, les mêmes injures que durant leur enfance.

Léa faillit le planter là et aller se coucher, mais ce qu'il avait dit sur Mathias l'inquiétait.

« Que voulais-tu dire en parlant de Mathias?

– Tout simplement que son séjour en Allemagne lui a mis du plomb dans la cervelle et qu'au lieu de passer son temps à te regarder avec des yeux mourant d'amour, il est devenu un homme sur lequel on peut compter.

– Qu'entends-tu par là?

– C'est trop compliqué à t'expliquer, tu le verras bien. Il est tard. Je dois être de bonne heure demain au palais. Bonne nuit. Ta chambre est celle de Corinne. N'oublie pas d'éteindre avant de monter.

– Bonne nuit. »

Léa resta longtemps songeuse, accoudée sur la table, le menton entre ses mains, se demandant avec une inquiétude grandissante ce que Philippe avait voulu dire au sujet de Mathias.

Le lendemain matin, maître Delmas et Léa allèrent au camp de Mérignac chercher Camille. La jeune femme était si faible qu'un gendarme dut la porter jusqu'à la voiture de l'avocat. Toutes les formalités administratives remplies, ils quittèrent enfin le camp sous les regards amorphes des rares prisonniers déambulant sous une pluie fine et froide.

A demi allongée à l'arrière du véhicule, Camille regardait s'ouvrir devant elle le portail hérissé de barbelés, trop épuisée pour éprouver de la joie.

16

CAMILLE avait à peine eu la force de serrer contre elle son fils, la fièvre l'avait anéantie, lui faisant perdre conscience de tout ce qui l'entourait. Le docteur Blanchard diagnostiqua une congestion pulmonaire et une commotion cérébrale. Durant trois semaines, elle fut entre la vie et la mort. A tour de rôle, Ruth, Laure et Léa se succédèrent à son chevet désespérant de voir tomber cette fièvre qui brûlait ce pauvre corps de plus en plus décharné. Le médecin qui venait chaque jour arrachait ses derniers cheveux blancs allant même jusqu'à se demander si la neuvaine entreprise par Bernadette Bouchardeau auprès de la Vierge de Verdelais, n'avait pas plus de chance de soulager la malade que ses remèdes, ce qui était un comble pour un vieil athée comme lui.

A la mi-février, la fièvre tomba d'un coup et, dans les jours qui suivirent, Camille retrouva peu à peu sa lucidité. Mais elle était si faible qu'elle n'arrivait pas à s'alimenter seule et que Ruth dut la nourrir comme un petit enfant. Parler lui était aussi un grand effort. Enfin, dans les premiers jours de mars, le docteur Blanchard la déclara hors de danger et la regarda avec émotion porter à sa bouche une cuillerée de bouillon. Elle put enfin lire les lettres de Laurent et les fragments de son journal qui avaient pu lui parvenir. Cela lui redonna des forces. Elle les gardait précieusement dans son sac à ouvrage qui ne la quittait jamais.

Pas une seule fois durant cette longue maladie, Léa ne quitta Montillac. Elle ne sut jamais rien de ce qu'écrivait Laurent; et n'eut pas un signe non plus de Mathias. Etait-il retourné en Allemagne? Les époux Fayard étaient de plus en plus froids, faisant leur travail sans adresser la parole aux habitants du « château » autrement que par bonjour, bonsoir, au hasard des rares rencontres.

A la fin du mois de mars, on put installer Camille au soleil, assise dans une chaise longue, recouverte d'une couverture. Elle avait repris un peu de poids mais sa maigreur et sa faiblesse étaient effrayantes. Ruth la soulevait et la descendait dans le jardin sans effort.

L'argent se faisait de plus en plus rare à Montillac. Léa et Laure allèrent voir le notaire de leur père à Cadillac. Celui-ci leur conseilla d'essayer de vendre un peu de terre ne leur cachant pas qu'elles auraient du mal car rien ne se vendait en ce moment, ou alors à très bas prix.

« Ne pouvons-nous hypothéquer les pins? demanda Laure.

– Vos propriétés sont déjà largement hypothéquées. Je ne sais pas si je peux vous laisser engager davantage vos biens.

– Si nous avions d'autres solutions, nous ne serions pas ici à vous demander conseil, s'exclama Léa.

– Je sais, mon enfant, je sais. En souvenir de l'amitié qui m'unissait à vos parents, je peux vous avancer une somme que vous me rembourserez quand la succession de votre père sera réglée. »

Léa allait refuser. Laure la devança.

« Merci beaucoup, monsieur Rigaud, nous acceptons avec reconnaissance.

– Je vous apporterai l'argent à Montillac jeudi prochain avec quelques papiers à signer. N'oubliez pas que si vous voulez vendre ou hypothéquer, il vous faut l'accord de votre sœur aînée et de votre oncle Luc qui est le tuteur de Laure.

– C'est vraiment indispensable? demanda Léa.

– Oui, absolument. Laure est encore mineure. »

En pédalant sur le chemin du retour, Léa eut l'impression qu'un cycliste, qu'elle avait vaguement remarqué à l'aller, était derrière elles. Ce n'était pas la première fois que depuis la libération de Camille, elle avait eu l'impression d'une surveillance.

« Arrête-toi », lança-t-elle à sa sœur.

Surprise, Laure obéit et descendit de sa machine.

« Qu'y a-t-il?

– Asseyons-nous un peu, je suis fatiguée. »

Elle s'assirent dans l'herbe, sur le bas-côté de la route. Le cycliste passa sans les regarder. Il était jeune et bien habillé. Son visage rappelait vaguement quelque chose à Léa.

« Tu as déjà vu ce garçon? demanda-t-elle à sa sœur.

– Oui, à la poste de Langon quand j'ai envoyé un paquet à tante Albertine, il était juste à côté de moi.

– Il t'a parlé?

– Non, il m'a souri. Hier aussi quand je l'ai croisé à Verdelais. Mais... »

Laure regarda sa sœur avec un air d'interrogation inquiète.

« ... tu ne crois pas?...

– Si. Moi aussi, j'ai déjà vu cette tête quelque part mais je n'arrive pas à me rappeler où. C'est la première fois que je sors du domaine depuis que j'ai ramené Camille de Bordeaux... Ça y est! Je m'en souviens! C'était au Régent, il était avec une bande de garçons de son âge, très bruyants.

– Il est peut-être en vacances dans la région.
– En vacances? Au mois de mars!
– Pourquoi pas, c'est bientôt Pâques.
– Je n'y crois pas. Il va falloir faire très attention. Ça tombe mal, demain j'avais l'intention d'aller à La Réole.
– Pourquoi?
– Je ne peux pas te le dire, mais il va falloir que tu m'aides. »
Laure regarda sa sœur sans un mot. Depuis le jour où la Gestapo l'avait emmenée avec Ruth et Camille et qu'elle avait entendu deux policiers français dire en riant qu'ils avaient les moyens de faire parler n'importe qui, l'ardeur pétainiste de la jeune fille avait été terriblement ébranlée. Elle était prête à aider Léa à passer la ligne de démarcation.
« Je ferai ce que tu me diras. »

Les deux sœurs entrèrent en riant chez le boucher de Saint-Macaire après avoir déposé leurs bicyclettes dans la courette contiguë au magasin. Le boucher, dont le fils aîné était le filleul de leur mère, les accueillit avec de grandes démonstrations d'amitié.
« Té! Les petites Delmas! C'est rare de vous voir ensemble, mes jolies. »
Puis, à voix basse, bien qu'ils ne fussent que tous les trois :
« Je vous ai mis un beau morceau pour Mme Camille, ça l'aidera à se refaire des forces. Ça va-t'y mieux?
– Un peu. Merci, Robert. Sans vous, on ne mangerait pas souvent de la viande à Montillac. On va pouvoir vous rembourser. Le notaire va nous avancer de l'argent.
– Ne vous inquiétez pas pour ça, mademoiselle Léa, on verra plus tard quand c'te putain d' guerre sera finie. J'ai pas grand-chose, mais j'ai de quoi faire un

bon pot-au-feu. Mais, par exemple, aujourd'hui, il me faudrait quelques tickets.

– Tu as les cartes de ravitaillement, Laure?

– Oui... »

Laure se pencha vers Léa et poursuivit.

« Je viens de le voir! Il n'est pas tout seul, un autre garçon l'accompagne.

– Robert, regardez discrètement dans la rue. Connaissez-vous les jeunes gens qui sont à côté de l'herboristerie? »

Le boucher s'avança sur le pas de sa porte en essuyant ses mains à son tablier.

« Non. Mais j' les ai déjà vus rôder dans le coin. N'ont pas l'air bien catholique, ils sont trop bien habillés par les temps qui courent.

– Laure? Tu sais ce que tu dois faire. Robert, puis-je passer par derrière?

– Vu, mademoiselle Léa. On va les laisser prendre racine, ces maroufles. D'où ils sont, ils peuvent pas voir la cour. »

Léa descendit à toute allure la ruelle en pente derrière l'église, passa devant les grottes, prit le chemin qui longeait la Garonne et rejoignit la route de La Réole à Gaillard peu avant Saint-Pierre d'Aurillac.

En arrivant devant le poste de garde de la ligne de démarcation, elle trouva la barrière levée. Elle s'arrêta cependant et descendit de sa bicyclette. Un vieux soldat allemand sortit de la baraque.

« Ah! la demoiselle au vélo bleu, longtemps pas vu passer ici. Pas besoin, vous arrêter, passage libre maintenant. Bonne route. »

C'est vrai, pensa-t-elle en remontant sur sa machine, j'avais oublié que depuis la fin du mois de février, il n'y a plus de ligne de démarcation entre les deux zones.

C'était pour calmer l'angoisse de Camille et la

sienne que Léa avait décidé d'aller à La Réole demander aux époux Debray s'ils avaient des nouvelles de Laurent et s''ils pouvaient lui faire parvenir un message. Ruth, à qui elle avait fait part de sa crainte d'une surveillance des habitants de Montillac, avait tenté de la dissuader de se rendre à La Réole, disant que c'était dangereux non seulement pour elle mais pour les personnes qu'elle voulait voir. Léa lui avait répondu qu'elle le savait bien, mais qu'elle ne pouvait pas rester plus longtemps dans l'ignorance du sort de Laurent. Résignée, la vieille gouvernante avait regardé partir « ses » deux filles avec une appréhension qu'elle ne parvenait pas à dominer.

Léa dévala la grande descente avant la ville. Sur le pont, elle croisa trois tractions-avant noires et deux camionnettes militaires dans lesquelles les soldats allemands lui firent de grands signes. Cette rencontre lui coupa les jambes. Elle monta la côte en poussant sa bicyclette, emplie d'un malaise grandissant. En traversant la place Gabriel-Chaigne, un groupe de personnes, qui semblait en proie à une grande agitation, se tut quand elle passa. Elle ne s'était éloignée que de quelques mètres quand un homme la doubla en lui disant sans la regarder :

« Allez place Saint-Pierre, puis au 1, rue de la Glacière. Entrez et attendez-moi. »

Il y avait une telle autorité dans la voix de cet inconnu trapu vêtu d'une combinaison de travail et d'une casquette bleu marine que, sans réfléchir, Léa s'engagea dans la rue Numa-Ducros. Rue de la Glacière, la grille était ouverte. Elle entra. Moins de cinq minutes s'écoulèrent avant que l'homme à la casquette n'entre à son tour.

« Vous êtes du château de Montillac, près de Saint-Maixant?

– Oui.

– Que venez-vous faire à La Réole? »

De quoi se mêlait-il?

« Ça ne vous regarde pas.
– Ne montez pas sur vos grands chevaux, j'essaie de vous éviter des ennuis.
– Quels ennuis?
– D'être arrêtée par les Allemands, par exemple. »
Léa sentit la peur ramollir son courage. Elle balbutia.
« Pourquoi m'arrêteraient-ils?
– Ils viennent d'arrêter deux de mes amis que vous connaissez.
– Les Debray?
– Oui. Eh là! petite, vous n'allez pas vous trouver mal. »
Il l'attrapa par un bras et la fit s'asseoir sur la marche.
« Simone, cria-t-il, apporte vite un verre d'eau. »
La porte devant laquelle était assise Léa s'ouvrit et une jeune femme en blouse à petits carreaux bleus apparut un verre d'eau à la main.
« Que se passe-t-il, Jacques?
– C'est pour la demoiselle, elle ne se sent pas bien. C'est une amie des Debray.
– Oh! la pauvre!... Tenez, buvez. »
Les mains tremblantes prirent le verre. La gorge nouée ne laissait passer qu'un peu d'eau.
« Qu'est-il arrivé? parvint-elle à bredouiller avec difficulté.
– Ne restez pas là, dit Simone, entrez dans la maison. »
Amicale, elle aida Léa à se relever. La pièce dans laquelle ils entrèrent était une grande cuisine où mijotait, dans la cheminée, une soupe aux choux. Ils s'assirent sur les bancs entourant la table.
« Qu'est-il arrivé? redemanda Léa d'une voix affermie.
– Ils ont dû être dénoncés. Ce matin, à l'aube, une vingtaine de soldats allemands et des salauds de civils

français ont encerclé la maison. Un copain, qui allait à sa vigne, s'est caché quand il les a vus. A l'aide d'un porte-voix, un des civils leur a dit de sortir sinon il donnerait l'ordre de tirer. Il y a eu un moment de silence puis, venant de la maison, deux coups de feu. Alors les Boches se sont mis à tirer comme des fous. Quand, enfin, ils se sont arrêtés, il y avait plein de fumée bleue. Deux civils, pistolet au poing, sont entrés dans la maison. Ils sont très vite ressortis, tirant par les épaules le corps de Mme Debray. La pauvre femme était en chemise de nuit, ses longs cheveux gris, pleins de sang, traînaient par terre. Ils l'ont adossée à un arbre puis ils sont retournés dans la maison. Quand ils ont réapparu, ils soutenaient par les aisselles M. Debray qui se débattait encore. »

Son visage disparaissait sous le sang. Ils l'ont mis à côté de sa femme. D'après mon copain, c'était pas beau à voir. Il avait dû se tirer une balle dans la bouche après avoir abattu sa femme. Et en plus, il s'était raté.

« Quelle horreur! Pourquoi?

– C'était de chez eux que partaient les messages pour Londres. La semaine d'avant, on nous avait parachuté du matériel radio de première qualité. Le pianiste était arrivé le lendemain par le train.

– Il a été arrêté, lui aussi?

– Non, il n'habitait pas là. Dès qu'on a su ce qui venait de se passer, on l'a emmené du côté de Duras, dans les bois.

– Et ensuite?

– Les civils et quelques soldats ont fouillé la maison. Ils ont jeté par la fenêtre le matériel radio, des livres, des meubles. Un des civils est ressorti en courant et a relevé brutalement M. Debray qui s'était allongé sur le corps de sa femme. Mon copain m'a dit que d'où il était, il voyait très bien les épaules du malheureux agitées de sanglots. L'autre s'est mis à secouer le blessé comme une brute en criant :

« – La liste?... Où est-elle?... Tu vas parler, vieux con...

« De la bouche éclatée, pas un son ne sortait. Alors l'ordure l'a jeté par terre et s'est mis à le rouer de coups de pied. Le plus affreux, paraît-il, c'est que M. Debray ne faisait pas un geste pour se protéger, comme s'il espérait un coup mortel. Quand il a relevé la tête, les Allemands embarquaient les deux corps dans une des camionnettes. »

« Ils étaient dans une de celles que j'ai croisées tout à l'heure et dans laquelle des soldats riaient », pensa Léa avec écœurement.

« Il y a eu des ordres en allemand et, peu après, des flammes sortirent des fenêtres. Profitant de la fumée qui s'était rabattue vers lui et le cachait, mon copain s'est enfui et est venu me prévenir. A nous deux, nous avons fait le tour des camarades. »

On frappa à la porte qui s'ouvrit sur un gendarme.

Paralysée, Léa le regardait s'avancer.

« N'ayez pas peur, mademoiselle, il est des nôtres.

– Albert, c'est la nièce du dominicain, elle allait chez les Debray. Tu te souviens, ils nous en avaient parlé.

– Vous l'avez échappé belle. Ils ont laissé là-bas des hommes qui empêchent la population d'approcher et qui arrêtent ceux qui leur semblent suspects. Même qu'ils avaient arrêté Manuel, le commis des Rosier. Heureusement que le maire, venu sur les lieux de l'incendie, s'est porté garant et comme il n'est au courant de rien, il l'a fait en toute bonne foi.

– Est-on sûr que M. Debray soit mort?

– D'après mes collègues, oui. De toute façon, il pissait tellement le sang que, sans soins, il a dû se vider. Mais, à tout hasard, les amis ne coucheront pas chez eux durant quelques jours. Père Terrible, je peux vous dire un mot? »

Les deux hommes sortirent.

« Vous avez eu de la chance que Terrible vous reconnaisse, dit Simone.

– Qui est Terrible? demanda Léa.

– Il est menuisier, c'est un type formidable. C'est lui qui avait apporté le poste émetteur chez les Debray.

– Vous aussi, vous faites de la résistance? »

Simone éclata de rire.

« C'est un bien grand mot. Avec quelques femmes d'ici et de la région, on passe des messages, quelquefois des armes, on cache des aviateurs ou des petits enfants juifs. On prépare la soupe pour ceux qui reviennent en pleine nuit des parachutages.

– Vous n'avez pas peur?

– Non, on n'y pense pas et puis avec des hommes comme Albert Rigoulet et Terrible on se sent en sécurité.

– Même après ce qui vient de se passer?

– Ça, c'est la fatalité. Tous ceux qui ont des postes émetteurs chez eux savent ce qu'ils risquent et les Debray le savaient mieux que personne. Ce qui m'étonne c'est que des gens croyants comme eux aient voulu se suicider.

– Ils n'avaient pas le choix, dit Jacques Terrible qui venait d'entrer. M. Debray n'aurait pas parlé sous la torture, ça j'en suis certain, mais il n'aurait pas supporté de voir souffrir sa femme. S'il y a un bon Dieu, je suis sûr qu'il lui pardonnera. Dis donc, Simone, tu pourrais nous donner un coup à boire.

– C'est vrai, ce malheur me fait oublier les bonnes façons. »

Elle sortit d'un placard une bouteille de vin entamée et quatre verres.

« Trois ça suffit, Rigoulet a dû rejoindre la gendarmerie. »

Simone servit le vin, ils trinquèrent et burent en silence. Terrible reposa son verre en faisant claquer sa langue contre son palais.

« C'est toujours de vot' pièce du Pied-de-Bouc?

– Oui, c'est un vin bien honnête.

– Mademoiselle, maintenant que vous savez qui nous sommes, voulez-vous me dire ce que vous alliez faire chez les Debray et s'ils étaient prévenus de votre visite ?

– Non, ils n'étaient pas au courant. Je venais leur demander s'ils avaient des nouvelles d'un ami et s'ils pouvaient le joindre.

– Quel ami ? »

Léa hésita. Quel nom devait-elle donner ?

« Laurent d'Argilat.

– Je le connais.

– Vous savez où il est ?

– Oui.

– Conduisez-moi.

– Ce n'est pas possible comme ça, mais je peux lui faire parvenir un message.

– Dites-lui que sa femme va mieux mais est toujours très faible; que la maison est surveillée et qu'il me donne de ses nouvelles.

– Le message sera transmis. Vous dites que votre maison est surveillée, vous êtes sûre de ne pas avoir été suivie ?

– Tout à fait sûre. Mais je dois rentrer, il ne faut pas que je tarde trop.

– Voulez-vous à votre tour vous charger d'un message ?

– Lequel ?

– A Saint-Pierre d'Aurillac, vous verrez non loin de l'église un café avec une belle treille. Vous demanderez Lafourcade, on vous indiquera où le trouver. Quand vous l'aurez trouvé vous lui direz que « le chien « d'Hostens va bien ».

– « Le chien d'Hostens va bien »?...

– Il sait ce que cela veut dire. Qu'il n'oublie pas de prévenir ceux de Barie.

– « Le chien d'Hostens va bien. » J'ai compris.

– Merci, mademoiselle, vous nous rendez un fier

service. Si j'ai quelque chose à vous faire savoir vous n'avez pas un nom de guerre?

– Exupérance.

– Comme la sainte de Verdelais. La première fois que j'ai entendu ce nom, c'est dans la bouche de votre oncle.

– Oncle Adrien? Comment va-t-il?

– Très bien. Il remonte le moral aux jeunots. Il accompagne souvent ceux qui cherchent à passer en Espagne.

– Savez-vous si mon cousin Lucien est avec lui?

– Lulu? Le poseur de bombes? Bien sûr.

– Je vous en prie, dites à mon oncle que j'ai besoin de le voir. C'est très important.

– Je le lui dirai. Maintenant, partez. Simone va vous faire un brin de conduite jusqu'à la sortie de la ville. Soyez prudente. Si quelque chose ne va pas, envoyez-moi une carte à la menuiserie me disant que « les « portes ferment mal »; on avisera. Adieu. »

Quand Léa entra par derrière dans la cuisine d'Albert, à Saint-Macaire, une heure de l'après-midi sonnait au clocher. Le boucher, sa femme Mireille, son commis et Laure étaient attablés devant une épaule d'agneau qui lui mit l'eau à la bouche.

« Eh bien, je vois que l'on ne s'ennuie pas sans moi.

– On t'attendait, fit Laure en désignant le couvert mis devant une place libre.

– Les autres ne se sont pas aperçus de mon absence?

– Non, je suis sortie pour aller chercher du pain avec Mireille et, en passant devant eux, je l'ai remerciée bien haut de nous inviter à déjeuner. Ils nous ont suivies de loin. Depuis, ils font le guet à tour de rôle. Tu as vu tes amis? »

Les larmes, qu'elle avait réussi à contenir jusque-là, glissèrent sur ses joues. Mireille, la femme de Robert, se leva et la serra contre sa poitrine. Ce geste maternel redoubla les pleurs de Léa. Maladroit, ému, le boucher tournait autour des deux femmes.

« Bon Dieu! Qu'est-ce qui se passe? Qu'est-ce qu'on t'a fait, petite?

– Rien... mais... ce matin... on est venu arrêter mes amis... ils... sont morts...

– Morts!

– Tous les deux? »

Un peu calmée, mais toujours pleurant, Léa leur raconta ce qui s'était passé. Un long silence accablé suivit la fin de son récit. Robert se moucha bruyamment. Son visage habituellement coloré était devenu gris. Son énorme poing s'abattit sur la table faisant s'entrechoquer verres et assiettes.

« Il faudra qu'un jour ces enfants de putain paient pour tout cela. Mademoiselle Léa, j' vous en supplie, ne vous mêlez pas d' ça. Vos amis, c'était autre chose, leurs fils avait été tué, ils n'avaient plus rien à perdre. Mais vous, Mlle Laure et Mme Camille, vous êtes jeunes, laissez les vieux cons comme moi qu'ont pas été capables de les arrêter en 40, essayer d' faire quelque chose.

– Patron, on a not' mot à dire, nous aussi! Et le Jeannot? Il a bien pris le maquis!

– C'est vrai, mais vous, vous êtes des hommes.

– Toujours la même rengaine, s'exclama Mireille, c'est pas parce qu'on porte pas de fusil, qu'on risque moins que vous, nous les femmes. Tu me fais mal au ventre, té!

– T'énerve pas, c'est pas ce que j' voulais dire.

– Mais tu l'as dit quand même : qu'une femme, c'est moins qu'un homme, que c'est tout juste bon à torcher les gosses, à tenir la boutique, à faire la cuisine, à laver le parterre et à faire la câlinette de temps en temps! N'empêche que lorsqu'il s'agit de cacher vos armes ou vos Anglais, c'est quand même aux femmes que toi et tes copains faites appel. »

C'est grâce à cette dispute conjugale que Léa eut la confirmation que Robert travaillait pour la Résistance. Elle en éprouva un tel réconfort que de nouveau elle eut faim.

« Vous êtes épatants tous les deux, mais la viande refroidit, ce serait dommage.

– Voilà qui est parlé, dit le boucher. Nous laisser mourir de faim ne rendra pas la vie à ces pauvres gens. Mais je jure qu'ils seront vengés. »

Trois jours plus tard, Léa reçut une lettre de François Tavernier. A l'évidence, l'enveloppe avait été ouverte par les services de police puis recollée. Elle alla la lire dans le bureau, se régalant de chaque mot tracé de l'écriture large et penchée de François.

« Léa trop jolie,

« Vous ne pourrez pas me reprocher de ne pas penser à vous puisque je me décide même à gâcher quelques-unes de mes précieuses minutes pour vous écrire. Je voulais simplement vous féliciter pour votre vigoureux sens des affaires. J'ai eu le bonheur de déguster hier soir, à Paris, à la table de Otto Abetz, une bouteille de votre vin de Montillac. Une petite merveille de simplicité et de franchise avec un vrai caractère et un petit penchant malin à la douceur. Ce vin vous ressemble comme un frère et je vous rends grâce de l'avoir négocié. Si cela continue, vous allez devenir une femme d'affaires écrasée de travail et de responsabilités, clouée *ad vitam æternam* à vos vignes. Cette image de vous ne me déplaît pas.

« Dès que je serai lassé de vous boire à distance, je ne raterai pas l'occasion de venir vous déguster sur place. Soyez avisée et prudente. Tendresses et caresses.

François. »

« P.S. : J'ai su pour les Debray. »

Cette courte lettre cloua Léa sur place. Comment le vin de Montillac avait-il pu arriver à Paris? Comment avait-il pu être servi à la table de Otto Abetz? Elle pensa aussitôt à Mathias et à Fayard. Comment avaient-ils osé? Elle se vit humiliée, traitée de collaborationniste...

Paniquée à l'idée d'affronter Fayard, elle s'accorda le délai d'une lettre. Elle écrivit aussitôt à François pour lui demander des précisions et des conseils. Elle en profita pour noircir cinq longues pages où elle lui donnait des nouvelles de tous et de chacun, ne manquant pas l'occasion de lui faire remarquer à quel point il était laconique...

Comme promis, le notaire apporta le jeudi suivant une importante somme avec laquelle Léa régla à Fayard ce qui lui était dû, sans faire aucune allusion à son commerce. Sans un mot, il empocha son argent.

Assise au bureau de son père, elle contemplait ses côteaux plantés de vigne vert tendre, ce pré où elle poursuivait Mathias à grands cris et avec qui, à la saison des foins, elle jouait à se cacher dans les bottes odorantes avant de grimper dans la haute charrette emplie d'herbes sèches sur laquelle elle se laissait bercer, mains sous la nuque, yeux grands ouverts sur l'azur que sillonnaient de fines hirondelles, au rythme du pas des deux bœufs, Larouet et Caoubet. Elle ne pouvait jamais évoquer ces moments paisibles de son enfance, auxquels Mathias avait été constamment mêlé, sans éprouver une tristesse et un déchirement qui la désemparaient pour de longues heures...

Elle avait décidé de se plonger dans les comptes pour essayer d'y voir clair et de comprendre comment Fayard pouvait détourner des bouteilles à son profit. François n'avait pas répondu à sa lettre. Les chiffres dansaient devant ses yeux. Comment pouvait-elle se mesurer à Fayard, habitué à ses petits trafics depuis sans doute des années? Comment trouver la faille dans la comptabilité? Elle s'épuisait en vains calculs et personne dans la maison ne pouvait l'aider puisqu'elle avait décidé de garder secrète la révélation de François.

Chaque fois qu'elle se retrouvait seule, une terreur sourde la gagnait à l'idée que Mathias la tenait prisonnière. Plus il restait silencieux, plus il lui faisait peur.

La nuit était très sombre en cette soirée d'avril. Il avait plu toute la journée et un vent froid venu du nord agitait les branches des platanes de la grande allée. Assise dans la cuisine devant un feu de sarments, Laure et Léa, un guéridon entre elles, jouaient à la crapette, Ruth raccommodait, Camille tricotait, Bernadette Bouchardeau, elle, était montée se coucher. Seule la lumière du feu éclairait la pièce et donnait aux trois femmes l'air d'appartenir à un tableau de Georges de La Tour. Le souffle de la tempête, le crépitement des flammes, le cliquetis des aiguilles, le rire des joueuses intensifiaient l'impression de calme et de bien-être familial. La guerre paraissait loin.

Un courant d'air fit tressaillir Camille. Elle posa son tricot sur ses genoux et resserra son châle autour d'elle. Ses yeux se portèrent vers la porte. Elle était légèrement entrouverte; le vent sans doute. Malgré sa faiblesse, elle se leva pour aller la fermer. Elle tendait déjà la main vers la poignée quand la porte s'ouvrit brutalement heurtant ses doigts. Près de la cheminée, ses compagnes s'étaient immobilisées.

Un homme aux vêtements mouillés, en soutenant un autre, était entré, repoussant la porte du pied.

« Vite... aidez-moi.

– Camille, pousse-toi et assieds-toi, tu nous gênes. Ruth et Laure, aidez-nous! »

Avec leur aide, l'homme allongea son camarade sur la table. Ensuite, en habitué des lieux, il alluma l'électricité.

« Lucien! s'écrièrent ensemble Laure et Léa.

– Il a perdu beaucoup de sang, Ruth, allez chercher la pharmacie.

– Oui, mon père.

– Oncle Adrien!

– Mes chéries, ce n'est pas le moment de s'attendrir. Léa, il faut aller à Verdelais chercher le docteur Blanchard.

– Mais, ne peut-on pas téléphoner?

– Non, je me méfie du téléphone.

– Très bien, j'y vais.

– Passe par Bellevue, je ne voudrais pas que les Fayard se doutent de quelque chose. J'ai vu de la lumière chez eux. »

Une heure après, Léa ramenait le médecin maugréant contre ce « bon Dieu de temps ».

« Félix, tu t'en prendras à Dieu une autre fois, pour le moment occupe-toi du petit. »

Le docteur Blanchard se débarrassa de son vieil imperméable et s'approcha de Lucien dont les mains étaient enveloppées de linges imbibés de sang. Avec des gestes précis, il retira le pansement sommaire.

« Nom de Dieu! Qui a fait ça?

– Une bombe.

– Que foutait-il avec une bombe?

– Il la fabriquait. »

Cette raison, qui lui parut sans doute bonne, mit fin aux questions du médecin. Il entreprit un examen des blessures.

« Il faut l'emmener à l'hôpital.

– Ce n'est pas possible. Ils préviendront la police et la police, la Gestapo.

– Sa main droite est foutue, il faut l'amputer. »

Sous la crasse et la boue qui couvraient son visage, Adrien Delmas pâlit.

« Tu es sûr?

– Regarde, ce n'est qu'une bouillie.

– Pauvre petit!... je vais chercher sa mère.

– Non, Ruth! Surtout pas, ma sœur va crier, pleurer, ameuter les voisins. Félix, on va t'aider, dis-nous ce qu'il faut faire.

– Mais il n'est pas question que j'ampute moi-même ce garçon. La dernière fois que j'ai amputé quelqu'un c'était en 17 dans un hôpital de fortune. Je suis médecin de campagne, pas un chirurgien.

– Je sais, mais on n'a pas le choix. Si la Gestapo le prend, ils le tortureront jusqu'à ce qu'il dénonce ses camarades et le tueront après. »

Blanchard regarda ceux qui étaient autour de lui, amis de toujours, puis le jeune homme évanoui qu'il avait vu grandir et qui perdait son sang.

« C'est d'accord. Prie ton putain de bon Dieu que mes vieilles mains ne tremblent pas. Faites bouillir de l'eau. Une chance que j'aie pris ma grande trousse. J'espère que mes bistouris ne sont pas rouillés. Ruth, Adrien et Léa vous allez me donner un coup de main. Camille, allez-vous coucher, vous ne tenez pas debout. Laure, occupe-toi d'elle. »

Léa aurait donné tout au monde pour ne pas être là. Ce fut cependant sans trembler qu'elle appliqua le tampon de chloroforme sur le nez de son cousin.

Elle ne devait plus jamais oublier le bruit de la scie coupant l'os.

Durant l'opération, une ou deux fois Lucien gémit. Quand le docteur Blanchard fixa le dernier pansement le jeune homme de vingt ans avait perdu sa main droite et deux doigts de sa main gauche.

Le lendemain, il se réveilla vers midi et vit les visages inquiets de sa mère, de son oncle et du docteur Blanchard penchés au-dessus de lui, il leur sourit en disant :

« J'avais oublié ce que c'était qu'un bon lit. »

Bernadette Bouchardeau détourna la tête pour cacher ses larmes. A l'aube, elle avait étonné tout le monde par le calme avec lequel elle avait accueilli la nouvelle de l'amputation de son fils. Tous s'attendaient à des cris, à des évanouissements. Seuls ses pleurs coulèrent et elle n'eut que ces mots :

« Dieu merci! Il est vivant. »

Lucien eut un mouvement vers sa mère.

« Maman!...

– Ne bouge pas, mon garçon. Tu as perdu beaucoup de sang. Tu as besoin d'un repos absolu, dit le docteur Blanchard.

– Ma main, c'était pas trop grave, docteur? »

Tous baissèrent la tête. Un gémissement échappa à la mère.

« Pourquoi ne dites-vous rien? »

Comme elle était lourde, cette main bandée qu'il essayait de soulever... Quelle drôle de forme elle avait ainsi enveloppée.

Debout, derrière la porte, Léa reçut comme un coup le cri de Lucien. C'était celui qui toute la nuit avait martelé ses tempes : NON!... NON!... NON! NON! NON!

17

Dans la chambre des enfants, Adrien Delmas marchait de long en large en proie au plus grand désespoir que puisse connaître un prêtre : il ne croyait plus. Depuis le début de la guerre, il luttait contre le doute. Avant d'entrer dans la clandestinité, il en avait parlé à son confesseur qui lui avait dit d'accepter cette épreuve envoyée par Dieu pour éprouver sa foi. Pour l'amour et le service de Dieu, le dominicain était prêt à supporter bien des souffrances, mais aujourd'hui, il était las de ses prières stériles dont les mots étaient pour lui privés de leur sens originel. Tout cela lui semblait d'une confondante naïveté et les hommes qui avaient épuisé leur vie au service d'un leurre lui paraissaient des sots ou des êtres malfaisants, spirituellement malhonnêtes. Dans son désarroi, il oubliait ses maîtres, ces grandes intelligences catholiques auprès desquelles la sienne s'était épanouie. Jetés aux orties les Pascal, les abbé de Rancé, les Augustin, les Jean-de-la-Croix, les Thérèse d'Avila, les Chateaubriand, les Bossuet et autres serviteurs de l'Eglise. Tous, ils s'étaient trompés, tous ils l'avaient trompé. Que pouvaient leurs vaines paroles contre la détresse d'un enfant mutilé? Que pouvait-il répondre au muet reproche d'une mère? Qu'étaient devenus les doux mots de consolation qu'il savait si bien prodiguer aux mourants et aux blessés de la révolution espagnole? Il était comme le figuier stérile de l'Evangile; desséché, sans fruits. A quoi lui servait d'exister puisque son existence n'apportait aucun réconfort? Par sa faute, Lucien était estropié à jamais. Car c'était bien de sa faute si le gamin était entré dans la Résistance. S'il s'était contenté de rester dans son couvent de la rue de Saint-Genès comme le lui avait ordonné son supérieur, au lieu de jouer au curé maquisard, jamais son neveu ne serait venu le rejoindre. Il savait bien aussi que cela était peut-être faux, que son engagement n'avait en rien influencé Lucien. Ils en avaient longuement parlé durant les interminables soirées d'hiver passées ensemble dans la ferme qui servait d'abri aux gars du maquis. Au début, ils étaient moins d'une dizaine, mais peu à peu, ceux qui ne voulaient pas partir au S.T.O. venaient les rejoindre. Maintenant c'était d'une trentaine de jeunes gens dont il était responsable. Non seulement il était le chef militaire incontesté du petit groupe, mais son soutien moral. Jamais, à aucun moment, les maquisards n'avaient perçu sa souffrance spirituelle. Peu d'entre eux, d'ailleurs, savaient qu'il était prêtre. Tous admiraient sa prudence, son sens de l'organisation clandestine et le relatif confort dans lequel il les faisait vivre. Grâce à sa connaissance parfaite de la région, du terrain et de ses habitants, il avait toujours su à quelles portes frapper pour obtenir de l'aide, de l'argent et de la nourriture. Un de ses amis de collège, franc-maçon et notable de La Réole, avait, avec l'aide d'autres maçons, créé un réseau en relation régulière avec les milieux maçonniques anglais et avait fait parachuter vivres, armes et vêtements. Les travaux quotidiens, la protection, les actions contre les perceptions, les mairies, le sabotage des lignes à haute-tension, la distribution des tracts, des journaux clandestins, la recherche des faux papiers, le passage en Espagne de familles juives, tout cela occupait suffisamment les heures du jour et d'une partie de la soirée. Mais la nuit, pendant l'interminable nuit, il s'épuisait en lisant les Evangiles, à renouer le dialogue avec ce Dieu qui le fuyait. Au petit matin, il sombrait dans un court sommeil hanté de symboles démoniaques sortis de l'imagination d'un moine du Moyen Age ou de tortures raffinées dignes du *Jardin des supplices* d'Octave Mirbeau qui avait troublé sa pieuse adolescence. Il émergeait de ce bref assoupissement fatigué et accablé de tristesse. A ce régime, son visage s'était creusé de rides profondes, ses cheveux avaient blanchi et son corps flottait dans ses vêtements. Le docteur Blanchard, devant un tel changement, s'était inquiété de sa santé. Adrien l'avait rabroué en riant. Qu'allait-il faire de Lucien maintenant? Pas question de le laisser longtemps à Montillac, c'était trop dangereux. Le ramener au camp? Pas avant trois ou quatre mois. L'envoyer en Espagne? Possible, mais difficile. Beaucoup de passeurs avaient été arrêtés ces derniers temps. Il faudrait voir auprès du père Bertrand de Toulouse qui était en relation avec des moines suisses.

On frappa à la porte.

« C'est moi, oncle Adrien.

– Entre. Pardonne-moi d'avoir envahi ton domaine. Tu y viens toujours? »

Léa sourit.

« De moins en moins. J'ai beaucoup grandi, tu sais.

– Je le sais.

– Et toi, oncle Adrien, c'est parce que tu es malheureux que tu es venu ici? »

De la main, elle arrêta un geste de dénégation et continua :

« N'essaie pas de dire le contraire, je le vois bien. Je te connais. Depuis que je suis petite, je te regarde. Tu n'as plus dans les yeux cette lueur qui faisait qu'on était tous attirés par toi, qu'on avait tous envie de te ressembler...

– Tu es dure!

– Peut-être, mais tu m'en voudrais de te parler autrement. C'est affreux ce qui vient d'arriver à Lucien mais ce n'est pas de ta faute. Lucien avait choisi; Laurent, Camille et moi, on a choisi aussi.

– Tu ne vas pas me dire que pour toi, je n'y suis pour rien? C'est quand même moi qui t'ai envoyée à Paris.

– Et alors? il ne m'est rien arrivé.

– Il ne faut pas tenter le destin. J'ai vu trop de garçons et de filles de ton âge mourir en Espagne et maintenant, ici. Abandonne tout cela.

– Non, c'est trop tard. Tu sais quel est mon nom de guerre?

– Exupérance!...

– Oui, comme la petite sainte que tu aimais tant, tu t'en souviens? C'est à cause de toi, qu'à mon tour, je l'ai aimée. Avec une telle protection, je ne risque rien. »

Adrien ne put s'empêcher de sourire. Elle ne valait pas bien lourd la protection d'une sainte dont l'Eglise même mettait en question l'existence.

« Est-ce que tu comptes rester longtemps à Montillac?

– Non, ce serait trop dangereux pour vous. Déjà la présence de Lucien vous compromet. Dès qu'il ira un peu mieux, il partira.

– Mais où ira-t-il? Que fera-t-il? C'est un infirme maintenant. »

Le dominicain releva la tête.

« J'y réfléchissais quand tu es entrée.

– Tante Bernadette dit que, quel que soit l'endroit où il ira, elle ira.

– Il ne manquait plus que ça! Ma chère sœur dans le maquis!

– Comment as-tu trouvé Camille?

– Pas trop mal. C'est une femme courageuse. Je suis de l'avis de Félix, elle s'en sortira.

– Si Laurent venait la voir, je suis convaincue qu'elle serait guérie tout de suite. »

Adrien la regarda avec une surprise amusée.

« Tiens, tiens, tu n'es plus amoureuse de lui? »

Le visage de Léa s'enflamma.

« Cela n'a rien à voir.

– Tu ne dois plus penser à lui, il est marié, père de famille et il aime sa femme. »

Le mouvement d'humeur de sa nièce ne lui échappa pas.

« Toujours aussi rétive aux leçons de morale, je vois. Ne t'inquiète pas, je ne veux pas t'importuner avec ça, mais simplement te mettre en garde contre d'éventuelles désillusions. Quelqu'un qui a l'air de s'intéresser fort à ta personne m'a parlé de toi il y a quelque temps.

– Qui?

– Tu ne vois pas? »

Elle n'avait pas envie de jouer aux devinettes.

« Non.

– François Tavernier. »

Comment n'avait-elle pas pensé à lui? Une nouvelle fois, la rougeur envahit son visage.

« Dis vite, mon oncle, quand lui as-tu parlé?

– Il y a quinze jours, par téléphone, à Bordeaux.

– Où était-il?

– A Paris.

– Pourquoi t'appelait-il? Que t'a-t-il dit de moi? Il n'a pas répondu à ma lettre.

– Te voilà bien impatiente. Je croyais que tu ne pouvais pas le sentir?

– Je t'en prie.

– Rien que de banal. Il m'a demandé de tes nouvelles, de celles de la famille...

– C'est tout?

– Non. Il essaiera de venir te voir après Pâques.

– Après Pâques! C'est loin!

– Quelle impatience! Nous sommes le 10 avril et Pâques est le 25. »

Léa le sentait si désemparé, si troublé, qu'elle renonça à lui parler de Mathias.

Le roulement d'une voiture automobile sur les graviers de l'allée, des portières qui claquent, des voix d'hommes les figèrent instantanément.

« Vite, va voir. Si c'est la Gestapo, nous sommes perdus. »

Léa se précipita dans le couloir et regarda par la fenêtre donnant sur l'allée. Non! ce n'était pas vrai! Que venait-il faire ici? Elle ouvrit la fenêtre et cria en se forçant à la gaieté :

« J'arrive! »

En courant, elle retourna dans la chambre des enfants.

« Ce n'est pas la Gestapo, mais ça ne vaut peut-être pas mieux.

– Je vais dans la chambre de Lucien », lança Adrien en se dressant.

Avant de descendre, Léa passa chez Camille, lui expliqua rapidement ce qui se passait.

En bas, Ruth avait fait entrer les visiteurs dans le salon.

« Léa! Quel plaisir de vous revoir dans ce décor!

– Raphaël!... quelle agréable surprise!

– Ma chérie!... je savais bien que vous seriez heureuse de revoir un vieil ami. »

La colère bouillonnait en elle, mais elle s'efforça de sourire. Il ne fallait à aucun prix qu'il perçoive sa peur. Un des trois jeunes gens qui l'accompagnaient regardait le portrait de sa mère peint par Jacques-Emile Blanche. Quand il se retourna, les ongles de Léa s'enfoncèrent dans ses paumes. Elle essaya de dominer son effroi.

Le jeune homme qui maintenant lui faisait face était

celui qu'elle avait remarqué à Cadillac et à Saint-Macaire. Avec désinvolture, elle s'approcha de lui.

« Bonjour, monsieur, vous êtes de la région? J'ai l'impression de vous avoir déjà rencontré. »

Le garçon accusa visiblement le coup.

« C'est bien possible, mademoiselle, mes grands-parents sont de Langon.

– Ce doit être là que je vous ai vu, à la mairie ou un jour de marché. Comment vous appelez-vous?

– Maurice Fiaux. »

Léa se détourna de lui et alla vers Raphaël dont elle prit le bras, l'entraînant vers les jardins.

« Venez que je vous montre Montillac. Pendant ce temps-là, vous me raconterez quel bon vent vous amène.

– Vous savez que j'avais quelques petits problèmes avec certaines personnes que vous connaissez. J'ai dû me résoudre à partir, l'air de Paris devenant malsain pour moi. Je me suis souvenu des moments agréables passés à Bordeaux en juin 40, de mes relations dans la presse locale, de l'Espagne pas très loin. Bref, je me suis dit pourquoi pas Bordeaux? Je dois vous avouer que jusqu'à hier, je ne pensais pas à vous. J'étais avec ces charmants garçons, prenant un verre au Régent avant d'aller dîner quand un de leurs camarades est arrivé. Dans la conversation le nom de votre propriété fut cité. Je demandai s'il s'agissait bien du domaine de la famille Delmas, on m'a répondu oui. C'est comme ça que j'ai appris que ce jeune homme était votre ami d'enfance et que vous étiez à Montillac. J'ai émis le désir de vous voir et votre ami m'a proposé de m'y conduire. Voilà pourquoi je suis ici.

– Vous êtes venu avec Mathias?

– Oui. Il est allé embrasser ses parents. Cela ne vous gêne pas que j'aie accepté son invitation?

– Pas le moins du monde. Je tiens à le remercier au contraire de m'avoir donné ce plaisir...

– Quel bel endroit, ma chère! Si j'habitais ici, je ne

voudrais jamais le quitter. Quel calme!... Quelle harmonie entre la terre et le ciel! Je sens qu'ici, je pourrais écrire des chefs-d'œuvre. »

Accoudé à la terrasse, Raphaël Mahl contemplait le vaste paysage que les vignobles marquaient de leurs lignes régulières et noires.

« On dirait que cela a été dessiné au crayon et à la règle tant c'est net.

– Vous êtes venu trop tôt. D'ici deux ou trois semaines la vigne sera comme argentée, puis deviendra vert tendre, puis fleurira... Tiens, voici Laure. Raphaël, je vous présente Laure, ma petite sœur...

– Bonjour, mademoiselle. Maintenant, je connais toutes les grâces de Montillac. »

Laure pouffa de rire, ce qui agaça Léa.

« Camille est avec Mathias. J'ai demandé à Fayard d'ouvrir les chais pour que nous fassions déguster notre vin à nos visiteurs.

– Tu as bien fait. Venez, vous allez goûter au célèbre Château-Montillac », fit-elle enjouée, essayant de masquer l'angoisse qui l'avait envahie en entendant le nom de Mathias.

Ainsi, il avait osé revenir.

Les trois jeunes gens les suivirent en silence. Dans le chai, ils retrouvèrent Camille, Mathias et son père. Léa alla embrasser Mathias comme s'il ne s'était rien passé entre eux, feignant de ne pas remarquer la brusque contraction de sa mâchoire.

« Tu exagères, tu aurais pu venir nous voir plus tôt.

– Léa a raison, dit Camille. Je voulais vous remercier de la part que vous avez prise à ma libération.

– Je n'y suis pour rien, j'ai fait bien peu de choses.

– Ne dites pas ça, sans vous, je serais peut-être toujours là-bas.

– Vous êtes partie au moment où ça devenait

confortable. Maintenant, il y a des douches, dit un des amis de Mathias.

– Voilà qui est intéressant, fit sèchement Léa. A quand le salon de coiffure et la salle de cinéma? »

Le jeune homme rougit tandis que ses camarades ricanaient. Raphaël fit diversion :

« Allons, mes enfants, goûtons ce vin. »

Fayard retourna les verres posés sur une planche recouverte de papier blanc et cérémonieusement servit le vin.

« Il n'a que deux ans de bouteille, mais vous m'en direz des nouvelles.

– On s'en régale jusqu'à Paris! » lança Léa.

Fayard ne broncha pas.

Quand tout le monde fut servi, en silence, chacun porta son verre à ses lèvres.

Ils en étaient à leur troisième dégustation quand Léa, s'approchant de Mathias, lui dit :

« Viens, sortons. Je voudrais te parler. »

Après la fraîcheur et l'odeur vineuse qui imprégnaient le sol de terre battue et les murs, la douceur de l'air et le parfum des premiers lilas donnèrent à Léa l'envie de courir.

Elle s'élança, Mathias sur les talons. Elle s'arrêta brusquement, se retourna et, essoufflée, lui demanda :

« Je te croyais reparti en Allemagne.

– J'ai changé d'avis. J'ai mieux à faire ici.

– Pourquoi m'as-tu amené Mahl et tes amis? Je ne veux plus te voir.

– Je croyais te faire plaisir. Il avait l'air de tellement bien te connaître. »

Léa haussa les épaules.

« Et les autres? Ils me connaissent aussi?

– C'est eux qui avaient la voiture et qui ont proposé de nous conduire.

– Je ne les trouve pas très sympathiques.

– Tant pis. Moi, ils me conviennent. Et tu as intérêt à faire comme si.

– Que fais-tu avec eux?

– On travaille ensemble. »

Que voulait-il dire? Si ce qu'elle craignait était vrai, Mathias ne pouvait pas « travailler » avec eux, comme il disait. Il ne fallait pas qu'elle laisse la panique l'envahir, il fallait qu'elle se montre calme, insouciante, la vie de Lucien et d'Adrien en dépendait. Qui sait si Raphaël n'avait pas passé un marché avec la Gestapo de Paris pour essayer de retrouver Sarah? Elle lui prit le bras et de son ton le plus naturel avec un sourire complice elle lui demanda :

« Raconte! que fais-tu? »

Il se raidit contre ce corps dont la seule pensée le faisait trembler. Devant ces yeux candides qui se levaient vers lui, il détourna la tête d'un air gêné.

« Des affaires.

– J'espère pour toi que ce ne sont pas les mêmes que celles de Raphaël. Ça m'ennuierait si tu étais recherché pour trafic de marché noir, fit-elle en conservant son sourire.

– Ne t'inquiète pas pour moi. Il n'y a aucune comparaison entre une tante comme ton ami, et moi. Je sers d'intermédiaire entre des vignerons bordelais et des négociants en vins de Munich, de Berlin et d'Hambourg. Tu sais combien les Allemands sont amateurs de nos vins. D'ailleurs, la plupart des officiers supérieurs allemands qui sont en Gironde étaient en affaires avant la guerre avec les grands propriétaires. Moi, je mets en rapport les petits propriétaires avec des marchands allemands.

– Et ça marche?

– Très bien. Les affaires sont les affaires et les gens continuent à boire du bon vin, guerre ou pas guerre.

– Je t'interdis, Mathias, de vendre une seule bouteille du vin de Montillac. Jamais! »

Léa n'avait pu se contenir. Le mot claqua, sonore.

Ils se retrouvèrent de nouveau en un face à face hostile. Pâles, tous deux, ils s'observaient tels des chats prêts à bondir.

Bon Dieu! qu'elle était belle la garce dans sa fureur qui lui gonflait les narines et faisait haleter sa poitrine. Il était partagé entre l'envie de la battre ou de la prendre contre lui.

« Quand nous serons mariés, je vendrai le vin à qui je voudrai. »

Raphaël, sorti du chai, gesticulait dans leur direction. Il hurlait, en gambadant :

« Léa, ce vin est une merveille! Il faut que je m'arrête, je suis déjà pompette. »

Cher Raphaël! elle l'aurait embrassé. Il approcha.

« Je ne vous crois pas, il vous en faut plus pour vous monter à la tête.

– Ne croyez pas ça, ma douce amie. On vieillit! Tenez, un exemple : avant la guerre, je pouvais manger n'importe quoi, pouf! ni vu ni connu. Maintenant, un plat un peu riche, un déjeuner un peu trop bien arrosé et je me retrouve avec des kilos en trop. Regardez ma taille!... Je sais bien qu'on appelle ça des poignées d'amour!... mais quand même!... Ça fait de la peine de ne plus retrouver sa ligne de jeune homme. »

Léa ne put s'empêcher de rire en le voyant écarter sa veste pour montrer les dégâts.

« Riez, riez, vous verrez... Pour le moment, vous faites la fière avec vos seins fermes, votre ventre plat et votre joli cul! Mais attendez quelques années, et trois ou quatre gosses... on en reparlera.

– Vous ne voulez quand même pas que je vous plaigne de prendre des kilos superflus quand la plupart des Français se serrent la ceinture! Faites comme eux : mangez des rutabagas.

– Pouah! vous voulez me faire mourir! »

Quel drôle d'homme! Léa en arrivait à oublier ce qu'était Raphaël Mahl.

« Devant un peloton d'exécution, vous seriez encore capable de plaisanter et de me faire rire. »

Les yeux de Raphaël retrouvèrent leur douceur un peu triste.

« Vous ne pouviez me faire plus joli compliment : rire ou faire rire devant la mort. Je vous promets de m'en souvenir, petite amie. »

Il ajouta retrouvant sa factice gaieté et l'entraînant à l'écart :

« Avez-vous des nouvelles de notre ami Tavernier? Voilà un homme qui m'intrigue fort. Pour certains c'est un grand ami de l'Allemagne, pour d'autres, c'est un homme de Londres. Qu'en pensez-vous?

– Voyons, soyez sérieux. François Tavernier était à Paris la dernière fois que je l'ai vu, depuis, il a complètement disparu. Je suis ici éloignée de tout, et j'ai bien trop de travail pour m'intéresser à un aventurier. Mais, qu'est-ce qui vous prend?... Lâchez-moi!

– Ne me prenez pas pour un imbécile, ma chère, vous auriez tort. Croyez-vous que je n'ai pas remarqué qu'il était amoureux de vous et que vos relations n'étaient pas platoniques?

– Je ne comprends pas ce que vous voulez dire.

– Croyez-vous que j'ai oublié le vilain tour qu'il m'a joué?

– Vous sauvant peut-être la vie.

– C'est possible... mais je n'aime pas être traité de cette façon.

– Allons, Raphaël, ne soyez pas si susceptible. »

Sans s'en rendre compte, ils s'étaient éloignés de la maison et marchaient dans le chemin qui menait à Bellevue, entre les vignes. Les autres ne les avaient pas suivis.

Mahl s'arrêta, regarda autour de lui, l'air soudain las et vieux.

« Qu'il doit être bon de vivre ici! Comme ce lieu me semble propice à l'inspiration! Jamais je ne posséderai un endroit semblable, jamais je ne connaîtrai ce bonheur : écrire en paix avec moi-même et la nature qui m'entoure. Pourquoi faut-il que je sois porté par des forces mauvaises qui m'éloignent de mon moi profond, de l'effort créateur? L'effort est tout, même si l'effort ne mène à rien. Tout est productif immédiatement et néanmoins stérile. Cela n'importe pas. Il y a toujours une joie dans l'effort. Hélas! il me manque suffisamment d'enthousiasme pour être un grand écrivain. La plupart du temps, les écrivains sont des enthousiastes qui se mettent au service des indifférents. On parle comme on veut, on écrit comme on est... »

Quel désespoir chez cet homme apparemment futile, malhonnête et sans scrupules! Comme à chaque fois qu'elle avait perçu cette souffrance de ne pas être le grand écrivain dont il avait toujours rêvé, Léa sentit pour lui une tendresse qu'elle n'arrivait pas à maîtriser.

« Regardez ces champs, ces bois! Que l'homme et son œuvre disparaissent d'un seul coup et la terre continuera comme si de rien n'était. L'inutilité de l'homme me paraît flagrante dans les vues de l'Infini. Inutile et médiocre. Un jour, j'écrirai un *Eloge de la médiocrité* – peut-être vous l'ai-je dit, déjà. Je passe mon temps à raconter les livres que je n'écris pas. Bon sujet, non? A moins que je ne fasse une anthologie des horreurs commises par l'homme. Sujet inépuisable. Mais la gloire de l'homme, c'est d'avoir su extraire de l'horreur la beauté... Une des raisons qui m'ont le plus empêché de croire en un Dieu bon, attentif, instruit de nous dans tous les détails, c'est moi-même. Je me dis que si Dieu était tout cela, il ne permettrait pas que je sois, ni surtout que je sois comme je suis. Parfois mon corps tout entier est gonflé de larmes que mes yeux ne suffisent pas à égoutter et dont je ne sais comment me vider. »

Il pleurait en disant cela et le spectacle était parfaitement insupportable.

« Vous me méprisez, n'est-ce pas? Vous avez bien raison. Jamais vous ne me mépriserez autant que moi-même... Je préfère votre mépris à votre compassion. Je hais l'effroyable mollesse de la compassion... Rentrons, nos amis vont se demander ce que nous complotons.

– Pourquoi êtes-vous venu, Raphaël? »

Avant de répondre, il sortit sa pochette et essuya ses yeux.

« Je vous l'ai dit : j'ai eu envie de vous voir.

– Il y a une autre raison.

– Peut-être, allez savoir? Qu'est devenue notre amie Sarah? »

Léa se raidit.

« Non!... Ne vous méprenez pas, je ne suis pas ici pour me renseigner sur elle, je vous demande simplement si vous avez de ses nouvelles car c'est quelqu'un que j'aime bien.

– Je n'en sais rien.

– Espérons qu'elle s'en soit tirée. Etes-vous tout à fait sûre de votre ami Mathias Fayard? »

« Nous y voilà », pensa-t-elle.

« Pas plus que de vous.

– Et vous avez raison, fit-il sans sourciller. Ses amis sont persuadés que vous travaillez pour la Résistance. Je leur ai affirmé le contraire. Je ne pense pas qu'ils m'aient cru.

– Pourquoi me dites-vous ça?

– Parce que je vous aime bien et que j'aurais de la peine s'il vous arrivait quelque chose. »

La simplicité avec laquelle il avait dit ça avait l'accent de la sincérité. Léa passa son bras sous le sien.

« Raphaël, tout est si compliqué en ce moment. Je me sens si seule ici entre Camille malade, ma tante geignarde, ma sœur qui s'ennuie, les Fayard qui attendent le moment de me prendre Montillac, il n'y a que Ruth que je sente vraiment solide.

– Vous avez votre famille de Bordeaux.

– Je veux avoir affaire à eux le moins possible.

– Et votre oncle religieux? »

Léa lâcha son bras.

« Vous n'êtes sûrement pas sans savoir qu'il a disparu et qu'il est recherché par la Gestapo.

– C'est vrai, j'oubliais!... Pardonnez-moi. J'ai cru l'apercevoir peu de temps après mon arrivée à Bordeaux, il avait beaucoup changé et puis, l'absence de la robe...

– Quand vous m'avez parlé de lui la première fois, vous le connaissiez déjà?

– J'avais assisté à ses prêches du Carême à Notre-Dame. J'avais beaucoup aimé la façon dont il parlait de la Grâce et de la dévotion à la Vierge. A l'époque, je désirais lui être présenté, mais la chose ne s'est pas faite. Je l'ai beaucoup regretté.

– Donc il ne vous connaît pas?

– Non.

– C'est dommage, quelqu'un comme vous l'aurait intéressé.

– Qui sait, nous nous rencontrerons peut-être un jour... La vie est si étrange.

– Je l'aime énormément, il me manque beaucoup. Je ne l'ai pas revu depuis l'enterrement de mon père.

– On m'a parlé à Bordeaux de cet enterrement. Bizarre, non, que la Gestapo ne l'ait pas arrêté avec le mari de votre amie?

– C'est à cause de mon oncle Luc.

– C'est vrai que les positions prises par maître Delmas, le mariage de sa fille avec un haut officier allemand, le prochain mariage de votre sœur avec le commandant Kramer créent des liens avec les occupants dont ils doivent tenir compte.

– J'en ai assez honte.

– Voilà une chose qu'il ne faudra pas répéter à des oreilles indiscrètes...

– Ce que vous allez vous empresser de faire, je suppose?

– Ma pauvre amie, vous vous méprenez toujours à mon sujet. Vous savez bien que je n'agis que par intérêt. Lequel aurais-je à dénoncer vos sympathies? Tout le monde les connaît. Si encore vous cachiez des Anglais et des résistants!... mais ce n'est pas le cas. Car ce n'est pas le cas, n'est-ce pas? »

Léa éclata de rire.

« Vous savez bien que vous seriez le dernier à qui je le dirais.

– Et vous auriez raison. »

Ils arrivèrent, bras dessus bras dessous, riant, dans la cour de la maison où se tenaient Camille, Laure, Mathias et les trois jeunes gens.

« Ah! vous voilà, fit l'un d'eux. On se demandait où vous étiez passés. Nous devons partir, nous sommes attendus.

– C'est vrai, où avais-je la tête! J'avais complètement oublié... Léa, merci de votre accueil. Si vous venez à Bordeaux ne manquez pas de venir me voir. Je suis descendu au Majestic, rue Esprit-des-Lois. C'est très agréable, il y a de beaux meubles anciens.

– Vous restez longtemps à Bordeaux?

– Ça dépendra si j'arrive à placer quelques articles à *La Petite Gironde* ou à *La France*. Sinon...

– Sinon?... »

Raphaël Mahl ne répondit pas. Il baisa la main de Camille et embrassa Laure sur les deux joues. Les jeunes gens saluèrent poliment. Les trois femmes embrassèrent Mathias.

Dans la nuit, Adrien Delmas quitta Montillac après avoir indiqué à Léa que des armes étaient cachées dans une des chapelles du calvaire de Verdelais; celle de la septième station, en déplaçant la dalle fendue à droite en entrant.

« Ne va les chercher qu'en cas d'absolue urgence. Il y a dix fusils et vingt pistolets dont tu dois savoir te servir.

– J'espère.

– Parfait. Il y a aussi des grenades et un fusil mitrailleur. N'y touche pas.

– Quand reviendras-tu?

– Dès que Félix me dira que l'on peut transporter Lucien sans danger. En attendant, redouble de prudence. La visite d'aujourd'hui est des plus inquiétantes, d'autant que l'ennemi est dans la place.

– L'ennemi?

– Oui, le père Fayard. Il connaît chaque recoin de la propriété et circule partout sans qu'on le remarque tant il fait partie du paysage. Quant aux trois garçons qui étaient avec Mathias, ils sont très connus de nous. L'un d'eux a même été condamné à mort et sera probablement exécuté prochainement.

– Qu'a-t-il fait?

– Dénonciations, vols, viols, tortures et meurtres en tout genre. Je sais qu'il a abattu un juif, de sa main, pour le voler. Il connaissait ce malheureux depuis son enfance.

– Tu en parles comme si toi aussi tu le connaissais...

– Sa mère était bonne à tout faire chez un de mes amis, médecin au Bouscat. Comme le petit n'avait pas de père, mon ami s'en est beaucoup occupé. Mais il n'a eu que des déboires... A l'arrivée des Allemands, il a immédiatement été proposer ses services rue du Chapeau-Rouge moyennant une solide rétribution. Garde du corps d'abord, il est peu à peu monté en grade auprès de ses employeurs. Actuellement, Poinsot, Dohse et Luther l'utilisent... Il s'est montré particulièrement efficace dans la nuit du 19 au 20 octobre, au cours de l'opération qui « devait purger la région de toute présence de juifs étrangers ». Avec l'aide de la police, il a participé à l'arrestation de soixante-treize juifs, hommes, femmes et enfants qui, pour la plupart, ont été déportés. Il en a profité pour dépouiller des vieillards chez qui sa mère avait été domestique. Il a fait du bon travail... A tel point qu'il a été félicité par le commandant Luther en personne dans la belle maison du 224, avenue du Médoc, devenue avenue du maréchal Pétain, juste en face le 197, où Camille a fait connaissance avec leurs méthodes. Le drôle a eu l'audace, en sortant de cette entrevue, de venir voir sa mère et de se moquer de la peur des youpins qu'il avait tirés du lit... Mon ami a failli le tuer comme une bête malfaisante. Fou de colère, il s'est contenté de le jeter dehors à coups de pied dans le derrière. Une fois dehors, le gamin a juré qu'il l'abattrait. J'ai conseillé à mon ami de quitter Bordeaux, il a refusé en me disant que sa place était ici... C'est chez lui que j'ai rencontré le chef des F.T.P. qui, par une étrange coïncidence, habitait à six cents mètres du siège de la Gestapo. Le Bouscat est une sorte de plaque tournante de la répression comme de la Résistance...

– Lequel est-ce des trois?

– Maurice Fiaux.

– Ce n'est pas possible! A le voir, il n'a pas l'air d'une brute.

– C'est bien là ce qui le rend redoutable : il a l'air d'un bon jeune homme assez joli garçon.

– Et Mathias est au courant de tout ça?

– Non. C'est encore une nouvelle recrue, ils se méfient. Ils ne lui feront confiance qu'après l'avoir mis à l'épreuve.

– Que veux-tu dire par là?

– Quand il aura dénoncé, torturé ou exécuté quelqu'un. Il a déjà commencé... Encore quelques semaines et il sera un salaud absolu. Irrécupérable.

– Comme tu as changé, oncle Adrien!... Autrefois, tu m'aurais dit de prier... Que même chez la plus mauvaise des créatures, il y a une part d'innocence qui sommeille, et maintenant... on dirait que tu ne crois plus en rien, même pas en Dieu. »

Chacun des mots de Léa était comme un coup de couteau dans l'âme endolorie du dominicain. Il se détourna de sa nièce, vérifia le bon fonctionnement de son arme, enfonça jusqu'aux sourcils son béret basque, prit une petite valise de carton bouilli contenant du linge, des livres et quelques provisions et se dirigea vers la porte.

Léa eut alors un geste complètement inattendu de la part de quelqu'un qui ne croyait plus, elle se laissa tomber aux pieds de son oncle en lui disant :

« Bénis-moi. »

Adrien hésita une seconde puis s'exécuta.

Quand ses doigts tracèrent au-dessus de la tête de l'enfant chérie le signe de la croix, un grand apaisement se fit en lui. Il releva Léa et l'embrassa.

« Merci », murmura-t-il en s'éloignant dans la nuit.

18

« J'AI invité Maurice Fiaux à déjeuner. »

De stupeur, Léa laissa tomber la casserole de lait qu'elle tenait à la main.

« Oh! que tu es maladroite, s'exclama Laure. Tout ce bon lait de perdu. »

Une paire de claques lui rejeta la tête en arrière. Des larmes apparurent dans les yeux bleus de la plus jeune des filles Delmas qui dit à sa sœur avec plus de surprise que de colère :

« Qu'est-ce qui te prend!... Tu es folle! tu m'as fait très mal.

– Et je vais continuer si tu ne décommandes pas ce déjeuner.

– J'ai le droit d'inviter qui je veux!

– Non!

– Et pourquoi? Tu n'es pas l'unique propriétaire de Montillac que je sache!

– Sais-tu qui est Maurice Fiaux?

– Je sais très bien que nous avons cru qu'il nous surveillait à cause de ces histoires de Résistance. Ce n'était pas du tout ça.

– Que veux-tu dire? »

Laure baissa la tête, essuya ses yeux en minaudant, les joues marquées des cinq doigts de Léa.

« C'était moi qu'il suivait.

– Toi?

– Oui, moi!... Il n'y a pas que toi qui plaises aux garçons. Je ne suis plus la petite fille d'avant la guerre. J'ai grandi.

– Restons calmes. Que tu plaises aux garçons, je n'en doute pas. Mais tu n'as quand même pas cru ce que celui-là te racontait?... Tu l'as revu?

– Oui, ce matin à Langon. Il est charmant, drôle, bien élevé. Il est en vacances chez ses grands-parents... Après Pâques, il retournera à Bordeaux. Il doit travailler pour aider sa mère. »

Léa leva les yeux au ciel.

« C'est trop touchant!... Et que fait ce bon jeune homme?

– Je ne sais pas... Je n'ai pas très bien compris... Il est dans les affaires.

– Les affaires! Voilà un mot commode pour recouvrir n'importe quoi. Je vais te dire quelles sont les affaires dont s'occupe ton joli cœur : il travaille pour la Gestapo.

– Je ne te crois pas!

– Moi non plus je ne voulais pas le croire... C'est oncle Adrien qui me l'a dit. Il a torturé et tué plusieurs personnes. En l'invitant ici, tu es tombée dans le piège et tu nous fais courir de graves dangers. As-tu pensé à Lucien?... A ce qui se passerait si on le découvrait? »

La pâleur qui avait envahi le visage de Laure faisait ressortir les marques sur ses joues. Elle restait debout, bras ballants, appuyée contre la cuisinière, trop hébétée pour se rendre compte que l'abondance de ses larmes avait mouillé son chemisier blanc... Léa eut pitié d'elle et lui mit la main sur l'épaule. Ce geste transforma ses pleurs en gros sanglots d'enfant.

« Je ne savais pas!...

– Laure, Léa qu'est-il arrivé? Que se passe-t-il? demanda Camille qui venait d'entrer.

– Cette petite sotte a invité Maurice Fiaux, demain à déjeuner.

– Oh! mon Dieu! »

Durant quelques instants, on n'entendit que les hoquetements de Laure et le tic-tac de la pendule. Camille réagit la première.

« Cela ne sert à rien de se lamenter. Il faut trouver une solution.

– Je lui ai dit de le décommander.

– Surtout pas! il se douterait que nous nous méfions de lui. Au contraire, l'invitation doit être maintenue. A nous de lui faire croire qu'il se trompe sur nous.

– Tu oublies Lucien!

– Non, c'est à lui d'abord que je pense. Il doit partir d'ici.

– Mais il est loin d'être guéri!

– Je le sais.

– Alors?

– Viens, j'ai une idée. Laure, demain il faudra faire comme si de rien n'était, comme si tu croyais toujours que c'est un jeune homme fréquentable, dit Camille en entraînant Léa.

– Oui », balbutia la pauvre fille.

Les deux jeunes femmes sortirent de la maison par le côté nord.

« Faisons quelques pas à travers les vignes. Là nous sommes sûres de ne pas être entendues. »

Elles marchèrent en silence, Camille s'appuyant au bras de Léa.

Le soleil d'avril enveloppait la campagne de sa lumière aigrelette qui donnait à la vigne, à la maison de Sidonie, aux arbres à peine verdoyants du calvaire, un relief étonnant et l'impression qu'il suffisait d'étendre la main pour les toucher.

« Comment une telle paix montant de la terre ne se communique-t-elle pas aux hommes? fit Camille en ralentissant.

– Quelle est ton idée?

– Cacher Lucien dans le grenier de Sidonie.

– Dans le grenier de Sidonie!
– Oui. On peut lui faire confiance, elle déteste les Allemands.
– C'est beaucoup trop près de Montillac!
– Justement. Jamais ils ne penseront qu'on peut cacher quelqu'un aussi près. »
Léa réfléchit.
« Tu as peut-être raison. S'il s'agissait de quelqu'un d'autre que Sidonie, je te dirais que sa haine des Allemands n'est pas une raison suffisante pour lui faire confiance. Mais s'agissant de Sidonie...
– Allons la voir. Elle est chez elle, il y a de la fumée qui sort de sa cheminée. »

De la maison de Sidonie, on dominait tout le pays alentour et certains jours, prétendait la vieille femme, on voyait jusqu'à la mer.
Comme à son habitude, elle accueillit les visiteurs avec joie leur offrant l'inévitable liqueur de cassis de sa fabrication qu'il n'était pas question de refuser.
« Té! madame Camille. Ça fait plaisir de vous voir vaillante. Toi, ma Léa, tu as petite mine. C'est toi qui as été malade, que j'ai vu par deux fois le docteur Blanchard entrer à Montillac? »
Du pas de sa porte, rien de ce qui se passait dans la demeure, où elle avait servi durant de nombreuses années, ne lui échappait.
« Non, Sidonie, c'était pour Lucien.
– Pauvre petit! mais je croyais qu'il était dans le maquis?
– Il a été très grièvement blessé. Ça va mieux, mais il ne peut pas rester à Montillac, ce serait trop dangereux pour lui. Il est trop faible pour regagner le maquis tout de suite. Nous venons te demander si tu accepterais de le cacher durant quelques jours dans ton grenier.

– Comme si c'était la peine de le demander!...
– Mais ça peut être grave pour toi si les Allemands venaient à le savoir.
– C'est pas la question. Quand me l'amenez-vous?
– Cette nuit.
– Très bien. Qui saura où il se trouve?
– Si nous pouvons éviter de le dire à sa mère, nous trois seulement.
– Il peut marcher?
– Je pense, mais il va falloir passer le long des cyprès où le chemin est moins bon.
– Je viendrai au-devant de vous. Je vous attendrai dans la troisième rège de vigne en partant du potager. »
Léa finit son verre de cassis et dit en l'embrassant.
« Merci, Sidonie.
– Y a pas de quoi, petite... Tu crois pas que je laisserais prendre par ces sales Boches un enfant de la famille de monsieur Pierre? »

Sur le chemin du retour, Léa et Camille n'échangèrent que quelques paroles. En arrivant près de la maison, Camille dit :
« Pas un mot à Laure de notre visite.
– Comment peux-tu croire que Laure dirait où est caché Lucien!
– Je me méfie d'une jeune fille amoureuse. »
Léa la regarda sans comprendre.
« Tu ne penses pas?...
– Il faut tout envisager. Laure s'ennuie. Ses amis sont à Bordeaux, nous ne voyons personne. Il est bien normal qu'elle ait été sensible à la cour de ce garçon.
– Mais il se sert d'elle!
– Probablement. A nous de l'en convaincre... Je vais lui parler. »

La nuit était très noire, un vent tiède soufflait des Landes. Trois silhouettes sombres s'avançaient le long de l'allée de cyprès.

« Ça va? Tu n'as pas trop mal, mon chéri? chuchota une voix anxieuse.

– Non, maman... Ça va.

– Chut! taisez-vous! J'ai l'impression que l'on vient. »

Tous s'immobilisèrent.

Le bruit d'un pas heurtant des pierres et écrasant des brindilles se faisait entendre dans le chemin bordant les vignes en contrebas de l'allée de cyprès.

« Vite, baissez-vous! »

Les pas s'éloignèrent, réguliers et calmes.

« Lucien, Léa. Qui était-ce?

– Fayard. Il fait quelquefois des rondes pour voir si tout va bien. Mais je n'aime pas ça.

– Pourquoi n'a-t-il pas son chien avec lui? demanda à voix basse Lucien.

– Oui, en effet... C'est curieux. Il a peut-être peur que le chien fasse trop de boucan en débusquant du gibier.

– Ne faites pas tant de bruit! Il va finir par nous entendre. »

Ils restèrent immobiles quelques instants puis entrèrent dans la vigne.

« Ah! vous voilà! Je commençais à me faire du mauvais sang. Madame Bernadette!... Vous n'auriez pas dû venir.

– Ne craignez rien, je saurai me taire.

– Je comprends, madame Bernadette, je comprends...

– Dépêchons-nous, je suis fatigué », dit Lucien avançant soutenu par sa mère et sa cousine.

Ils marchèrent un moment en silence.

« Sidonie, je vous remercie de bien vouloir cacher mon fils chez vous.

– C'est normal, madame Bernadette. J'ai prévenu le docteur Blanchard que Lucien était maintenant à Bellevue. Il passera demain matin, pour soigner mes rhumatismes.

– Oh! mon Dieu!... » s'exclama Bernadette Bouchardeau.

Lucien avait failli tomber.

« Tu t'es fait mal, mon petit?

– Non, maman... Non. Mes mains me font un peu souffrir, c'est tout.

– On est bientôt arrivés. »

Sur la table de la modeste salle commune de la maison, Sidonie avait disposé une collation qu'ils prirent à la lueur du feu et d'une bougie. Un peu réconforté par le vin, Lucien se leva.

« Maman, maintenant, tu dois partir et me promettre de ne pas revenir ici tant que Sidonie ou le docteur Blanchard ne t'auront pas fait signe.

– Mais, mon petit!...

– Maman, s'ils me prennent, ils me tortureront, je dénoncerai mes camarades... J'ai déjà tant souffert, je souffre tellement encore, je ne supporterai pas de nouvelles souffrances. Tu comprends? »

Bernadette Bouchardeau pleurait tête baissée, tortillant entre ses doigts son mouchoir humide.

« Je ferai comme tu veux.

– Merci. Je savais que je pouvais compter sur toi, dit-il en l'enlaçant entre ses mains entourées d'énormes bandages blancs.

– Ne vous inquiétez pas, madame Bernadette, je veillerai sur lui comme sur mon petit.

– Tu n'as pas besoin que l'on t'aide à monter au grenier? demanda Léa.

– Non, merci. Au revoir, Léa, prends bien soin de toi.

– Au revoir, Lucien », fit-elle en l'embrassant.

Dehors, une pluie fine s'était mise à tomber. Il faisait très sombre et les deux femmes se tordaient les pieds dans les ornières. Jusqu'à Montillac, elles n'échangèrent pas une parole. Toujours en silence, elles s'embrassèrent au bas de l'escalier qui menait aux chambres. Comme peinant sous le poids d'un lourd fardeau, Bernadette Bouchardeau monta pesamment les marches.

Léa ferma la porte à clef et poussa le solide verrou. Elle vérifia dans le salon que les fenêtres étaient bien fermées. Ces gestes quotidiens, accomplis dans le noir, la firent sourire : « Chaque soir, je fais les mêmes choses que mon père : vérifier que fenêtres et portes soient bien closes. Inutile d'aller dans le bureau, elle y était passée avant d'aller à Bellevue. Mais!... Zut, j'ai oublié d'éteindre la petite lampe! »

« Oh! »

Installés confortablement de part et d'autre de la cheminée où des braises finissaient de se consumer, Camille et François Tavernier devisaient calmement.

Pétrifiée, Léa restait dans l'embrasure de la porte.

D'un bond, François fut près d'elle, lui faisant mal tant il la serrait contre lui. Il était là... Il était venu... Elle n'avait plus peur, il la protégerait...

« Bon, je vous laisse. Vous voyez bien que Léa est heureuse de vous revoir », fit Camille en se levant.

Tenant toujours Léa contre lui, François prit la main de la jeune femme et la baisa.

« Merci, madame d'Argilat, de m'avoir tenu compagnie malgré votre fatigue.

– Ruth vous a installé dans la chambre aux oiseaux, Léa vous montrera. Bonne nuit. »

Ils se dévoraient des yeux, incrédules, n'en revenant pas d'éprouver tant de plaisir dans la contemplation de l'autre. De sa grande main, il dessinait les contours de son visage, de son cou, de ses lèvres. Léa se laissait faire, attentive à la volupté qui naissait sous ce léger effleurement. Enfin sa bouche prit la sienne. Le profond baiser les faisait trembler. Lentement les mains, belles et savantes, retiraient ses vêtements... Elle caressait la nuque penchée tandis qu'il roulait ses bas. Elle s'appuyait à son épaule en lui abandonnant son pied. Bientôt elle fut nue, splendidement nue. Son corps, éclairé par les dernières lueurs des braises, donnait, malgré sa gracilité, une impression de force sauvage, de puissance à la fois fragile et indestructible. A ses pieds, le visage levé, il la regardait, fasciné. Léa le releva et, à son tour, le déshabilla. Mais ses doigts trop impatients étaient malhabiles. En souriant, doucement, il les repoussa et en un rien de temps fut nu, aucunement gêné par son sexe dressé. Il la souleva et la transporta sur le vieux canapé où si souvent, petite fille, son père avait consolé ses chagrins. L'espace d'un instant, l'odeur du cuir et son contact la ramenèrent au temps de son enfance. L'image de son père surgit derrière ses paupières baissées. Brutalement, elle ouvrit les yeux. Penché sur elle, François murmurait son nom.

« Viens », fit-elle.

Longtemps ils firent l'amour, leur désir sans cesse renaissant. A l'aube, épuisés, le sexe douloureux, ils sombrèrent dans un court sommeil.

Les premières lueurs du jour les réveillèrent.

Titubant, avec des fous rires, ils s'habillèrent.

Léa poussa François dans la chambre aux oiseaux que l'on donnait aux amis et referma la porte sur eux. Ils arrachèrent leurs vêtements et se précipitèrent dans le lit sous le vaste édredon de satinette vieil or. L'un contre l'autre, ils se rendormirent immédiatement.

« Léa, Léa, réveille-toi... Mais, où est-elle? »

Laure frappa à une porte.

« Bonjour, Camille, excuse-moi, tu n'as pas vu Léa?

Il est bientôt midi, Maurice ne va pas tarder à arriver.

– Bonjour, Laure. Non, je ne l'ai pas encore vue. Elle est certainement dans le jardin ou au potager.

– Non, j'y suis allée. Elle ne doit pas être loin, sa bicyclette est là... Elle est peut-être chez son ami qui est arrivé hier soir?... Tu ne trouves pas bizarre ces gens qui arrivent sans prévenir, en pleine nuit?

– Monsieur Tavernier a toujours été un original...

– Oh! excuse-moi! J'ai oublié mes œufs au lait dans le four... »

Dès qu'elle fut partie, Camille alla frapper à la porte de la chambre aux oiseaux.

« Monsieur Tavernier, il faut vous lever, il est midi.

– Merci, madame d'Argilat, je me lève... Mon amour, réveille-toi. »

Léa entrouvrit un œil et s'étira.

« J'ai sommeil...

– Ma chérie, il faut se lever. Il est midi.

– Midi! »

D'un bond, elle fut debout.

« Vite, vite, nous n'avons pas une minute à perdre. L'invité de Laure va arriver.

– Il attendra un peu.

– Oh! non, je préfère qu'il n'attende pas. Mais vous!... Vous ne pouvez pas rester là.

– Mais pourquoi? Aurais-tu honte de moi? fit-il en la faisant tomber sur le lit.

– Non, ne fais pas l'idiot. C'est très important. Où est ma jupe?... Je ne trouve qu'un bas... et mes chaussures... Aide-moi.

– Tiens, j'ai trouvé ça. »

Elle lui arracha sa combinaison des mains.

« Habillez-vous vite, je vais me changer et je vous rejoins. »

Il tenta de la saisir, mais, rapide, elle lui échappa.

Quand elle revint dans la chambre, vêtue d'une courte robe de lainage bleu ayant appartenu à sa mère et que Ruth avait transformée, les cheveux relevés dégageant sa nuque, François, les joues rasées, finissait de nouer sa cravate.

« Que tu es belle! »

Il enfila sa veste.

« Comme vous êtes élégant!... Pour un peu on croirait que vous vous habillez à Londres.

– Je n'irai pas pousser la provocation jusque-là. Mais il existe encore d'excellents tailleurs à Paris, il suffit d'y mettre le prix... Parle-moi de cet invité dont la venue a l'air de te mettre dans tous tes états. »

Brièvement, Léa lui raconta ce que lui avait appris son oncle et ce qu'elle avait entendu dire de la bande Maurice Fiaux. Elle lui parla aussi de Mathias et de la visite de Raphaël Mahl.

« Il est encore en vie, celui-là? l'interrompit François.

– Il est tout ce qu'il y a de plus vivant... Mais Maurice Fiaux, l'invité de Laure, est le pire de tous. Voilà pourquoi je pense qu'il vaut mieux qu'il ne vous rencontre pas. Tu comprends?

– Avant toute chose, Léa, vous me tutoyez ou tu me vouvoies?

– Avec toi, j'aime bien le vous », dit-elle en lui tendant ses lèvres.

Le bruit d'une galopade dans l'escalier, des appels les séparèrent. Léa entrouvrit la porte.

« J'arrive.

– Dites-lui de rajouter un couvert.

– Mais...

– Faites ce que je vous demande.

– Laure?...

– Oui!

– As-tu pensé à rajouter un couvert pour M. Tavernier?

– Evidemment! »

Léa referma la porte.

« Mais vous êtes fou!... S'il allait deviner.

– Deviner quoi?

– Que vous êtes dans la Résistance.

– Bof! »

Léa tapa du pied.

« Vous m'agacez à la fin! Comment dois-je vous présenter?

– Dites que je suis un homme d'affaires parisien qui rend visite à un collègue bordelais et que j'en ai profité pour venir vous saluer.

– Mais, quand il reverra Raphaël...

– Ne vous inquiétez pas de Raphaël, il est surtout dangereux pour lui-même. Venez, mon cœur, j'ai hâte de voir à quoi ressemble un gestapiste français de Bordeaux. »

En bas de l'escalier, ils se heurtèrent à Laure.

« Il vient d'arriver!... Léa, je n'arrive pas à croire ce que tu m'as dit.

– Petite sœur, c'est la vérité. N'oublie pas que notre vie à tous et la tienne dépendent de ton attitude.

– Oui, soupira-t-elle. Où est Lucien? Camille m'a dit qu'il était parti hier soir?

– Je ne sais pas. Des amis à lui sont venus le chercher. Allons rejoindre ton invité... Ah! je te présente un ami de Paris : François Tavernier.

– Bonjour, mademoiselle.

– Bonjour, monsieur. »

Ensemble, ils entrèrent dans le salon où se tenaient déjà Bernadette Bouchardeau, Camille et Ruth qui remplissait des verres du vin blanc sucré de Montillac.

« Enfin, vous voilà, s'exclama Bernadette d'un ton faussement détendu, nous allions trinquer sans vous.

– François, permettez-moi de vous présenter un des

amis de Laure, monsieur Fiaux. Maurice... vous permettez que je vous appelle Maurice?... je vous présente monsieur Tavernier, un vieil ami parisien, qui nous a fait le plaisir de nous rendre visite à l'occasion d'un voyage à Bordeaux.

– Bonjour, monsieur. C'est à vous la traction que j'ai vue?

– Oui... si l'on veut... mon correspondant à Bordeaux me l'a prêtée pour venir jusqu'ici.

– Vous vous occupez de vins, monsieur?

– Je m'occupe de tout ce qui est à vendre, cela va du vin aux métaux, en passant par les tissus et les denrées alimentaires.

– Vous n'avez pas trop de difficultés à vous approvisionner?

– Non, j'ai quelques relations dans les milieux gouvernementaux. A Vichy, il m'arrive de déjeuner avec Pierre Laval et à Paris... avec quelques accommodements... Vous voyez ce que je veux dire?... On peut faire de très bonnes affaires. »

Maurice Fiaux vida son verre l'air songeur.

François remarqua avec un air amusé que le vin de Montillac était bien meilleur à Montillac qu'à Paris.

« A table, fit d'un air enjoué Laure, mon soufflé va retomber. »

Ce déjeuner!... Jamais Léa la gourmande n'aurait pensé qu'un repas puisse lui paraître aussi long. Elle avait eu le plus grand mal à finir son poulet, elle en avait laissé un bon morceau dans son assiette. Par contre, elle avait beaucoup bu. Maurice Fiaux aussi.

Habilement, Tavernier l'avait fait parler de lui, de ce qu'il faisait. D'abord avec prudence puis, le vin aidant, le jeune homme s'était un peu découvert parlant de son travail à la préfecture.

« Je vérifie que l'adresse des juifs qui doivent être arrêtés est bien exacte... que les membres de la famille sont bien au complet. C'est un travail de confiance car certains des policiers chargés de cette mission en ont laissé filer quelques-uns », avait-il dit avec suffisance.

Léa avait failli crier quand elle avait senti un pied frôler le sien. C'était celui de François qui disait en souriant :

« Cette conscience professionnelle vous honore. Ah! si tous les jeunes gens étaient comme vous... la France, avec l'aide de l'Allemagne, redeviendrait un grand pays.

– Il n'est pas nécessaire d'être nombreux. Une poignée d'hommes déterminés suffira à éliminer la racaille juive.

– Savez-vous où on les conduit? avait demandé Laure d'une voix douce.

– A Drancy, je crois, et puis de là dans des camps de travail en Allemagne mais on pourrait tout aussi bien les envoyer en enfer que cela me serait totalement indifférent.

– Et les enfants, ils travaillent aussi là-bas? avait murmuré Camille.

– Non, madame, c'est par humanité qu'on ne les sépare pas de leur mère. »

Quand il avait parlé de « racaille juive », Léa avait revu le visage brûlé, le corps torturé de Sarah, réentendu la voix rauque au léger accent : « Les nazis veulent nous tuer tous... femmes et enfants compris. »

Avec quel soulagement elle l'avait vu se lever.

« Excusez-moi, je dois partir, on m'attend... Pour affaires », avait-il avec un léger ricanement.

Il les avait tous salués avec effusion. Laure l'avait accompagné jusqu'à sa voiture. Personne n'avait dit un mot jusqu'au retour de Laure qui s'était jetée en pleurant dans les bras de Ruth.

« Je ne veux plus le voir... Je ne veux plus le voir », hoquetait-elle.

Camille, Léa et François étaient descendus lentement vers la terrasse où, en silence, ils avaient laissé l'air humide et parfumé d'avril tenter de chasser leurs noires pensées.

Dans l'après-midi, le docteur Blanchard passa donner des nouvelles de Lucien. Le garçon allait aussi bien que possible. Il attira Léa à part.

« Raoul et Jean Lefèvre m'ont remis cette lettre pour toi. »

Un éclair de joie éclaira le joli visage.

« Raoul et Jean?... Vous les avez vus?

– Oui.

– Comment vont-ils?

– Très bien. Si tu veux les voir, viens chez moi demain à l'heure de la consultation. »

Léa ouvrit la lettre et lut :

« Reine de notre cœur, ta pensée nous aide à vivre. De te savoir si proche de nous nous rend fous, et nous ne résistons pas au désir de te contempler. Viens vite, nous t'attendons dans l'impatience et dans l'angoisse. Tes esclaves dévoués. J. et R. »

Elle sourit.

« Une bonne nouvelle? demanda François Tavernier.

– Vous vous souvenez du garçon qui m'attendait dans l'église Saint-Eustache avec *La Petite Gironde* sous le bras?

– Jean Lefèvre?

– Oui, cette lettre est de lui et de son frère. Je suis contente!... J'avais tellement peur que Raoul ait été tué ou blessé au cours de son évasion.

– Vous êtes sûre que c'est son écriture?

– C'est non seulement son écriture, mais le docteur

Blanchard m'a dit qu'ils étaient chez lui et que je pouvais venir les voir demain.

– N'y allez pas!

– Pourquoi?

– Je n'en sais rien. Il y a quelque chose qui cloche dans tout ça.

– C'est normal qu'ils aient envie de me voir... A force de fréquenter des gens comme vos amis de Paris, vous voyez des traîtres et des salauds partout.

– Vous avez sans doute raison. Allons faire un tour au fameux calvaire, où vous jouiez enfant. »

Léa rougit en repensant au jeu moins enfantin auquel elle avait joué dans une des chapelles avec Mathias.

François le remarqua.

« Dites-moi, coquine, auriez-vous joué à autre chose qu'à cache-cache?

– Passons par la sapinière, comme ça nous éviterons Bellevue. »

Dès qu'ils furent sous les arbres, à l'abri des regards, les deux amants s'enlacèrent et descendirent lentement les pentes du calvaire, s'arrêtant à chacune des stations du chemin de croix pour regarder les chapelles de pierre. Devant la septième station, Léa ne dit rien. Ils arrivèrent dans le sentier très raide qui longeait le cimetière. La porte était ouverte, ils entrèrent. Il y avait bien longtemps que Léa n'était pas venue sur la tombe de ses parents, elle s'en fit le reproche. Mais la tombe ne semblait pas souffrir de son abandon. De beaux cyclamens blancs, comme les aimait sa mère, étaient posés sur la dalle. Il n'y avait que Ruth pour avoir ce culte du souvenir et de l'amitié.

Le poids de leur absence l'inclina vers la terre cherchant en vain les mots d'une prière.

Un coup de feu claqua.

« Cela vient de la place », s'écria Léa en se redressant.

Elle courut à travers les tombes, glissant sur les graviers des allées abruptes et crevassées. Son mouvement avait été si rapide qu'il surprit son compagnon.

« Léa... Attendez-moi. »

Sans se retourner, elle continua sa course, franchit le portail et dévala les marches qui débouchaient en face de l'église de Verdelais. Elle s'arrêta. Tout était calme, trop calme. La place était déserte, ce qui était inhabituel à cette heure de la journée.

Au moment où Tavernier la rejoignait et lui saisissait le bras, une autre détonation retentit.

« La Gestapo », murmura-t-il en montrant du doigt deux tractions noires garées devant la mercerie de Mlle Blancou.

Le trot d'un cheval et le roulement d'une carriole se firent entendre. François repoussa Léa contre le mur.

« C'est la voiture du docteur Blanchard...

– Vous êtes sûre?

– Tout le monde par ici reconnaît la berline du docteur.

– Nom de Dieu!... »

Au moment où il se redressait, l'attelage passa au grand trot.

« Docteur!... docteur!... »

La voiture continua son chemin, fit le tour au fond de la place et vint se ranger devant la maison voisine de la mercerie. Au même moment, les quatre portières d'une des tractions s'ouvrirent. Trois hommes en complet-veston s'élancèrent fusil mitrailleur en avant. Un officier allemand sortit à son tour sans se presser et se dirigea vers le docteur Blanchard qui finissait d'attacher calmement son cheval au tilleul habituel.

Lentement, François obligeait Léa à reculer... Ils montèrent les marches conduisant à la placette où se trouvait le monument aux morts. Là, ils s'allongèrent à plat ventre sur le sable. D'où ils étaient, ils dominaient la place et la scène dont ils étaient les spectateurs impuissants; les jeunes feuilles des tilleuls ne cachaient pas encore les façades des maisons.

Le temps était comme suspendu au nœud des rênes de cuir autour de l'arbre... Quand il en eut vérifié la solidité, le vieux médecin se retourna.

Les aboiements de l'officier leur parvenaient, confus. Les gestes du docteur Blanchard semblaient indiquer qu'il ne savait pas. Sans doute ne répondait-il pas comme il le fallait car deux des hommes se jetèrent sur lui et le frappèrent de la crosse de leur arme.

Léa voulut bondir. François la maintint sur le sol...

Alors, tout s'accéléra. Des coups de feu partirent de la maison du médecin. Un jeune homme en sortit les mains crispées sur sa poitrine, fit quelques pas et tomba replié sur lui-même près de l'ami du père Adrien dont les cheveux blancs étaient poissés de sang.

« Jean!... » gémit Léa.

Un long cri de femme retentit : c'était la servante du médecin qui, voyant son maître blessé, courait vers lui. Un homme la suivait, bras levés, blessé également au visage.

« Raoul!... »

Deux civils armés tentèrent de repousser la servante. Elle s'accrochait en criant à celui que toute sa vie elle avait servi et aimé. Un méchant coup de pied lui fit lâcher prise... Elle revint à la charge. Un coup de feu claqua par derrière. Le corps lourd s'affaissa. L'homme qui avait tiré portait un chapeau.

« Non!... »

Le sable étouffa le cri de Léa.

Celui du docteur Blanchard parvint jusqu'à eux, terrible.

« Marie!... »

Il s'élança pour lui porter secours. Un coup sur la nuque l'assomma. Deux hommes le soulevèrent et le transportèrent dans une des tractions. Ils firent la même chose avec Jean. Dans la seconde voiture, ils poussèrent Raoul. Les portières claquèrent, les automobiles démarrèrent en soulevant un nuage de poussière. Elles prirent la direction de Saint-Maixant. Une camionnette remplie de soldats allemands surgit et les suivit. Toutes les précautions avaient été prises. La poussière retomba doucement sur le corps de la servante. Le cheval n'avait pas bronché.

Toujours allongé sur le sable de la place du monument aux morts, Tavernier soutenait Léa qui vomissait. Le marchand de médailles, juste en face du monument, accourut vers eux, les yeux roulant dans tous les sens.

« Vous avez vu?... Vous avez vu?... »

Les villageois commençaient à approcher.

« La jeune fille est blessée?

– Non. Pouvez-vous aller me chercher un peu d'eau?

– Oui, bien sûr... »

Il revint avec un seau emprunté au cimetière qu'il remplit d'eau à la pompe. Adossée à un arbre, Léa ne vomissait plus. Son visage barbouillé de sable et de larmes était méconnaissable.

« Vous avez vu?... Vous avez vu? » redemanda le commerçant en déposant près d'eux le seau.

Puis il partit en courant vers la maison du docteur Blanchard.

François trempa son mouchoir dans l'eau et lava la pauvre figure.

« J'ai soif. »

De ses mains, il fit une coupe qu'elle vida avec avidité par trois fois.

« Pourquoi n'avez-vous rien fait?... Nous les avons laissé arrêter et tuer sous nos yeux...

– Nous ne pouvions rien faire... Calmez-vous.
– Je ne veux pas me calmer au contraire, je veux crier... me battre.
– Pour le moment, la meilleure façon de vous battre c'est de retrouver votre sang-froid.
– Si nous avions eu des armes!
– Nous n'en avions pas et nous étions deux contre dix, vingt, peut-être. Armes ou non, nous n'avions aucune chance de les sauver mais la certitude de déclencher un carnage et d'être pris. »
Léa, le visage couvert de larmes, cognait de plus en plus fort sa tête contre le tronc de l'arbre.
« Peut-être... mais nous aurions fait quelque chose.
– Suffit! vous allez vous faire mal. Pensez plutôt à avertir ceux qui peuvent être arrêtés. Vos amis risquent de parler. La règle numéro un dans la clandestinité est de déménager quand les membres d'un réseau sont arrêtés... »
Comme piquée par une guêpe, elle se releva.
« Lucien! Vite. »
Sans un regard vers la place qui s'était remplie de monde, Léa courut vers le chemin du calvaire. Toujours courant, elle arriva à la septième station et entra dans la chapelle, François sur les talons.
« Aidez-moi! Soulevez la dalle cassée. »
François obéit. Sous la pierre brisée, une cache abritait des fusils, des revolvers, des mitraillettes, un pistolet mitrailleur, des grenades et des munitions, enveloppées dans une toile de bâche.
« Quel arsenal! fit-il avec un sifflement admiratif en saisissant une mitraillette. Ce sont des Sten, très bien dans les combats à courte distance, mais terriblement dangereuses entre les mains d'un maladroit. Que faites-vous?
– Vous le voyez bien, je prends les fusils.
– Laissez ça! Vous n'avez pas l'intention de ramener ces armes à Montillac en plein jour?
– Mais...

– Il n'y a pas de mais, mettez une grenade dans chacune de vos poches, moi je prends deux revolvers et trois paquets de balles. Si c'est nécessaire, je reviendrai chercher le reste cette nuit... Remettons cette dalle. »

Après avoir recouvert soigneusement les armes, ils refermèrent la cache. Avec des brindilles, François effaça la trace de leur passage. Quand il eut fini, il prit Léa dans ses bras et l'embrassa.

« Ce n'est pas le moment, laissez-moi.

– Taisez-vous, j'ai cru entendre du bruit... »

Debout, à l'entrée de la chapelle, ils devaient faire une fameuse cible.

« Partons... j'ai dû me tromper. »

Autour d'eux, la colline plantée de chapelles paraissait déserte. Mais comment savoir?... Dans chacune d'elles, quelqu'un pouvait être caché et les observer.

Ils allèrent jusqu'au pied des trois gigantesques croix dominant le panorama. En regardant les deux larrons, François dit, comme se parlant à lui-même :

« Je me suis toujours demandé s'il valait mieux être crucifié à l'aide de clous ou attaché... »

Agacée, Léa se détacha de lui.

« Ça ne vous ennuierait pas de remettre à plus tard ce genre de réflexions? »

Au sortir du bois du calvaire, passé les anciennes mines, le domaine de Montillac s'étalait devant leurs yeux. Sans s'être concertés, ils s'arrêtèrent.

« Tout a l'air normal... Qu'en pensez-vous? demanda Léa.

– Comment savoir?... Ils nous attendent peut-être dans la maison. Je vais aller en avant.

– Non! Je ne veux pas!... Venez, dit-elle en repartant. Je vais m'arrêter à Bellevue. S'il y a quelque chose d'anormal, Sidonie le saura.

– Sidonie? C'est chez elle qu'est caché votre cousin Lucien?

– Qui vous a dit ça?
– Mme d'Argilat. »
Belle, la chienne de Sidonie, vint au-devant d'eux, gambadant et aboyant. Quand ils entrèrent dans la maison, Sidonie reposa sur la table un vieux fusil de chasse.
« Il me semblait bien aux aboiements de Belle que c'était toi, mais quelque chose dans sa voix me disait que tu n'étais pas seule.
– C'est un ami. Tu n'as rien remarqué de particulier du côté de Montillac?
– Non, rien, à part votre invité de midi. C'est monsieur?
– Non. Il est arrivé cette nuit pendant qu'on était ici.
– C'est curieux que j'ai rien entendu... Dis voir, tu as pleuré, toi?
– Oh! Sidonie, fit-elle en se jetant contre la vieille femme.
– Ma petitoune... qu'est-ce qu'il y a?
– Ils ont... tué Marie... et... arrêté le docteur Blanchard...
– Mon Dieu!
– ... et Raoul... et Jean...
– Madame, il n'y a pas un instant à perdre, il faut que Lucien s'en aille de chez vous, il n'est plus en sécurité. »
Sidonie repoussa doucement Léa et se laissa tomber sur une chaise, les narines pincées, le souffle court, une main appuyant sur sa poitrine. De l'autre, elle désignait le buffet. François comprit. Il ouvrit le meuble et trouva sur une étagère une fiole sur laquelle était écrit : dix gouttes en cas de malaise.
« Trouvez-moi de l'eau. »
Léa prit une cruche de terre sur la pierre à évier et versa de l'eau dans le verre que lui tendait François.
« Buvez », fit-il en forçant les lèvres de la malade.
Dehors, Belle grattait à la porte en gémissant.

« Elle ne va pas mourir?
– Non, regardez... elle est moins oppressée. Qu'est-ce que c'est que ce bruit? »
Une trappe au-dessus de leurs têtes glissa entre deux poutres.
« Lucien! cria Léa.
– Va me chercher l'échelle qui est dehors.
– Laissez, fit François Tavernier, j'y vais. »
Il fut rapidement de retour et appuya l'échelle contre l'ouverture. Sans l'aide de ses mains, Lucien descendit.
« J'ai tout entendu. Vous êtes un ami de mon oncle Adrien, n'est-ce pas?
– Oui. Ça va mieux, madame? Vous devriez vous allonger. »
Sidonie se laissa conduire à son lit qui était dans la salle. François l'allongea avec précaution.
« Merci, monsieur. Merci beaucoup... Maintenant occupez-vous de ce garçon. »
Lucien s'approcha et l'embrassa sur le front.
« Je n'oublierai pas, Sidonie. Merci pour tout.
– Allez, allez... Va-t'en.
– Pas tout de suite, il faut attendre la nuit. Avec Léa, nous allons à Montillac chercher la voiture et appeler un médecin.
– Si c'est pour moi, ce n'est pas la peine... Demandez seulement à Mlle Ruth si elle veut bien passer la nuit ici.
– Comme vous voudrez, madame.
– Revenez vite. J'ai l'impression d'être dans un piège, sans aucun moyen de me défendre », fit Lucien en montrant ses bras.

Depuis dix minutes, ils roulaient sans dire un mot, scrutant la route mal éclairée par les phares barbouillés de bleu.
« Où m'emmenez-vous?

– Chez des amis à Saint-Pierre-d'Aurillac, répondit Léa.

– Ils font partie de la Résistance?

– Oui.

– Qui sont-ils?

– Un ancien marin et son frère... Où sommes-nous? Je ne vois rien... Je crois que nous sommes à Gaillard... Oui, c'est ça. Nous allons bientôt arriver. »

Ils sortirent du village, roulèrent quelques instants dans la campagne. Très vite, il y eut de nouvelles maisons.

« Garons-nous sur la petite place derrière l'église. Le café Lafourcade est de l'autre côté de la route en face du monument aux morts. Attendez-moi, je reviens. »

Quelques minutes après, elle était de retour.

« Dépêchez-vous, ils nous attendent. »

Ils traversèrent la route et montèrent les deux marches du café à l'entrée d'une ruelle. Dans la salle mal éclairée, ils distinguèrent des tables de bois, des chaises. Une femme d'une cinquantaine d'années, vêtue de noir, s'avança vers eux :

« Entrez, mes enfants, soyez les bienvenus. Oh! le pauvre petit... Que lui est-il arrivé?

– En manipulant des explosifs, j'ai eu la main arrachée.

– Quel malheur! Viens, assieds-toi. Jeannot, sers à boire. »

Dans le verre épais, le vin rouge et râpeux avait un goût de pierre, laissant au-dessus des lèvres une marque tenace.

Les deux frères, Jeannot et Maxime, dévoraient des yeux cette belle fille assise sur le coin d'une table, qui buvait le vin de leur père.

François Tavernier raconta ce qui s'était passé à Verdelais.

« Nous l'avons appris par un gamin de là-bas qui

fait le courrier... Vous les connaissiez bien, je crois, mademoiselle? »

Léa baissa la tête, incapable d'empêcher ses larmes de couler.

« Oui... Je les connaissais depuis toujours... C'est le docteur Blanchard qui m'avait mise au monde et... Raoul et Jean étaient mes meilleurs amis avant la guerre... Je ne comprends pas...

– Ils ont été trahis. Dès que le docteur Blanchard est parti faire ses visites, une traction est arrivée dans laquelle il y avait un officier allemand et trois civils. Une camionnette remplie de soldats s'est dissimulée en contrebas... Inutile de vous dire que tout le monde s'est barricadé chez soi. Ensuite est arrivée une autre traction conduite par un jeune homme. Il a sonné à la porte du docteur. On est venu lui ouvrir et là, on ne sait pas ce qui s'est passé. Les gens ont entendu deux coups de feu...

– Nous aussi nous les avons entendus.

– ... Vous connaissez la suite.

– Où les a-t-on emmenés? » demanda Léa.

Maxime détourna la tête, c'est son frère Jeannot qui répondit.

« Au Bouscat, au siège de la Gestapo.

– Tous les trois?

– Oui.

– Mais, ils étaient blessés!

– Ces ordures-là s'en foutent... Les blessés, ils les laissent crever dans un coin.

– Il n'y a rien à tenter?

– Pour le moment, non.

– Oh!...

– Exupérance, ne perdez pas courage, un jour, ils paieront pour tout ça, dit Maxime. En attendant nous allons cacher votre blessé, le soigner et le faire passer en Afrique du Nord.

– Vous allez avoir beaucoup de frais, dit Tavernier. Prenez cet argent.

– Monsieur, dit la mère, nous ne faisons pas ça pour de l'argent.

– Je le sais, madame Lafourcade, ce que vous faites n'a pas de prix, mais le chemin de fer et le médecin, eux, en ont... Exupérance, puisque Exupérance il y a, il serait imprudent de rester plus longtemps.

– Il a raison, partez avant le couvre-feu. »

François s'inclina devant Mme Lafourcade.

« Madame, m'accorderez-vous l'honneur de vous embrasser?

– Tout l'honneur est pour moi, fit-elle en riant et en lui donnant des baisers sonores.

– Prenez bien soin de lui, dit Léa en l'embrassant à son tour.

– Ne craignez rien... il est en bonnes mains. »

Jeannot s'assura que la voie était libre et les accompagna jusqu'à la voiture.

Blottie contre François, Léa n'arrivait pas à dormir. Sans cesse défilait devant ses yeux la scène sanglante de l'après-midi. Elle se reprochait de n'avoir pas pensé aux armes. Quelqu'un les avait trahis... Qui pouvait être au courant de la présence des frères Lefèvre chez le docteur Blanchard?... Elle-même ne l'avait appris qu'une heure avant le drame. Qu'avait dit Maurice Fiaux?... « On m'attend pour affaires. » Malgré le chapeau, elle était sûre que c'était lui qui avait abattu Marie et blessé Jean au ventre. C'était donc ça « l'affaire » dont il parlait avec une mine satisfaite. Un tueur, avait dit Adrien. C'était un tueur qui avait jeté ses yeux sur sa petite sœur... Il fallait absolument éloigner Laure de Montillac; elle la devinait, quoique avertie de ce qu'était Maurice Fiaux, subjuguée par lui. Après l'Allemand, le gestapiste!... son père se retournerait dans sa tombe. Enfin, elle s'endormit.

« Léa... Léa... ne craignez rien... Je suis là. Encore votre cauchemar?

– Oui... Ils me poursuivent toujours dans Orléans en flammes... j'appelle... et personne ne vient... ils sont de plus en plus nombreux à vouloir me tuer et cette fois... Maurice Fiaux est avec eux... C'était lui... n'est-ce pas?

– Oui, je crois.

– Comment peut-on tuer avec une telle indifférence? Vous ne trouvez pas ça étrange?

– Etrange?... Non. J'ai connu en Espagne, et maintenant en France, beaucoup d'hommes capables de ça.

– Et vous-même, vous en seriez capable?

– S'il le fallait.

– Vous l'avez déjà fait? »

La rapide crispation qui dérangea le visage de son amant ne lui échappa pas.

« Oui, quand cela a été nécessaire.

– Avec la même indifférence?

– Indifférence?... Non, détermination, oui. Même vous, lorsque...

– Ce n'était pas la même chose!... Il allait nous tuer... Je n'avais pas le choix!

– Je vous l'accorde, mais, si c'était à refaire, vous le referiez, sachant maintenant que tuer, dans certains cas et pour certaines personnes, c'est très facile.

– Ce que vous dites est affreux... vous me comparez à cet assassin.

– Reconnaissez que si vous aviez aujourd'hui la possibilité de l'abattre, vous le feriez. »

Léa réfléchit.

« Oui.

– Et vous obéiriez à un sentiment de vengeance alors que Fiaux agit avec la pureté de l'indifférence.

– C'est absurde!

– Je vous l'accorde. A cette heure de la nuit, je suis prêt à dire n'importe quoi tant j'ai sommeil.

– C'est gai, vous ne pensez qu'à dormir!

– Je vais te montrer si je ne pense qu'à dormir! »

Camille s'était levée trois fois pour donner à boire au petit Charles qui depuis deux jours avait de la fièvre.

« Un gros rhume », avait diagnostiqué, la veille, le docteur Blanchard. Maintenant, il dormait. Elle ne se lassait pas de le regarder, si vulnérable dans son abandon. Enfant, Laurent devait avoir la même moue, la même blondeur, la même fragilité. Quand le reverrait-elle? Durant sa maladie, à chacun de ses réveils, Camille avait espéré le voir à son chevet.

Elle marchait de long en large, essayant par le mouvement de chasser son angoisse, de penser à autre chose... Demain, elle préviendrait Bernadette Bouchardeau du départ de son fils. Elle prévoyait des cris, des larmes et le redoutait. Comme elle eût voulu épargner ce chagrin à cette femme un peu sotte. Léa le lui avait demandé et Camille ne pouvait rien refuser à Léa. « Je l'aime autant que Charles », se disait-elle parfois. Femme de réflexion, elle ne comprenait pas très bien la violence de cet attachement. « J'aime la regarder vivre, c'est plus intense que de vivre moi-même. J'ai tellement peur pour elle, davantage que pour Laurent, c'est peut-être parce que c'est une femme et que je devine mieux le mal que l'on peut lui faire, surtout depuis les cachots de la Gestapo et la cellule du fort du Hâ. Dès qu'elle n'est plus à Montillac, je redoute le pire. François Tavernier est comme moi, il a peur de la perdre! »

Le choc d'un caillou, sur les volets de la fenêtre contre laquelle elle appuyait son front, l'arracha à ses pensées. Elle éteignit la veilleuse près du lit de son fils, revint à la fenêtre, l'ouvrit et écarta légèrement les volets. En bas... dans la cour... la silhouette d'un homme.

« Camille », souffla l'inconnu.

Cette voix?... Un vertige la rejeta en arrière, cœur battant. De ses maigres mains, elle s'accrochait de toutes ses forces au rebord de la fenêtre.

« Camille », répéta l'inconnu.

Plus de doute... c'était lui! Tout le malaise disparut, elle se précipita vers la porte, dégringola les escaliers, traversa dans le noir la salle à manger, ouvrit la porte et repoussa les lourds contrevents de l'entrée. Laurent se précipita dans ses bras.

Pour la première fois depuis près de trois ans, Laurent d'Argilat et François Tavernier se retrouvaient face à face. Cette rencontre bouleversa Léa plus qu'elle ne l'aurait imaginé. Voir ensemble les deux hommes lui paraissait, tout à coup, choquant. Laurent, avec sa barbe, ses cheveux trop longs et ses vêtements difformes, ressemblait à un vagabond à côté de François, trop élégant dans son costume de grand faiseur. C'était Laurent qui avait maintenant l'allure d'un aventurier. « C'est un comble », pensa-t-elle.

Ils parlaient à voix basse dans un coin de la chambre des enfants dont Léa avait fermé la porte à clef. D'un commun accord, Camille et elle avaient décidé que Bernadette et Laure ne seraient pas informées de sa présence à Montillac.

Le temps était sinistre et froid. Un vrai temps de Vendredi saint.

« Où est Charles? demanda Léa.

– Il joue avec Laure, répondit Camille. Si tu avais vu la drôle de tête qu'il faisait quand son père l'a pris dans ses bras! Il l'a reconnu cette fois. »

Les deux hommes revenaient.

« Nous avons essayé de faire le point, Tavernier et moi. Je suis tout à fait d'accord avec lui : vous devez quitter Montillac quelque temps en emmenant Laure avec vous.

– Et Charles? s'écria Camille.

– Charles aussi, évidemment.

– Je suis de votre avis, mais pour aller où?

– A Paris.

– A Paris!... firent-elles ensemble.

– Oui, c'est encore là qu'il y a le moins de danger pour vous; d'une part à cause de Françoise, d'autre part à cause de Tavernier qui pourra organiser une sorte de surveillance autour de vous.

– Mais toi, Laurent, où iras-tu? demanda Léa.

– Je repars cette nuit. Un avion vient me chercher pour me conduire à Londres puis en Afrique du Nord. »

Camille chancela.

« Tu vas te faire tuer, sanglota-t-elle.

– Je risque tout autant de me faire tuer en restant ici. J'ai même plus de chances de vivre en partant.

– Alors... pars. »

Léa s'était assise au milieu de ses coussins, sourcils froncés.

« Un sourire, voyons, ma mie, sinon je vais croire que vous êtes toujours amoureuse de ce héros romantique, chuchota François.

– Fichez-moi la paix!

– Cessez de bouder, ça va finir par se remarquer.

– Ça m'est bien égal!

– Ne faites pas l'enfant, la situation ne s'y prête guère. Vous m'écoutez?... Bien. Vous allez appeler mesdemoiselles de Montpleynet...

– Pour quoi faire?

– ... pour leur demander de vous recevoir pendant quelque temps...

– Toutes les trois! plus le bébé?

– Oui. Dès demain, si la Gestapo n'est pas venue

avant arrêter tout le monde, nous partirons tous à Bordeaux d'où je prendrai le train pour Paris.

– Mais Laure ne voudra peut-être pas partir.

– Il faudra la convaincre. C'est surtout elle qu'il faut éloigner de Montillac. Elle ne doit pas revoir Fiaux.

– Je comprends... Je vais téléphoner.

– Dites à vos tantes que Camille doit consulter un spécialiste et que vous l'accompagnez étant donné son état de santé.

– Et pour Laure?

– Dites qu'elle s'ennuie, ce qui n'est pas mentir.

– A Paris, nous nous verrons?

– Aussi souvent que ce sera possible, mon cœur.

– Bien, je vais téléphoner. Vous m'accompagnez?

– Non, j'ai encore quelque chose à dire à Laurent avant d'aller à Bordeaux.

– Vous allez à Bordeaux, maintenant?

– Oui. Je vais essayer d'avoir des nouvelles de vos amis et m'occuper des places dans le train. »

Tout le reste de la journée, Léa dut surveiller Laure. Elle ne cessait de pleurer, recroquevillée dans un des fauteuils du salon.

« Mais enfin, pourquoi pleures-tu? »

Cette question redoubla ses larmes et resta sans réponse.

François Tavernier avait téléphoné pour dire qu'il ne rentrerait que le lendemain en début de matinée et qu'elles devaient se tenir prêtes à partir. Ruth, prévenue, avait approuvé ce départ et convaincu Laure de sa nécessité.

« Ne t'inquiète de rien, avait-elle dit à Léa, je veillerai sur tout... Sidonie s'installera ici, le temps qu'elle se rétablisse. Promets-moi de m'écrire souvent, de me tenir au courant de tout. »

Bernadette Bouchardeau, tout au chagrin d'avoir

une nouvelle fois perdu son fils, n'avait fait aucun commentaire.

A dix heures, Laurent s'était arraché des bras de Camille et après un dernier baiser posé sur le front de son fils endormi, il était sorti dans la nuit, sa musette remplie de linge propre. Léa l'avait accompagné jusqu'à la route en passant par le sentier en bas de la terrasse pour éviter la maison des Fayard. Du fossé, avait surgi un homme qui leur avait braqué sa torche électrique en pleine figure.

« C'est bien toi, avait-il dit en éteignant. Dépêchons-nous, l'avion n'attendra pas. »

Des buissons, il avait sorti deux vélos.

Laurent avait baisé le front de Léa.

« Prends bien soin de toi et d'eux », avait-il dit en repoussant les bras qui tentaient de le retenir.

19

CENT quatre-vingt-quinze morts!... les bombardements alliés avaient fait cent quatre-vingt quinze morts à Bordeaux, le 17 mai 1943.

Avec quel plaisir Hérold Paquis de Radio-Paris l'avait-il dit et redit. Les quartiers de la gare avaient encore souffert, les trains circulaient mal. « Heureusement, avait pensé égoïstement Léa, que nous sommes partis à temps. »

Quelle cohue! en ce samedi de veille de Pâques, une foule surchargée de paquets, de paniers et d'enfants prenait d'assaut les trains en partance pour Paris. Comment François Tavernier avait-il réussi à avoir un compartiment de première classe pour eux seuls? Cela tenait du miracle, puisque même les couloirs des premières étaient bourrés. Camille avait refusé de les accompagner dans le wagon-restaurant, prenant pour prétexte le petit Charles.

En entrant dans le wagon, Léa avait regretté de n'être pas restée dans leur compartiment à manger l'en-cas préparé par Ruth. Les consommateurs, pour la plupart, étaient des officiers ou des soldats allemands, et des hommes et des femmes à la mine trop prospère. Plusieurs têtes s'étaient levées au passage des deux jolies filles. Ils avaient tendu leurs tickets au maître d'hôtel pour manger un des plus mauvais repas de la guerre. François avait ri devant le désappointement de Léa. Laure avait pratiquement tout laissé dans son assiette sous l'œil affamé d'un jeune soldat...

Le plaisir de revoir Albertine, Lisa, Françoise et son bébé, avait rendu à Laure une partie de sa bonne humeur.

Léa avait trouvé ses tantes et Estelle vieillies et fatiguées.

Depuis leur arrivée, François était venu dîner une seule fois rue de l'Université, repartant tout de suite après le repas.

Dans une lettre, Ruth leur avait annoncé le suicide du docteur Blanchard. Comme M. et Mme Debray, il n'avait pas hésité à se tuer pour ne pas parler. Jean et Raoul Lefèvre étaient au fort du Hâ. Ils avaient été torturés.

C'est dans la voiture qui les emmenait à Bordeaux que François Tavernier leur avait raconté ce qu'il avait appris concernant leur sort. On les avait conduits 197, route du Médoc et interrogés de plus en plus brutalement, même Jean que sa blessure à la poitrine faisait terriblement souffrir. Refusant de parler, ils avaient été jetés dans la cave et battus avec application. Leurs bourreaux avaient dû s'arrêter craignant de les tuer. On avait autorisé le docteur Blanchard à soigner Jean. Il avait pu extraire la balle qui semblait ne pas avoir provoqué de dégâts importants. C'est dans la nuit qu'il s'était suicidé à l'aide d'une capsule de cyanure, chose que Tavernier avait apprise quelques jours plus tard.

Laure ne parla plus jamais de Maurice Fiaux.

Les rayons de la librairie Gallimard du boulevard Raspail n'abritaient plus que quelques volumes défraîchis. Léa feuilletait un livre aux pages jaunies dont l'auteur ne lui disait rien. Le même vendeur qu'au début de la guerre s'approcha. Il portait des culottes de golf et des chaussures aux épaisses semelles de crêpe.

« Ne prenez pas ce livre, mademoiselle, il ne vaut rien.

– Je n'ai plus rien à lire, je ne sais pas quoi acheter... Comment se fait-il que les étagères soient à moitié vides?

– En ce moment, on vend n'importe quoi. On a vendu la presque totalité de notre fond. Nous n'arrivons pas à fournir.

– Mais pourquoi?

– Parce que les Français se sont remis à lire. Que voulez-vous qu'ils fassent? Le cinéma, ce n'est pas possible tous les jours, alors ils lisent.

– Que lisent-ils?

– Tout ce qui se présente : Homère, Rabelais, Spinoza, les Pères de l'Eglise, que sais-je?... Mais j'ai quelque chose pour vous. Nous ne réservons les nouveautés qu'à nos anciens et très bons clients. Que diriez-vous du dernier roman de Marcel Aymé?

– Décidément, vous aimez cet auteur.

– Beaucoup. Tenez, je vous le donne tout enveloppé pour que les autres ne le voient pas.

– Quel est son titre?

– *Le Passe-muraille.* »

Elle repartit, pressant le précieux bouquin sur son cœur. Enfin, une bonne soirée en perspective! Tout ce qu'il y avait dans la petite bibliothèque de ses tantes, elle l'avait lu et relu. Jamais Léa ne s'était autant ennuyée à Paris entre Camille qui consacrait tout son temps à son fils, ses tantes qui ne parlaient que de ravitaillement, Laure qui passait ses journées et quelquefois ses nuits chez leur sœur Françoise, courant les bars et les salons de thé, et Estelle qui bougonnait de plus en plus à cause de ses jambes!...

Montillac lui manquait. Elle redoutait que, durant son absence, Fayard ne fasse des siennes malgré Ruth et Sidonie. Juillet approchait, et Léa n'avait pas du tout l'intention de passer l'été ici. On étouffait. Qu'est-ce que ça devait être au mois d'août. Si au moins François Tavernier s'était occupé de la distraire... mais non!... Monsieur avait disparu. Où était-il? Avec ses amis de Londres ou avec ceux de Berlin? Bien malin qui le lui dirait.

Les hommes se retournaient sur cette jolie fille gentiment vêtue d'une robe bleu marine à pois rouges qui découvrait largement ses jambes aux pieds chaussés de hautes sandales de toile blanche à semelles compensées, cadeau de Françoise. Toute à ses pensées moroses, elle ne le remarquait pas.

Rue de l'Université, Léa posa son livre sur la console de l'entrée près d'un chapeau. Ses tantes avaient de la visite.

« Te voilà enfin! Il y a plus d'une heure que M. Tavernier t'attend. »

Elle réprima son désir de courir et de se jeter dans ses bras.

« Bonjour, je vous croyais mort.

– Léa!

– Laissez, mademoiselle, ce n'est qu'une plaisanterie. Cet humour fait partie de son charme.

– Monsieur Tavernier, vous êtes trop indulgent avec cette enfant.

– Tante Lisa, je ne suis plus une enfant et je me moque de l'indulgence de M. Tavernier.

– Quel caractère! l'air de Paris ne vous réussit pas.

– Non, je m'ennuie.

– C'est bien ce que je craignais. Je vous emmène faire un tour à la campagne.

– A cette heure-ci! mais il est bientôt cinq heures.

– Ce n'est pas très loin... à quinze minutes.

– Vous appelez ça la campagne?... A quinze minutes d'ici!
– Vous verrez, c'est un endroit sauvage et merveilleux que peu de gens connaissent. »

Il leur fallut beaucoup plus de quinze minutes pour arriver là où voulait aller François Tavernier. Il pestait en tournant dans les rues de Bagneux, de Fontenay-aux-Roses, de Sceaux et de Bourg-la-Reine. Il s'arrêta devant le panneau de Châtenay-Malabry et consulta un plan.

« Rue Chateaubriand, rue du Loup-pendu... ah! voilà, rue de la Vallée-aux-Loups, c'est par là.

– Allez-vous me dire à la fin où nous allons?

– Acheter des arbres.

– Acheter des arbres!...

– Oui, on m'a promis la bouture d'un arbre planté par Chateaubriand.

– Qu'est-ce que vous voulez en faire?

– Ce n'est pas pour moi. Un de mes amis allemands, passionné de littérature française et grand admirateur de Chateaubriand, m'a demandé s'il me serait possible de me procurer cette bouture...

– Vous êtes fou!

– J'ai téléphoné au docteur Le Savoureux qui demeure dans l'ancienne propriété du grand écrivain. Il m'a dit que je n'étais pas le premier à lui faire une telle demande et qu'il avait en ce moment un assez joli petit mélèze.

– Vous n'avez rien d'autre à faire qu'à procurer des arbres à vos amis allemands? demanda Léa avec tout le mépris dont elle était capable.

– Mon ami n'est pas n'importe quel Allemand et ce mélèze pas n'importe quel arbre. Rendez-vous compte... l'enfant d'un arbre planté amoureusement par Chateaubriand.

– J'ai l'impression d'entendre Raphaël Mahl. Lui

aussi m'a parlé de Chateaubriand avec des larmes dans la voix, il m'a même donné un livre de votre grand homme...

– *La Vie de Rancé*?

– Comment avez-vous deviné?

– Ce n'est pas bien difficile, connaissant un peu Raphaël Mahl... L'avez-vous lu?

– J'ai essayé... j'ai trouvé ça d'un ennui! la vie d'un moine crasseux au XVIIe siècle!

– Taisez-vous, malheureuse! Nous entrons sur les terres de l'auteur des *Martyrs* dont le fantôme risque de quitter son rocher de Saint-Malo et de venir vous tirer les oreilles pour avoir osé blasphémer. »

Ils roulaient dans une large allée montante, bordée de hauts arbres qui empêchaient de voir le ciel. Par les vitres ouvertes entrait une haleine chaude et humide.

« C'est sinistre, votre endroit. Comment l'appelez-vous?

– La Vallée-aux-Loups.

– C'est bien ce que je disais, on dirait un coupe-gorge digne des romans d'Ann Radcliffe.

– Vous avez lu les romans d'Ann Radcliffe!... fit-il avec un étonnement tel que Léa en fut vexée.

– Croyez-vous être le seul à savoir lire? Ma mère adorait les romans anglais de cette période, elle les avait tous lus, moi aussi. Sans doute devez-vous trouver cette littérature d'épouvante trop sentimentale... trop féminine.

– Quelle fougue!... Je ne vous savais pas amateur à ce point de romans noirs. Connaissez-vous les auteurs allemands de la même période? Il y en a d'intéressants, je vous en prêterai si vous le voulez.

– Non merci. »

Ils arrivèrent devant une maison recouverte de vigne vierge et de lierre, flanquée d'un grand bâtiment ressemblant à une petite caserne ou à un hôpital. Une femme pas très grande les attendait sur le pas de la porte.

« Bonjour, monsieur. Monsieur Tavernier, je crois?

– Oui, madame. Bonjour, madame.

– Je suis madame Le Savoureux. Mon mari est désolé, il a été appelé à Paris et m'a chargée de vous recevoir en vous priant de bien vouloir l'excuser.

– C'est très ennuyeux!

– Croyez qu'il était navré, il n'a pas pu faire autrement. Si vous voulez bien entrer, mademoiselle?...

– Pardonnez-moi... mademoiselle Delmas.

– Vous êtes bien jolie, mademoiselle. Mon mari regrettera d'autant plus son absence. »

Léa sourit et entra.

C'était ça la maison du grand écrivain! L'intérieur donnait une sensation de fragilité. Elle avait l'impression que les murs avaient du mal à supporter les tableaux, que le sol allait s'effondrer sous le poids des meubles.

« Que vous attendiez-vous à trouver? lui demanda François qui avait remarqué sa mine déçue.

– Je ne sais pas... quelque chose de plus imposant... ce salon pourrait être à Montillac... oh! François! vous avez vu cette pelouse... ces arbres!...

– C'est beau, n'est-ce pas, mademoiselle? Mon mari et moi apportons tous nos soins à maintenir cet endroit dans l'état où il aurait aimé le voir... Si vous le voulez bien, tout à l'heure, nous ferons le tour du parc et je vous montrerai les arbres plantés de sa main. Monsieur Tavernier, voulez-vous me suivre? Excusez-nous, mademoiselle, nous n'en avons pas pour très longtemps. »

Sur une table encombrée de papiers un volume relié de cuir rempli de signets de papier blanc attira son regard. Léa le prit : *Mémoires d'outre-tombe*, et alla s'asseoir sur une marche devant le salon, face à ce grand espace vide et tellement vert encadré par de très hauts arbres, et ouvrit le livre.

« La Vallée-aux-Loups, près d'Aulnay, ce 4 octobre

1811 »... « La terre devait commencer à sentir l'automne », pensa-t-elle avant de poursuivre sa lecture. « Ce lieu me plaît, il a remplacé pour moi les champs paternels, je l'ai payé du produit de mes rêves et de mes veilles; c'est au grand désert d'Atala que je dois le petit désert d'Aulnay; et pour me créer ce refuge, je n'ai pas, comme le colon américain, dépouillé l'Indien des Florides. Je me suis attaché à mes arbres; je leur ai adressé des élégies, des sonnets, des odes. Il n'y a pas un seul d'entre eux que je n'aie soigné de mes propres mains, que je n'aie délivré du ver attaché à sa racine, de la chenille collée à sa feuille; je les connais tous par leurs noms, comme mes enfants; c'est ma famille, je n'en ai pas d'autre, j'espère mourir au milieu d'elle. »

« Je pourrais dire la même chose de Montillac. Ma vraie famille, c'est cette terre avec ses arbres, ses vignes et ses prés. Comme lui je connais le nom de mes arbres et je sais soigner leurs maladies. Quand je rentrerai, je planterai un cèdre en souvenir de cette journée. »

« Léa... où êtes-vous?

– Là.

– Excusez-moi. Ça n'a pas été trop long? Que lisez-vous? »

Sans répondre, elle lui tendit le livre.

« Voilà une lecture que je n'aurais osé vous recommander après ce que vous avez dit de *La Vie de Rancé.*

– Mais ce n'est pas la même chose, là il raconte son enfance, il parle de cet endroit avec un tel amour... Est-il mort ici comme il le souhaitait?

– Hélas! non! ma belle ignorante, Chateaubriand n'a pas eu le temps de s'abriter sous l'ombrage des arbres qu'il avait plantés. Il a dû vendre La Vallée-aux-Loups, « achetée sous Bonaparte, vendue sous les Bourbons », et sa bibliothèque, ne gardant qu'un petit Homère. Il a tant souffert de la perte de cet endroit aimé qu'il s'est juré de ne plus posséder un seul arbre. »

La soirée était magnifique, ils revenaient à travers bois vers la maison qui paraissait perdue au milieu de toute cette verdure.

« Ne passons pas par là, dit Mme Le Savoureux à Léa qui marchait devant.

– Pourquoi? Le sentier n'est pas mauvais.

– Ce n'est pas pour ça, mais on s'approche de l'endroit des fusillés.

– L'endroit des fusillés? fit Léa en s'arrêtant.

– Dans cette direction, de l'autre côté du mur, dans les bois, les Allemands ont fusillé des otages... J'entends encore les coups de feu. Depuis, mon mari et moi nous n'allons plus dans cette partie du parc. »

Ils regagnèrent la maison en silence et, peu après, François Tavernier prenait congé de Mme Le Savoureux, serrant dans ses bras le précieux mélèze.

Longtemps, ils roulèrent dans les rues calmes de la banlieue. Des hommes jouaient aux boules, des femmes tricotaient sur le pas de leur porte tandis que des enfants se poursuivaient en piaillant. L'air sentait la suie, la soupe et l'herbe coupée. Des éclats de rire ou de voix leur parvenaient de la porte ouverte des bistrots. L'espace d'un instant, une chanson d'Edith Piaf les accompagna, du linge séchait dans les jardins, des chiens dormaient au milieu de la rue, la guerre leur ayant fait oublier l'existence des voitures. Ils ne se levaient qu'au dernier moment, avec un regard dédaigneux. C'était l'heure de l'après-dîner où chacun se laisse aller à ne rien faire, à rêver en regardant le ciel. Peu à peu, les pavillons faisaient place aux immeubles, les cafés devenaient de plus en plus nombreux. La musique sortait des T.S.F. par les fenêtres ouvertes et rebondissait de mur en mur. Des jeunes gens à vélo traversèrent devant eux. Maintenant, le calme presque campagnard avait disparu, bousculé par la proximité de la ville. Porte d'Orléans, les grands panneaux blancs aux lettres gothiques noires leur rappelèrent brutalement la présence allemande. Depuis qu'ils avaient quitté la Vallée-aux-Loups, ils n'avaient pas échangé plus de dix mots.

« Où voulez-vous que nous dînions? » demanda-t-il doucement.

Il reçut le désarroi de son regard comme une gifle. Il s'arrêta le long du trottoir et l'attira à lui.

« Je sais à quoi vous pensez, mon cœur. Oubliez tout cela quelque temps. Ni votre peur, ni vos larmes ne feront revenir les morts... Chassez de votre jolie tête ces idées de vengeance, le temps n'est pas venu... Pleurez, ma petite fille... je préfère vos larmes à cette douleur muette devant laquelle je me sens désarmé. Vous ne savez pas ce que je donnerais pour vous voir gaie et insouciante... pour que vous soyez enfin heureuse. Léa, vous êtes si forte, si courageuse, vous ne devez pas vous laisser aller. Battez-vous, vous êtes de taille à résister à tout ça. »

Léa se laissait bercer par cette voix persuasive et chaude. Qu'importe s'il se trompait, si elle n'était ni forte ni courageuse, mais faible fille jetée dans une tourmente, emportée loin de ses rêves, face à un monde nouveau qu'elle ne comprenait pas et où se libéraient des instincts si violents qu'ils balayaient toutes faiblesses. Depuis le meurtre du bombardement d'Orléans, Léa avait compris la puissance de vie existant en elle et elle savait qu'elle tuerait encore s'il le fallait. Mais là, pleurant dans les bras de cet homme, elle ne voulait être que la petite enfant que l'on console.

« Ça va mieux?... Tenez, mouchez-vous. »

Léa se moucha avec la discrétion d'un vieux curé.

« Comment faites-vous pour être encore plus belle avec vos yeux rouges et votre air battu? »

Elle eut un petit sourire et poussa un gros soupir.
« J'ai faim. »
François Tavernier éclata de son grand rire.
« Tant que vous aurez faim, je n'aurai aucune inquiétude pour vous. Il va falloir se dépêcher si nous voulons être rentrés avant le couvre-feu. Voulez-vous que nous allions chez mes amis de la rue Saint-Jacques ?
– Oh ! oui... J'aime autant Marthe que sa cuisine. »

Rue Saint-Jacques, il y avait beaucoup de monde, mais la chambre à coucher, salle à manger improvisée pour les amis, était libre. Marthe et sa belle-fille poussèrent des exclamations en les voyant.
« Monsieur François ! Mademoiselle Léa ! quel plaisir de vous revoir.
– Avez-vous des nouvelles de votre fils ? »
Marthe regarda autour d'elle comme si elle avait craint que quelqu'un fût caché derrière les étincelantes casseroles accrochées au mur et dit en chuchotant :
« Il est dans un maquis en Dordogne. Il paraît que c'est dur, mais ça vaut mieux que de travailler en Allemagne. »

Comme d'habitude, malgré les restrictions, le repas fut excellent.
« Ils m'envoient les confits au compte-gouttes. »
Léa, qui avait un peu trop bu, rit en imaginant les cuisses et les ailes d'oies ou de canards sortant une à une d'un gigantesque compte-gouttes. Pour entendre son rire plus souvent, Tavernier aurait fait les pitreries les plus grotesques, inventé les plus mauvais jeux de mots. En sa présence, il se sentait redevenir un gamin facétieux. Il se mit à raconter les dernières blagues à la mode, les bons mots attribués à Sacha Guitry, maître

de l'humour français, très apprécié des occupants. Et Léa riait, riait...

« C'est beau, l'insouciance de la jeunesse », dit Marthe Andrieu en apportant le dessert.

Enlacés, ils quittèrent les derniers le restaurant clandestin. La rue Saint-Jacques était noire et déserte. Un parfum de rose venu du Luxembourg arriva jusqu'à eux... Léa rejeta la tête en arrière et ferma les yeux pour mieux savourer la fugace odeur. Il y avait tant d'abandon dans son attitude que les mains de Tavernier s'égaraient dans son corsage, sous sa jupe. Elle se laissait faire, confiante. Quand les doigts atteignirent son sexe humide, elle ferma les yeux.

Sans que Léa en fût informée, François Tavernier avait laissé une forte somme à Ruth, pour lui permettre de régler les salaires de Fayard et des cinq ouvriers agricoles qui travaillaient en permanence à l'entretien des vignes. L'honnête gouvernante avait tout d'abord refusé, mais François avait su se montrer convaincant en l'assurant que cela permettrait à Léa de se reposer de ses soucis immédiats concernant Montillac. Il avait également prêté de l'argent à Laurent en lui disant qu'il le lui rendrait après la guerre.

Chaque jour, Camille emmenait promener son petit garçon aux Tuileries ou au Luxembourg accompagnée quelquefois par Françoise et son bébé. A deux ou trois reprises, Otto Kramer était venu les rejoindre, et à chaque fois, Camille s'était éloignée, prétextant une course à faire ou un rendez-vous. La vue d'un uniforme allemand la rendait malade. Dans le cas du commandant Kramer, c'était pire : sous peine de blesser Françoise, elle ne pouvait pas refuser de tendre sa main à l'officier. Plein de tact, il l'avait compris et n'était plus venu retrouver Françoise quand il la savait avec Camille.

Elle avait su par la Radio de Londres que Laurent était bien arrivé en Afrique du Nord.

Depuis sa visite à la Vallée-aux-Loups, Léa était plus gaie, plus détendue. Plongée dans les *Mémoires d'outre-tombe*, elle ne jurait plus que par Chateaubriand, au grand amusement de François Tavernier qu'on voyait rue de l'Université presque tous les jours.

Quant à Laure, on ne la reconnaissait plus. Habillée à la mode zazou, elle fumait ouvertement des cigarettes anglaises, fréquentait le Pam-Pam et le Colisée et dansait dans les bals clandestins au rythme d'Alex Combelle et de Django Reinhardt dont les disques vite usés tournaient sur les phonographes des cours de danse et des bars swing qu'il était bon de fréquenter. Depuis quelque temps, grâce à elle, l'ordinaire s'était un peu amélioré. Un jour du beurre, le lendemain du café ou du sucre ou des pommes de terre. Où trouvait-elle l'argent? Quand on savait que le kilo de beurre au marché noir était à 350 francs et le café de 1 000 à 2 000 francs. Aux questions de ses tantes, elle répondait.

« Je fais des affaires. Je mets en relation celui qui cherche des bas de soie, et a du beurre pour payer, et celui qui cherche cent kilos de beurre et a vingt paires de bas. Je touche une commission, c'est tout simple. »

Laure, décidée à reprendre ses études, avait demandé à mesdemoiselles de Montpleynet si elles acceptaient de la garder. Bien entendu, elles avaient accepté.

La jeune fille avait présenté Léa à ses nouveaux amis. Ils étaient drôles, cyniques, mal élevés et... très jeunes. Le plus âgé avait deux ans de moins que Léa, leurs parents étaient médecins, professeurs, avocats ou commerçants aisés. Le petit groupe l'avait bien accueillie, la trouvant belle. Avec eux, elle retrouvait son insouciance. Pas question de parler de la guerre, c'était un sujet tabou. Hitler, de Gaulle, la Gestapo, la

Résistance, ils ne connaissaient pas, ce n'était pas leur affaire. C'était la faute de leurs parents, qu'ils se débrouillent. Il faut dire qu'ils avaient bonne mine, les pauvres vieux, à moraliser sur leurs vestons trop longs, leurs pantalons trop courts, leurs cheveux dans le cou, leurs épaules tombantes ou exagérément carrées, leurs bas rayés, leurs grosses chaussures mal cirées et l'indispensable parapluie qu'ils n'ouvraient jamais, alors qu'ils étaient prêts, eux, à faire n'importe quoi pour une cartouche de cigarettes ou des bas de soie. Ils avaient perdu la guerre et la face, ils n'avaient plus rien à dire et surtout pas à parler de la grandeur de la France ou de celle de l'Allemagne selon le cas. La voix de Maurice Schumann leur était aussi indifférente que celle de Philippe Henriot, l'ex-député de la droite libérale de Libourne, adversaire de tout temps du parti communiste, devenu, après l'invasion de l'U.R.S.S. par l'Allemagne, le porte-parole des défenseurs de la civilisation chrétienne face au bolchevisme. Sur les Champs-Elysées, à Saint-Germain-des-Prés, ils ignoraient superbement l'occupant, ne s'écartant jamais quand ils se trouvaient sur le passage de l'un d'eux : ils n'existaient pas. Par chance, jusqu'à présent, leur jeune âge leur avait valu l'indulgence des soldats.

La guerre avait exacerbé chez Lisa de Montpleynet le besoin d'ête informée de tout : du recul des troupes allemandes en Russie, de la fermeture de certaines stations de métro, du nombre des morts du dernier bombardement allié, de l'augmentation du prix du beurre, de la dernière chanson à la mode, comme de la nomination par le Comité français de la Résistance nationale du nouveau gouverneur général de l'A.O.F., de la démission de Mussolini, du prochain débarquement ou du témoignage d'un Polonais lu par Jacques Duchesne dans l'émission « Les Français parlent aux

Français », sur le massacre des juifs – témoignage qui allait la hanter et dont jusqu'au bout elle refusa l'horreur.

« *...Le camp est situé à quinze kilomètres au sud de la ville de Belzec. Il est entouré d'une clôture qui longe une voie ferrée à une distance d'environ dix mètres. Un étroit passage, de moins d'un mètre de large, mène de l'entrée du camp à la voie ferrée. Vers dix heures du matin, un train de marchandises s'arrêta le long du camp. Au même moment les gardiens, qui se trouvaient à l'extrémité opposée du camp, se mirent à tirer en l'air et à ordonner aux juifs de monter dans le train.*

« Ils créèrent ainsi la panique chez les prisonniers, pour empêcher toute hésitation ou résistance de leur part. Les juifs poussés vers l'étroit passage dont j'ai parlé se précipitèrent en se bousculant dans le premier wagon de marchandises arrêté au bout du passage. C'était un wagon ordinaire, de ceux qui portent l'indication « 6 chevaux ou 36 hommes ». Le plancher était couvert d'une épaisse couche de chaux vive de cinq centimètres d'épaisseur; mais les juifs, dans leur hâte et leur effroi, ne la voyaient pas. Il en monta ainsi une centaine dans le wagon jusqu'à ce qu'il fût matériellement impossible d'en faire entrer d'autres. Dans le wagon, ils se tenaient tous debout, serrés les uns contre les autres. Les gardiens, saisissant alors des juifs à bras-le-corps, se mirent à les lancer dans les wagons sur la tête des autres; leur tâche était rendue facile par la terreur des prisonniers affolés par les coups qu'on leur tirait dans le dos. Les bourreaux en jetèrent ainsi une trentaine de plus dans le wagon, hommes et femmes; c'était un spectacle horrible; plusieurs femmes eurent le cou brisé. On imagine l'horreur de cette scène. Cent trente personnes furent ainsi poussées ou jetées dans ce wagon. Les portes à coulisse furent ensuite fermées et verrouillées. Le train avança légèrement.

« Le wagon suivant vint se mettre en place et la même scène se répéta. Je comptai en tout cinquante et un wagons dans lesquels on entassa les six mille prisonniers du camp. Une fois le camp vidé et les wagons remplis, le train se mit en marche.

« Le train s'arrêta dans un champ, en pleine campagne, à environ quarante kilomètres du camp. Les wagons restent là, hermétiquement fermés, pendant six ou sept jours. Lorsque l'escouade des fossoyeurs ouvre enfin les portes, les occupants sont tous morts et souvent dans un état avancé de décomposition. Ils meurent asphyxiés. Une des propriétés de la chaux vive est, en effet, de dégager des vapeurs de chlore lorsqu'elle se trouve en contact avec de l'eau. Les gens entassés dans les wagons doivent évidemment se soulager. Il en résulte immédiatement une réaction chimique. Les juifs sont donc immédiatement asphyxiés par les vapeurs de chlore, tandis que la chaux vive ronge leurs pieds jusqu'aux os. »

« C'est horrible, s'était écriée Lisa en se bouchant les oreilles.

– Comment le Bon Dieu peut-il permettre de telles choses? avait dit, avec un ahurissement qui eût été comique en d'autres circonstances, la bonne Estelle.

– Comment un résistant polonais a-t-il pu revêtir l'uniforme des bourreaux et être le spectateur impassible de ces mises à mort? avait murmuré Albertine se parlant à elle-même.

– Il a dit que c'était pour apporter au monde civilisé un témoignage irréfutable, avait murmuré Laure.

– Je ne comprends pas bien le pourquoi de la chaux vive, avait songé à haute voix Léa. Au bout de six ou sept jours, ils auraient été également asphyxiés. »

Le speaker de Radio-Londres continuait :

« ... *Certains songent peut-être que la France jouit d'un régime préférentiel, certains penseront peut-être que l'on n'a jamais vu ça chez nous, sur notre sol. L'organisation de tels massacres.*

« Pourtant, il suffit de se rappeler le régime qu'ont subi les juifs, entassés au camp de Drancy, de Compiègne, ou même au Vélodrome d'Hiver. Il suffit de se rappeler les scènes déchirantes qui se sont produites en particulier à Lyon, lorsque des femmes juives ont été arrachées à leurs enfants, enfermées dans des trains sans avoir pu dire adieu à leur famille. Il suffit de se rappeler le silence qui a suivi l'arrestation d'un si grand nombre de juifs pour comprendre qu'aucun pays n'a été épargné.

« Que sont devenus tous ces hommes, toutes ces femmes, tous ces vieillards et parfois ces enfants? Ils sont partis, eux aussi, " vers l'Est ", selon l'euphémisme employé par les Allemands? Il faut que chaque fonctionnaire français qui est chargé de s'occuper des questions juives comprenne qu'en exécutant les ordres qu'il reçoit, il se rend complice d'un crime, et se fait l'aide des bourreaux allemands de Lvow ou de Varsovie. »

Le silence qui avait suivi prouvait leur honte et leur désarroi.

« On dirait de la propagande anti-allemande, avait dit Léa quand elle avait pu parler. Aucun peuple n'est capable de commettre des abominations pareilles.

– Souviens-toi du docteur Blanchard, de Jean et de Raoul, avait rétorqué Laure.

– Ce n'est pas la même chose. D'un côté, ils arrêtent des gens qui les combattent, de l'autre des hommes, des femmes, des enfants, qui n'ont à leurs yeux que le tort d'exister... C'est là où il y a quelque chose que je ne comprends pas. Pourquoi?

– Parce qu'ils sont juifs, évidemment.

– Et ça te paraît une raison suffisante pour être envoyé dans des camps de concentration et être assassiné?

– Non, bien sûr.

– Qui les empêchera demain de tuer tous les rouquins, parce qu'ils sont rouquins, tous les bossus parce qu'ils sont bossus et tous les vieux parce qu'ils sont vieux?

– Mes pauvres enfants, nous sommes entre les mains de Dieu, avait chevroté Lisa.

– Un Dieu juif, il ne doit pas être très écouté en ce moment », avait ricané Léa, au grand scandale de ses tantes.

Lisa et Estelle ne l'avouaient pas, mais elles accordaient beaucoup plus de crédit aux informations de Radio-Paris qu'à celles de Radio-Londres qui était si fatigante à écouter à cause du brouillage.

Malgré l'interdiction faite de vendre des postes de T.S.F., mesdemoiselles de Montpleynet en avaient offert un à Estelle pour ses vingt-cinq ans de bons et loyaux services. Depuis, dans sa cuisine, elle n'aurait manqué pour rien au monde la chronique quotidienne de Jean-Hérold Paquis juste avant le septième bulletin d'informations de vingt heures.

Bien que ses maîtresses lui aient dit et redit qu'il était à la solde de l'Allemagne, que ses imprécations contre les communistes, les juifs et les gaullistes étaient odieuses et sa mauvaise foi totale, elle ne pouvait s'empêcher d'être « toute retournée » quand de sa voix frénétique il terminait son éditorial par « l'Angleterre, comme Carthage, sera détruite! ». Tout le monde savait que ses discours étaient directement inspirés par l'occupant, mais beaucoup d'auditeurs étaient troublés quand il tonnait contre la « menace bolchevique » ou exploitait habilement les bombardements alliés.

Si Estelle avait un faible pour Paquis, Lisa en éprouvait un pour Philippe Henriot qui « causait si bien » et qui « était si cultivé ». Ah! cette « voix étonnante, grave, pleine, soignée, conduite avec un art extraordinaire, qui s'enfle et ricane dans des accès de suffisance petit-bourgeois, un vrai talent littéraire auquel a manqué Paris et une propriété de termes qui sent son latiniste ». L'ex-député de Libourne a le sens de l'invective et des images qui frappent les imaginations aussi bien dans les campagnes que dans les milieux parisiens. Avec quel cynisme, quel art, il retourne le couteau dans la plaie des vaincus! Témoin cette allocution prononcée le 4 juillet 1943 par celui que beaucoup considéraient comme leur directeur de conscience :

« *Nos compatriotes du gaullisme et de ses dérivés restent pour moi un sujet toujours nouveau d'admiration et de surprise. Chacun sait qu'ils sont les seuls tenants d'un patriotisme qui ne transige pas. Ils ont le monopole du sens de la dignité française. [...]*

« *L'Allemagne occupe la France après une victoire tolale. Je n'oublie pas que ces messieurs disent qu'ils n'ont jamais été battus, que le Maréchal n'aurait pas dû signer l'armistice. Laissons ces propos ridicules dans la bouche de gens qui dans leur affolement de 1940, entre la Garonne et les Pyrénées, tremblaient seulement que l'Allemagne refusât de leur accorder cet armistice, qu'ils répudient aujourd'hui. Plus de troupes, plus d'armes, plus d'avions; les Allemands à Angoulême et à Valence; des fuyards militaires et civils plein les routes, l'affolement partout... C'est à ce moment-là qu'auraient dû s'élever certaines voix qui ne se sont jamais fait entendre depuis. Nos matamores à retardement sont mal venus à hausser le ton aujourd'hui. Avec un étonnant illogisme d'ailleurs.*

« *Car, enfin, pourquoi ces gens qui trouvent intolérable l'occupation de leur pays par un adversaire qui les a battus trouvent-ils réconfortante l'invasion de leur Empire par des peuples qui leur avaient promis de les aider et se bornent à les exploiter? Pourquoi est-il si révoltant à leurs yeux de voir l'Allemagne, leur ennemie, prélever sur nos ressources ce qui lui est nécessaire, et pourquoi se frottent-ils les mains en voyant l'Angleterre et l'Amérique, leurs amies, s'emparer de notre ravitaillement nord-africain? [...]*

« *...Alors, je ne comprends plus. Je souffre du sort de mon pays. J'en souffre comme tout vaincu souffre de la* *défaite. Mais du moins, si pénible qu'elle soit, l'épreuve est, hélas! normale. Mais vous qui acceptez d'un prétendu ami ce que le vainqueur ne nous a jamais imposé, ne vous sentez-vous pas un peu mal à l'aise? [...]*

« ... Ainsi, c'est un Américain qui arbitre les conflits entre chefs français; c'est le roi d'Angleterre qui vient prendre possession de la nouvelle colonie de la Couronne; Churchill et Roosevelt refusent de reconnaître la souveraineté française sur une terre française; en ce 4 juillet, fête de l'Indépendance américaine et qui rappelle l'aide que la France avait donnée à l'Amérique pour chasser l'Angleterre, les deux vieux rivaux se retrouvent d'accord pour nous réduire en esclavage; les Français sont là-bas si privés de liberté que pas une voix ne s'est élevée chez eux pour protester contre les assassinats aériens de leurs compatriotes de la métropole [...]

« ... Or, ces messieurs nous déclarent indignes, parce que, résolus à rendre à notre pays dans le monde une place qu'il doit mériter, nous ne commençons pas par nier la défaite. Mais, messieurs, vous subissez de la part de vos amis un sort plus humiliant cent fois que celui qui nous est imposé par le vainqueur. On nous traite en vaincus, mais on vous traite en laquais. Il est vrai que, si les Allemands nous ont battus, les Anglo-Saxons vous ont roulés. C'est cela qui leur donne des droits sur vous. Car être battu, cela prouve qu'on était le plus faible; être roulé, cela prouve qu'on était le plus bête. On peut avoir pitié d'un faible; on n'a pas pitié d'un imbécile.

« Continuez donc à vous pâmer devant vos occupants; baisez la main de ceux qui vous révoquent et qui vous chassent; dites merci à chaque coup de pied, qui, de Londres ou de Washington, réexpédie dans le néant un général qui n'aurait jamais dû en sortir. Mais priez vos maîtres qu'ils veuillent bien conserver quelque temps encore les grands premiers rôles. Car nous

n'avons pas tout vu. De Gaulle et Giraud vont boire le vin d'Algérie au buffet de George VI. Ils échangent par télégramme des congratulations avec Staline. [...]

« La défaite militaire n'était qu'une épreuve qui, de l'aveu même du vainqueur, laissait l'honneur intact. Là-bas, c'est l'honneur que brocantent les hommes qui s'en prétendent les gardiens. »

Ses allocutions hebdomadaires mettaient Lisa dans tous ses états et il fallait toute la force de persuasion de sa sœur pour lui démontrer que si Philippe Henriot pouvait parler avec cette apparente liberté de « l'occupant provisoire », c'était en accord avec ces mêmes occupants et que ce n'était pas être complice des « terroristes » ou gaullistes que de refuser de croire ce que des Français sous surveillance et profondément pro-nazis disaient d'autres Français qui n'avaient pas accepté la défaite de leur pays. Après des heures de discussions, Lisa en convenait jusqu'au prochain discours de Philippe Henriot. Heureusement, l'influence d'Albertine de Montpleynet fut plus forte que la voix qui prêchait la soumission à Radio-Paris. « Radio-Paris ment, Radio-Paris ment, Radio-Paris est allemand... » fredonnait-on à voix basse.

Comme la plupart des Français, Lisa subissait la tyrannie de la radio encore neuve et mystérieuse. Ces voix qui venaient on ne savait d'où et susurraient tour à tour conseils culinaires, recommandations diverses, informations du monde entier ou bien qui grondaient, invectivaient, prophétisaient, flattaient, malaxaient si bien les cerveaux, pouvaient aussi facilement y imprimer la haine que l'espoir. Les auditeurs dans leur fauteuil les écoutaient avec la même dévotion que Jeanne la Pucelle écoutait les siennes.

Léa, Laure et Camille n'échappaient pas à cette intoxication par les ondes. Malgré la réprobation de Lisa et d'Estelle qui craignaient les dénonciations de voisins mal intentionnés, Léa et Camille écoutaient

Londres presque tous les jours et Laure les dernières rengaines à la mode. Mais pas une ne prenait pour argent comptant ce qu'elle entendait sur l'un ou l'autre poste, ressemblant en cela à beaucoup de garçons et de filles de leur âge.

20

La véritable sympathie qui unissait François Tavernier et Camille d'Argilat s'était transformée en une complicité que Léa tolérait mal. Non qu'elle fût jalouse de Camille, la trouvant trop peu séduisante pour être une rivale, mais elle ne supportait pas d'être exclue de certaines conversations interrompues par sa présence. Que signifiaient ces cachotteries? Léa crut avoir la réponse, le jour où sortant de sa poussette le petit Charles rentrant de promenade, elle remarqua, serré dans sa menotte, un morceau de papier. Léa le lui retira doucement et le déplia : c'était un morceau de *Libération*, journal clandestin gaulliste. Que faisait-il entre les mains du petit? L'enfant, voulant descendre, se trémoussait dans ses bras. Elle allait le reposer quand il lui sembla que sa petite culotte rendait un drôle de son. Rapidement, elle déboutonna la barboteuse...

Avec précipitation, elle ramassa les journaux et, attrapant Charles par le bras, l'entraîna dans sa chambre. Essoufflée comme si elle avait couru, Léa se laissa tomber sur son lit; le gamin se hissa à côté d'elle et caressa ses cheveux.

« Ta mère est folle, complètement folle! Et si c'était Françoise qui t'avait enlevé ce bout de journal. Tu te rends compte!... C'était un coup à faire déporter tout le monde et toi avec, fit-elle en le saisissant et en l'embrassant.

– Ah! Charles est avec toi. C'est du joli, je vous y prends à flirter tous les deux, dit Camille en entrant.

– Il s'agit bien de flirt!... Ferme la porte. Quand je pense que tu as osé le mêler à ça!

– Je ne comprends pas, que veux-tu dire?

– Tu ne comprends pas? Tu trouves normal de mettre ce genre de couches à un bébé, dit-elle, en brandissant le petit paquet de journaux.

– Comment les as-tu trouvés? C'était pourtant une bonne cachette, non? »

Quel culot! Jamais Léa n'aurait cru Camille capable d'un tel aplomb.

« Une bonne cachette!... mais tu aurais pu le faire tuer! »

La jeune mère pâlit.

« Mais... il n'y était pour rien.

– Bien sûr! et alors? »

Rétrospectivement, Camille eut peur. Elle s'assit à son tour sur le lit et serra son fils contre elle.

« Tu aurais pu me mettre au courant quand même. Madame veut jouer les héroïnes en solitaire. As-tu pensé à l'inquiétude de Laurent s'il savait que tu distribues des journaux clandestins?

– Il est au courant.

– Comment ça, il est au courant?

– C'est par lui que je suis entrée en contact avec le réseau. »

Incrédule, Léa la regardait.

« Je ne te crois pas.

– C'est pourtant vrai. Il avait besoin de quelqu'un de sûr. Il a tout naturellement pensé à moi.

– C'est idiot, toi tu as un enfant. C'est à moi qu'il aurait dû s'adresser.

– Il pensait peut-être que tu avais suffisamment à faire de ton côté.

– Depuis que je suis ici, je n'ai aucun contact avec

les gens de là-bas et je m'en porte très bien. Je n'ai pas envie d'être arrêtée comme Raoul et Jean, ou de mourir comme le docteur Blanchard ou devant un peloton d'exécution. Je t'en supplie, n'apporte plus de journaux clandestins ici. Il passe trop de gens dans cet appartement.

– Ce qui est arrivé aujourd'hui est exceptionnel. D'habitude, je les livre tout de suite.

– Pourquoi ne l'as-tu pas fait?

– Mon relais n'était pas au rendez-vous. Je n'ai pas osé m'en défaire dans une corbeille.

– Et François?

– Quoi, François... »

Camille mentait mal. Sa réponse sonnait faux, mais Léa fit semblant de la croire. Elle devait dîner avec Tavernier et se promit de tirer tout cela au clair. Maintenant le plus important était la robe qu'elle porterait ce soir.

Prise d'une frénésie de plaisir, Léa voulait s'amuser, ne plus penser à ses amis morts, ou disparus, à ceux qui combattaient, ou qui collaboraient. Aucun événement particulier n'avait influencé sa décision, simplement une lassitude, un grand désir de vivre, de futilité. Etait-ce l'exemple de ses deux sœurs qui vivaient l'instant? L'amour pour Françoise entre son amant et son enfant, et la musique américaine pour Laure entre une affaire de marché noir et un flirt?

François avait été un peu surpris de ce changement qui, secrètement, le soulageait. Depuis qu'il la connaissait, il vivait dans la crainte. Quand il avait vu à quel point elle était compromise avec la Résistance dans sa province, la surveillance dont Montillac et ses habitants étaient l'objet, l'attitude de Mathias, la visite de Raphaël Mahl, l'arrestation de ses amis, il avait eu peur. C'est pour cela qu'il avait précipité leur départ pour Paris. Malencontreusement, il avait dû repartir tout un mois. Maintenant, de retour pour plusieurs jours, il allait enfin pouvoir s'occuper d'elle. Tavernier éprouvait un immense plaisir à la regarder vivre. Depuis leur première rencontre, sa personnalité s'était affirmée et sa beauté confirmée. « Le genre de femme à fuir immédiatement si on redoute les emmerdements. » A croire qu'il ne les redoutait pas puisqu'il allait même au devant. Comme aujourd'hui, où il avait accepté de l'emmener souper chez Maxim's, après avoir refusé sans trouver d'autre prétexte à lui donner que :

« La cuisine est moins bonne et c'est plein d'Allemands.

– Ça m'est égal, avait-elle répondu. Je veux aller dans un endroit où les gens ont l'air de s'amuser. »

Rien n'avait pu l'en faire démordre. Voilà pourquoi, Léa, sans plus se soucier des journaux clandestins de Camille, se préparait pour ce dîner. Grâce à Laure, elle avait acheté une magnifique robe de mousseline d'un beau rouge sombre à la griffe arrachée. Consultées, Françoise et ses tantes avaient décrété qu'il ne pouvait s'agir que d'une robe de grand couturier : Chanel ou Fath. Ce qui, vu le prix relativement raisonnable, semblait impossible. Une longue écharpe noire et des sandales du soir à peine abîmées complétaient l'élégante toilette.

« Tu es magnifique! s'écria Camille qui l'aidait à s'habiller. Les hommes n'auront d'yeux que pour toi. »

Léa prit un des journaux clandestins.

« C'est pour quoi faire? demanda Camille.

– Pour faire une blague. Mettre *Libération* parmi *Le Matin, Paris-Soir, L'Œuvre, La Gerbe, Le Pilori* et *Les Nouveaux Temps.* Je voudrais voir la tête de ces messieurs quand ils tomberont dessus. »

Camille sourit.

« Tu es folle!

– Je t'en prie, il faut qu'ils se sentent menacés

jusque dans les endroits où ils se croient le plus en sécurité. Et Maxim's est un de ces endroits.

– Je ne te comprends pas. Je croyais que tu ne voulais plus entendre parler de rien.

– Et alors? Je peux changer d'avis... »

Léa finissait de ranger son journal dans un petit sac de daim noir quand François Tavernier entra. Très élégant. Il paraissait soucieux.

« Vous tenez vraiment à ce dîner chez Maxim's?

– Plus que tout.

– Alors, soupira-t-il, allons-y...

– Ne dirait-on pas que nous allons à la mort? »

Il la regarda d'un air étrange, vaguement amusé.

« Elle est là comme ailleurs. Mais on peut trouver plus vilain endroit pour mourir.

– Vous n'êtes pas drôle.

– Je ne cherchais pas à être drôle... Vous avez une bien jolie robe. Le sang ne s'y verra pas.

– François, arrêtez, vous allez lui gâcher son plaisir.

– Laisse, Camille, il faut plus que l'humour noir de notre ami pour le gâcher.

– A la bonne heure! Ne vous laissez pas influencer. Je suis sûr que nous passerons une merveilleuse soirée. Bonne nuit, Camille. Embrassez pour moi le petit Charles.

– Bonsoir, amusez-vous bien. »

Dehors, une voiture et un chauffeur les attendaient.

A l'entrée du bar du célèbre restaurant, quotidiens et hebdomadaires étaient accrochés à de longues tiges de bambou pendues au tableau de bois sombre. Quelques messieurs, confortablement installés devant un verre, feuilletaient les publications du jour. Léa sortit son journal clandestin, le défroissa avec soin et négligemment le glissa dans le dernier numéro de *Je suis partout* parmi les articles de Robert Brasillach, de

François Vinneuil (Lucien Rebatet), de d'Alain Laubreaux, de Claude Jantet et de Georges Blond. Après un regard satisfait autour d'elle, elle rejoignit François Tavernier qui l'attendait à leur table. Galant, un officier allemand s'écarta sur son passage tandis qu'Albert la conduisait avec empressement.

« Cette table vous convient, monsieur Tavernier?

– Parfaitement, Albert. »

Léa s'assit, détendue, l'air heureux, un petit sourire aux lèvres.

« Vous avez la mine d'un chat qui a bu du lait en cachette ou d'une sale môme qui a fait une farce.

– Moi? fit-elle, avec un regard d'une si parfaite innocence qu'il sentit naître comme une vague inquiétude. Je suis simplement ravie d'être ici. Vous aussi, n'est-ce pas? Il doit y avoir des tas de vos amis. Je me trompe? »

Le maître d'hôtel apporta le champagne qu'il avait commandé.

« Buvons à votre beauté.

– Cher ami, permettez-moi de porter le même toast à mademoiselle. »

Léa reconnut immédiatement l'homme déjà rencontré dans un restaurant en compagnie de François. Aujourd'hui, il ne portait pas de veste de tweed avachie mais un smoking émaillé çà et là de la cendre du gros cigare qu'il fumait. Impossible d'y échapper. Avec un sourire glacial, François leva son verre.

« Monsieur Tavernier, ma femme est persuadée que vous la boudez.

– Comment Mme Szkolnikoff peut-elle penser une chose pareille?

– Vous n'êtes toujours pas venu dîner à la maison.

– J'attendais une invitation officielle. »

Szkolnikoff éclata d'un gros rire.

« Mais de nos jours, tout se passe à la bonne

franquette. Je vous attends demain à sept heures, avec mademoiselle bien entendu... Elle est charmante.

– Je crains qu'il ne me soit difficile de me libérer. »

Le sourire de « monsieur Michel » disparut instantanément.

« Je suis sûr que vous parviendrez à vous libérer. Je compte sur vous. Sans faute... à sept heures, 19, rue de Presbourg. »

Retrouvant son sourire, il ajouta :

« C'est Hélène qui va être contente! A demain. »

Sous la table, François Tavernier serrait violemment les poings.

« La femme de votre ami est charmante, regardez, elle vous fait un petit signe. »

Couverte de bijoux, Hélène Szkolnikoff agitait une main lourdement baguée dans leur direction.

« Arrêtez de dire que ce porc est mon ami, fit-il d'un ton contenu en agitant à son tour les doigts.

– Lui, peut-être pas, mais sa femme!...

– Vous n'allez pas recommencer?

– Qui est avec eux?

– Le capitaine Engelke et sa maîtresse.

– L'amie de la belle Hélène? Mais voyons, détendez-vous. Vous n'allez pas gâcher ma soirée en faisant la tête. Ce n'est pas de ma faute si nous rencontrons des personnes que vous n'avez pas envie de voir. »

Devant son air, Léa crut qu'il allait oublier l'endroit où ils étaient et lui donner une paire de claques. Prudente, elle recula et demanda de sa voix la plus câline :

« Ne nous disputons pas. Je suis si bien. Buvons, voulez-vous? »

Il prit son verre de champagne et le vida. Un garçon s'empressa de le remplir. Beaucoup d'hommes et de femmes regardaient dans leur direction, frappés par la jeunesse et la beauté de Léa autant que par son aisance et le dépouillement de sa toilette. Aucun bijou, seulement l'éclat de ses épaules largement découvertes. Une belle jeune fille portant avec élégance une ravissante robe du soir blanche la regardait plus que les autres d'un air à la fois complice et moqueur. Son visage n'était pas inconnu à Léa.

« Qui est-ce?

– Corinne Luchaire.

– Elle est jolie et sympathique. Avec qui est-elle?

– Avec son père, Jean Luchaire, et des journalistes.

– Vous la connaissez?

– Non.

– Dommage, elle me plaisait bien. »

Avec désinvolture, Léa se détourna.

« Mademoiselle a choisi? demanda le maître d'hôtel.

– Je voudrais quelque chose de très cher. »

Cette réflexion enfantine amena un sourire sur le visage durci de Tavernier.

« Prenez du caviar. Je ne sais pas comment ils se débrouillent, ils en ont toujours.

– Très bien, je prendrai du caviar.

– Nous n'avons en ce moment que de l'ocietre ou du sévruga.

– Lequel est le plus cher? »

Le maître d'hôtel eut un léger mouvement qui indiquait qu'il était choqué par la question. Il répondit d'une voix légèrement réprobatrice.

« L'ocietre, monsieur.

– Va pour l'ocietre. Je prendrai la même chose.

– Bien monsieur, et ensuite?...

– Je voudrais du poisson, fit Léa.

– Nous avons de la sole, de la daurade et du saumon poché à l'oseille. C'est très bon, très fin, je me permets de le recommander à mademoiselle.

– Donnez-moi une sole.

– Bien, mademoiselle. Et monsieur?...

– Je goûterai volontiers à votre saumon.

– Monsieur ne le regrettera pas.

– Dites au sommelier que nous continuerons au champagne. Ça vous va?

– Très bien. »

De l'entrée leur parvenaient étouffés des éclats de voix, puis un vieux monsieur à barbiche, ressemblant à Alphonse de Chateaubriant, entra brandissant une page de journal et alla s'asseoir à la table de Jean Luchaire. Le journaliste devait lui demander les raisons de son énervement. L'autre lui répondait avec colère. Des bribes de phrases parvenaient jusqu'à eux.

« ... repaire de terroristes... ils sont partout... communistes et gaullistes... pareil au même... racaille rouge... tous les fusiller... pas de pitié... ce chiffon de papier... journaux convenables... une honte... »

On tenta de le calmer. Le vieil homme se leva et tendit la feuille à un gros homme très digne.

« Tenez, regardez si vous ne me croyez pas. »

Le gros homme tournait et retournait l'imprimé sans comprendre.

« Ce que vous tenez là, monsieur, c'est un journal gaulliste, glissé par une main criminelle dans d'honnêtes publications.

– Jacques, cria d'une voix hystérique la compagne du gros monsieur, lâche ça!... »

Complètement ahuri, il laissa tomber le journal qui, gracieusement, en tournoyant, vint se poser aux pieds du capitaine Engelke. Toutes les conversations s'arrêtèrent. Imperturbable, l'orchestre continuait à jouer une valse lente. Léa avait du mal à retenir son rire. Elle regardait avec mépris ces gens qui, une minute avant le scandale, n'étaient que sourires, désinvolture, devisant avec les officiers allemands et qui, maintenant, montraient leurs vrais visages où la couardise le disputait à la veulerie. C'était répugnant. Lentement, jouissant sans doute de l'attente anxieuse de l'assemblée, Engelke ramassa le journal.

« *Libération* », dit-il à haute voix.

Il lut quelques lignes, indifférent à la tension qui régnait dans la salle.

« Très intéressant. Vous connaissez? » fit-il en le tendant à Michel Szkolnikoff.

D'où elle était, Léa voyait trembler la main de l'homme d'affaires. La musique s'arrêta.

« Voulez-vous me donner à boire », fit-elle d'une voix rieuse qui éclata dans le silence.

Tous se retournèrent comme piqués par un aiguillon. Corinne Luchaire la regardait, amusée. Eclatant de rire, elle leva son verre dans sa direction. Léa, avec un air de triomphe, leva à son tour le sien en inclinant la tête.

L'insolence des deux jeunes femmes détendit l'atmosphère et d'autres rires se firent entendre. Engelke, beau joueur, y joignit le sien au grand soulagement de Szkolnikoff.

« Ces jeunes filles sont charmantes, tout l'esprit de Paris », fit le capitaine S.S. en faisant une boule du journal.

François Tavernier avait du mal à retenir son hilarité.

« C'est vous qui avez joué ce mauvais tour à ce pauvre vieux? demanda-t-il.

– Je ne vois pas ce que vous voulez dire.

– Vous êtes un petit monstre, mais vous me plaisez telle que vous êtes. C'est follement imprudent ce que vous avez fait là. On arrête pour moins que ça. Tenez, voici votre caviar. »

Avec respect, le maître d'hôtel, assisté de deux garçons, présenta lui-même les précieux grains dans leurs atours de glace et d'argenterie.

Sans vergogne, Léa se régala avec des mines si gourmandes qu'un autre que Tavernier en eût été gêné. Au contraire, cette affirmation de la sensualité de la jeune fille l'excitait et l'amusait.

« Petite garce », dit-il affectueusement en prenant à son tour une grande cuillerée de caviar.

Le sens de cette injure amicale n'échappa pas à Léa. Elle aimait le trouble dans lequel chacun de ses gestes le jetait désormais, l'ironie dont il se départissait rarement. Auprès de lui, elle se sentait à la fois inquiète et rassurée mais surtout libre. C'était une impression, sans plus, mais très forte. Dans son voisinage, elle ne ressentait pas les contraintes de son sexe, mais plutôt une exaltation de sa féminité comme valeur en soi et non comme objet de soumission ou de calcul. Il pouvait tout entendre, savait mieux qu'elle ce qui lui convenait. Il y avait chez cet homme indéfinissable un code de l'honneur particulier et cependant rigoureux. Léa devinait sa grande tolérance pour les choix d'autrui, même s'il ne les partageait pas et, le cas échéant, les combattait. « Il n'a pas de haine », pensait-elle. Cela lui rappelait des conversations entendues entre son père et son oncle Adrien. Ce dernier disait en parlant de la guerre d'Espagne : « J'ai tant vu les ravages de la haine dans l'un et l'autre camp que j'ai failli à mon tour en être victime et haïr tous les hommes. Puis j'ai vu dans leurs crimes la marque du démon et je les ai plaints, bourreaux et victimes confondus. »

A l'époque, Léa, encore enfant, avait été impressionnée par cette « marque du démon », empreinte indélébile qui rendait les hommes irrémédiablement mauvais. Il y avait chez François la même indulgence désabusée que chez le dominicain. Indulgence qu'elle ne partageait pas, éprouvant même envers certains le désir de les détruire avec des raffinements de cruauté. Mais là encore, embellie par la lumière rose des abat-jour, repue de nourriture riche et de champagne, elle ne voulait vivre que l'instant et, pour le moment, désirait que cet homme-là, en face d'elle, la prenne dans ses bras.

« Faites-moi danser.

– Comment résister à un appel aussi langoureux? » fit-il en se levant.

En passant devant la table du capitaine Engelke, Tavernier salua d'un signe de tête Hélène Szkolnikoff qui lui rendit son salut.

Léa s'abandonna totalement dans les bras de son amant et plus d'un éprouva en les regardant un frisson de volupté.

Dehors, le silence était total. La lune éclairait doucement l'obélisque de la place de la Concorde. Malgré le couvre-feu, Léa insista pour rentrer à pied. Des jardins des Tuileries et des Champs-Elysées, leur parvenaient les parfums nocturnes de l'herbe et des fleurs. Un oiseau de nuit lança son cri, un autre lui répondit. Lentement, ils traversèrent l'immense place vide, où leurs pas résonnaient, tranquilles. Sur le pont, face à la Chambre des députés barrée du V de la propagande allemande, ils s'arrêtèrent pour regarder couler la Seine, large ruban moiré presque immobile entre ses rives de pierres. L'odeur de l'eau monta jusqu'à eux.

Appuyés contre le parapet, lèvres soudées, corps enivrés, s'abandonnant à l'illusoire protection de la nuit, ils se laissaient emporter par le flot de leurs désirs.

Ils tanguèrent longtemps au-dessus du fleuve tant chanté. Les dieux étaient avec eux : nulle patrouille, nul véhicule ennemi ne vinrent troubler leur félicité.

Le lendemain matin, Léa raconta à Camille comment elle avait introduit le journal clandestin parmi ceux destinés à la clientèle de chez Maxim's. Camille avait tellement ri à la description de la tête des clients qu'elle n'avait pas eu le courage de la gronder.

« Ta tante Bernadette a téléphoné hier pour dire

que Lucien était bien arrivé et que sa santé était aussi bonne que possible. Les gendarmes ont ramené Pierrot chez maître Delmas. Il paraît qu'il veut le mettre dans une pension très stricte, tenue par des jésuites.

– Je sais, mon cousin Philippe me l'avait dit. Pauvre Pierrot... Tante Bernadette t'a-t-elle parlé de Raoul et de Jean?

– Oui, leur mère n'a aucune nouvelle. Elle a pris un petit appartement à Bordeaux et va tous les jours au fort du Hâ. Mais on lui a toujours refusé un droit de visite. Elle n'est même pas sûre qu'ils soient au fort. Elle espère beaucoup de sa démarche auprès du préfet. Il lui a promis de se renseigner sur le sort de ses fils et d'intervenir auprès des autorités occupantes.

– Elle aurait mieux fait d'aller voir les responsables allemands eux-mêmes plutôt qu'un homme qui prend ses ordres de Vichy.

– Oui, peut-être... c'est tellement compliqué, le préfet croit certainement agir loyalement...

– Loyalement... envers qui?

– Je ne sais pas... c'est un fonctionnaire.

– Un fonctionnaire!... qui comptabilise soigneusement le nombre de juifs envoyés en déportation, sans oublier les enfants.

– Je le sais. Quand j'étais au camp de Mérignac, les femmes ne parlaient que de ça. Où sont-ils maintenant? »

Elles restèrent tristement silencieuses.

« Puisque je vous dis que je ne veux pas y aller.

– Léa, encore une fois, je ne peux pas faire autrement et je vous demande comme un service de m'accompagner.

– Voir une nouvelle fois ces têtes de fripouilles, de voleurs, d'assassins me donne envie de vomir. Je ne le supporterai pas.

– Très bien. Si vous ne le faites pas pour moi, faites-le pour vous.

– Que voulez-vous dire?

– Que les activités de votre oncle et de certains de vos amis sont connues de ces messieurs. A la Gestapo, on aimerait bien vous interroger...

– Vous m'aviez dit!...

– C'était il y a quelques mois. La situation évolue chaque jour et je ne serais pas étonné d'être un jour moi-même inquiété.

– Pourquoi?

– Parce qu'ils me soupçonnent de n'être pas tout à fait correct vis-à-vis d'eux.

– François?... Vous n'essayez pas de me dire que vous allez être arrêté! s'exclama Léa devenue pâle d'angoisse.

– Ma chérie, en auriez-vous de la peine?

– Cessez de jouer avec moi! Vous savez bien...

– Je sais bien quoi?

– Rien! Vous êtes exaspérant... J'irai avec vous. »

Il l'attira contre lui. Elle sentait son corps dur et tendu, ses muscles sous ses doigts. Il lui faisait presque mal tant il la serrait fort.

« Merci. En vous voyant, mon cœur, ils ne penseront pas, du moins je l'espère, que vous viendriez vous jeter dans la gueule du loup si vous aviez la moindre relation avec la Résistance.

– Et s'ils pensaient le contraire?

– Alors il conviendrait de faire une prière et de disparaître très vite.

– Comment voulez-vous que je m'habille?

– Très simplement. Je ne veux pas que vous ressembliez à ces poules de luxe. Mettez cette longue robe toute simple que vous arrangiez l'autre jour. Elle doit être terminée, maintenant?

– Oui, grâce à Camille qui m'a aidée à faire l'ourlet. Je ne suis pas très habile en couture. Je vais me changer, je n'en ai pas pour longtemps.

– Tenez, mettez ces orchidées.
– Elles sont magnifiques! Merci. »

« Superbe!... vous êtes superbe! n'est-ce pas, Hélène?
– Mademoiselle est ravissante malgré la simplicité de sa robe. Pourquoi ne portez-vous pas de bijoux, ma chère?
– Parce que je n'en ai pas, madame.
– Comment! une jolie fille comme vous!... Mais à quoi pensez-vous, mon cher Tavernier? Ce n'est pas dans vos habitudes de vous montrer pingre envers les femmes. Vous devriez avoir honte.
– Vous avez raison. J'aurai besoin de vos conseils, votre goût est si parfait.
– C'est vrai. Demain, je reçois un bijoutier de la rue de la Paix qui veut me présenter quelques modèles. Venez... vous serez le bienvenu... murmura-t-elle d'une voix câline. Mais!... qu'avez-vous?
– Rien, une petite douleur au bras. Rien de grave, souvenir d'une ancienne blessure. »
L'arrivée de nouveaux invités obligea la maîtresse de maison à les quitter.
« Oh! Fritz... je suis toujours si heureuse de te voir dans ma maison.
– C'est toujours un bonheur pour moi, chère Hélène, que de venir chez toi. Je me suis permis d'amener le général Oberg qui a gardé un souvenir ému de l'admirable dîner que Michel et toi aviez donné en l'honneur de mon ami, le Reichsführer S.S. Heinrich Himmler. »
Oberg s'inclina en claquant les talons.
« Madame.
– Soyez le bienvenu, général. »
Léa regardait autour d'elle sans chercher à dissimuler sa stupéfaction.
« Pourquoi m'avez-vous pincé, tout à l'heure?

– C'est étonnant!... je dois rêver... Que dites-vous?... ah! oui... Vous pourriez éviter de faire le joli cœur avec cette femme devant moi. »

François Tavernier partit d'un grand rire et prit deux coupes de champagne sur le plateau que lui tendait un domestique.

« Je bois à votre santé. Vous êtes irrésistible. »

Léa tourna un moment la coupe entre ses doigts, songeuse. Puis d'un coup la vida.

« Vite, donnez-m'en une autre. »

Il la lui tendit.

« C'est vraiment un endroit très bien fréquenté... Il ne manque plus que Raphaël Mahl. Regardez qui est là. »

Dans le salon écrasant de luxe, encombré de meubles précieux, de tableaux de maîtres, au sol recouvert de magnifiques tapis anciens, aux lourdes tentures de soie, une faune étonnante était rassemblée. Jolies femmes voyantes, trop maquillées, ployant sous des bijoux de prix, officiers allemands, très dignes et raides dans leurs uniformes noirs ou verts, deux ou trois beaux garçons habillés à la mode zazou, au visage de gouape ou de gigolo, des hommes d'affaires à la mine florissante, des individus à l'allure louche malgré le smoking dont la veste faisait une bosse et, allant de l'un à l'autre, parlant avec volubilité, Michel Szkolnikoff qui semblait n'avoir pas quitté son smoking depuis la veille tant il était chiffonné. Pour l'instant, il bavardait avec un petit homme aux cheveux foncés soigneusement plaqués à la gomina. Tous les deux fumaient de gros cigares. Le petit homme se retourna et posa son regard gris-vert sur Léa qui eut un mouvement de recul.

« Qui est-ce? demanda Tavernier.

– Masuy », souffla-t-elle.

Les jointures de la main de François devinrent blanches. Mais c'est d'une voix calme qu'il dit :

« Ah! c'est lui! Je ne le connaissais pas. Il correspond assez à ce que j'avais imaginé.
– J'ai peur, il vient vers nous.
– Ne vous inquiétez pas.
– Chère mademoiselle Delmas! Quelle surprise et quel plaisir de vous revoir ici! Je croyais que vous aviez quitté Paris? Avez-vous revu notre ami Mahl?... Vous savez qu'il m'a joué un tour de cochon?
– Non... Je suis partie très vite... je ne l'ai pas revu.
– On m'a dit qu'il était dans la région de Bordeaux. Vous êtes de cette région si je ne me trompe?
– Oui...
– Quand vous le reverrez, dites-lui que je pense à lui. Quant à vous, mademoiselle, si je peux vous être utile, n'hésitez pas. Vous connaissez mon adresse. Malheureusement, si vous voulez vendre quelque chose, cela sera difficile. Comme vous le savez sans doute, les bureaux d'achat ont été fermés, enfin... presque...
– Madame est servie. »
L'annonce du dîner épargna à Léa d'avoir à faire les présentations.

La table étincelait de cristaux et d'argenterie. Les plats les plus raffinés se succédaient, les meilleurs crus coulaient en abondance. La plupart des convives ne mangeaient pas ils bâfraient. Au dessert, ce fut de la frénésie : corbeilles débordantes de fruits, plateaux d'argent surchargés de pâtisseries les plus diverses, glaces, sorbets, crèmes furent apportés en procession sous les applaudissements. Assise à la place d'honneur, c'est-à-dire à côté de Peggy, le caniche chéri de Szkolnikoff, qui, serviette au cou, mangeait de tous les plats, servi cérémonieusement par le maître d'hôtel, Léa en oubliait sa peur tant elle s'ennuyait. Chaque jour, l'animal déjeunait à la table de son maître en compagnie de gens qui s'empressaient de lui faire la cour pour plaire à leur hôte fastueux.

Au début, ce voisinage avait déplu à Léa, mais très vite elle s'en félicita; la chienne, elle, n'obligeait pas à la conversation. Il n'en était pas de même de son autre voisin, un zazou qui ne parlait que coupe de costumes, bars à la mode et difficultés pour se procurer des cigarettes anglaises...

Placé à la gauche de la maîtresse de maison, François Tavernier ne quittait pas Léa des yeux et répondait par monosyllabes à Hélène Szkolnikoff qui finit par s'en apercevoir.

« Eh bien, mon cher, je vous trouve bien distrait. Est-ce cette petite qui vous tourne la tête? Elle n'est pas mal, mais elle manque terriblement de classe. »

Cette dernière réflexion amena un sourire furtif aux lèvres de son interlocuteur.

« Elle est si jeune encore.

– Oh! pas tant que ça », fit-elle avec une moue boudeuse en se tournant vers son voisin de droite, le général Oberg.

Les personnes présentes ne parlaient que d'achats et de ventes. C'était à qui proposerait les quantités les plus importantes des denrées les plus diverses : cuivre, plomb, blé, cognac, soieries, or, tableaux, livres rares... Un industriel de Roubaix proposait de fournir en une seule fois cinquante mille mètres de lainage peigné « comme avant-guerre »... Un Belge, c'était des kilomètres de toiles de bâche... Une Alsacienne, des parfums... un bonnetier de Troyes toute sa production de bas de soie « comme d'habitude », un Antillais deux wagons de gruyère... Michel Szkolnikoff énumérait les hôtels dont il était devenu propriétaire sur la Côte d'Azur : le Savoy, le Ruhl et le Plazza à Nice, à Cannes, le Martinez, le Bristol, le Majestic; il ne comptait plus les immeubles, les villas, les sociétés, les usines qu'il avait achetés. Il parlait de son château d'Aisne à Azé en Saône-et-Loire dans lequel les aménagements somptueux venaient d'être terminés. Bien entendu, ses amis y seraient les bienvenus.

Léa, malgré sa gourmandise, n'avait pratiquement rien mangé. Elle attendait la fin du repas avec une impatience grandissante que même son voisin zazou remarqua.

« J'ai l'impression que vous vous ennuyez. Si vous le voulez, après, je vous emmène dans un cabaret comme vous n'en avez jamais vu. C'est d'accord?

– Non merci, j'en ai assez pour ce soir.

– Oh! je vois! Vous avez peur que les gens de là-bas ressemblent à ceux d'ici. Pas de danger, on est entre J3. Passé vingt-trois ans... personne n'entre. On y écoute les derniers disques américains.

– Je croyais que c'était interdit.

– C'est interdit, mais on se débrouille. C'est moi qui fournis les disques et les cigarettes. Chez Szkolnikoff, je suis sûr de rencontrer quelqu'un qui aura la marchandise dont j'ai besoin. Et vous, qu'est-ce que vous faites? Vous êtes la poule de qui?

– La mienne », fit une voix dans son dos.

Le garçon sursauta et se leva précipitamment.

« Excusez-moi, m'sieu, j' savais pas.

– Ce n'est pas grave. Vous venez, ma cocotte? »

Léa, rouge et furieuse, se leva à son tour.

« Qu'est-ce qui vous prend de m'appeler comme ça?

– Pourquoi n'avez-vous pas giflé cet abruti quand il vous a traitée de poule?

– J'étais tellement surprise que je n'y ai pas pensé.

– C'est de ma faute. J'ai eu tort de vous emmener dans un endroit fréquenté par de tels gens. Pardonnez-moi, cela ne se reproduira plus.

– Je croyais que ma présence était indispensable?

– Pas au point de vous faire subir une telle compagnie. J'oublie parfois qui ils sont réellement pour ne voir que des phénomènes engendrés par la guerre.

– Mais le fait que je sois venue ici vous a-t-il été utile?

– Oui. Cela rassure Szkolnikoff de me voir avec une jolie fille. C'est plus conforme à l'idée qu'il se fait de moi. Quand on est « dans les affaires » une belle femme pose un homme... C'est aussi bête que ça.

– Pouvons-nous bientôt partir?

– Oui, après le café qui est servi au salon; je dirai que vous n'avez pas obtenu la permission de minuit.

– Et ils vous croiront?

– Je leur ai dit que vous étiez une jeune fille de bonne famille vivant chez ses tantes, deux demoiselles des plus respectables. Cela les valorise de fréquenter quelqu'un de convenable. »

Peu après, ils prirent congé de leurs hôtes.

« N'oubliez pas... demain matin... à onze heures, dit Hélène en tendant sa main à baiser à François.

– A demain, chère amie, et merci pour cette merveilleuse soirée. »

« Vous la revoyez demain? demanda Léa en entrant dans la voiture.

– Oui, pour vous acheter des bijoux.

– Mais je n'en veux pas!

– A la longue, cela leur semblerait louche que la femme dont je suis amoureux n'ait pas de bijoux.

– Cela m'est complètement égal. Vous me voyez me pavanant comme ces vieilles, couverte de cailloux plus gros les uns que les autres?

– N'exagérons rien, un beau bijou n'a jamais enlaidi une jolie femme. »

Devant la Chambre des députés, une patrouille les arrêta. Au même moment, éclataient les sirènes d'une alerte. L'officier, après avoir jeté un bref coup d'œil sur leurs ausweis, leur conseilla de se rendre à l'abri le plus proche. Le boulevard Saint-Germain, désert quelques instants auparavant, se remplit d'ombres courant vers les stations de métro servant d'abri. Léa préféra rentrer rue de l'Université. Dans la cour de l'immeuble, ils retrouvèrent mesdemoiselles de Montpleynet, Camille et son petit garçon, Laure et Estelle en robe de chambre. Au loin les premières bombes commencèrent à tomber.

« C'est du côté de Boulogne », dit le voisin du troisième.

Assis à même le sol ou sur des pliants, chacun attendait, à moitié endormi, la fin de l'alerte. Blottie contre François, Léa se laissait caresser dans la semi-obscurité. La fin de l'alerte dérangea son plaisir.

Pas pour longtemps. Albertine offrit à Tavernier l'hospitalité du divan du salon qu'il accepta avec reconnaissance. Quand tout le monde fut couché, il rejoignit Léa qui se jeta sur lui avec un empressement flatteur. Il y répondit comme il se doit.

Le soleil était déjà haut quand François regagna le divan sur lequel il sombra dans un profond sommeil.

Il n'y eut cette nuit-là qu'une vingtaine de personnes tuées sous les bombardements alliés. Le 14 juillet, un bombardement dans la banlieue parisienne fit une centaine de morts. Sur les ondes, Jean-Hérold Paquis se déchaînait.

Léa avait l'impression d'être prisonnière de la ville surchauffée par l'été. François Tavernier avait dû de nouveau quitter Paris. Elle supportait de plus en plus mal ses absences.

Deux ou trois fois par semaine avec ou sans Camille, elle portait des tracts, des journaux clandestins ou des faux papiers aux adresses indiquées par des messages qui étaient rarement les mêmes. Pour échapper à d'éventuelles filatures, elle n'eut bientôt pas sa pareille pour se fondre dans la cohue d'un grand magasin, se perdre dans la foule du métro, l'utilisant au mieux, prenant ou le premier ou le dernier wagon pour d'un regard voir dans l'enfilade si on ne la suivait pas et, dans le doute, sauter du wagon au dernier moment. Elle préférait cependant circuler à bicyclette, malgré le danger d'être interpellée par des jeunes gens en mal de galanterie.

Un jour, à la station Opéra, elle fut bousculée par un garçon sur lequel les portes du wagon se refermèrent immédiatement. De l'autre côté de la vitre, deux hommes couraient en montrant le poing. Le métro prenant de la vitesse, ils disparurent aux yeux des voyageurs. Dans le compartiment, chacun faisait comme si de rien n'était. Léa regarda le garçon et dut faire appel à toute son énergie pour ne pas crier. Contre elle, pâle, essoufflé, sentant la sueur et la peur, Pierrot, son cousin Pierrot, tremblait. Déjà la rame ralentissait et allait entrer dans la station Chaussée-d'Antin. C'était là qu'il fallait descendre. Quand le métro s'arrêta, elle saisit la main de son cousin et l'entraîna. Surpris, il amorça un geste de résistance quand enfin il la reconnut.

« Toi!

– Ne cours pas, donne-moi le bras, nous allons aller aux Galeries Lafayette. Ils te suivent depuis combien de temps?

– Je n'en sais rien. Ils ont déjà essayé de m'avoir au Châtelet.

– Tu leur as échappé deux fois!... Pour quelqu'un qui ne connaît pas le métro, ce n'est pas mal. Depuis quand es-tu à Paris?

– Depuis hier soir, j'essayais d'aller chez tes tantes.

– Je croyais que tu étais dans un collège de jésuites.

– J'y étais, mais je m'en suis échappé. Je ne veux pas attendre la fin de la guerre sans rien faire...

– Attention, ne parle pas si fort! Ton père va être fou de rage.

– J' m'en fous. Lui et mon frère me dégoûtent,

complètement soumis au vieux et à la botte des Boches.

– Que comptes-tu faire?

– Je n'en sais rien. Comme le collège était près de Paris, j'ai pensé à toi. Les allusions de mon père m'ont fait comprendre que tu avais des relations dans la Résistance...

– C'est beaucoup dire. Pour ça, il vaut mieux voir oncle Adrien.

– J'y avais bien pensé, mais personne ne sait, ou n'a voulu me dire, où il est.

– Qu'est-ce que je vais faire de toi?... J'ai une idée. »

Tout en marchant, ils étaient sortis des Galeries Lafayette et se dirigeaient vers la station du métro Havre-Caumartin. Il y faisait une chaleur épouvantable et c'est avec soulagement qu'ils sortirent à l'Etoile et descendirent les Champs-Elysées à pied.

« Heureusement que tu es correctement habillé.

– Papa avait tenu à renouveler ma garde-robe.

– Une chance. Tu vas pouvoir faire bonne figure parmi les amis de Laure. »

Par cette belle fin d'après-midi d'été, Parisiens et occupants flânaient à la terrasse des cafés, feignant de s'ignorer. Pierrot et Léa entrèrent au Pam Pam. Dans le sous-sol du piano-bar, une vingtaine de jeunes gens et de jeunes filles, l'œil vague, marquant la mesure de leurs doigts ou de leurs pieds, entouraient le pianiste. Patiemment, ils attendaient la fin du morceau. Léa s'avança vers le petit groupe.

« Toi, ici! Ça s'arrose, fit un joli garçon à peine sorti de l'enfance en l'embrassant.

– Bonjour, Roger. Ça va? Tu n'as pas vu Laure?

– Que veux-tu? » fit une voix émergeant de la pénombre d'une banquette que la bande appelait le coin des amoureux.

Laure se redressa barbouillée de rouge à lèvres.

« Essuie-toi, dit sa sœur en lui tendant son mouchoir.
– Merci.
– Regarde qui est avec moi.
– Pierrot! » s'écria-t-elle en courant vers son cousin.
Celui-ci la regardait avec une telle stupéfaction qu'il mit les jeunes gens en joie.
« Laure?...
– C'est bien moi.
– Je ne t'aurais pas reconnue », dit Pierrot en l'embrassant.
Léa entraîna sa sœur et lui expliqua la situation.
« Oncle Luc doit être furieux, fit-elle en pouffant.
– Tu as bien compris ce que tu dois faire : vous venez tous vers huit heures rue de l'Université en riant et en chahutant comme d'habitude. S'ils surveillent la maison, ils ne feront pas attention à vous. Moi, je rentre maintenant pour prévenir tante Albertine et voir si tout se passe bien. Si quelque chose ne va pas, j'ouvrirai en grand la fenêtre du salon, cela voudra dire : demi-tour.
– ... et j'irai chez Roger. Compris. »

Tout se passa bien, Camille réussit à avoir des faux papiers au nom de Philippe Dorieux, étudiant, originaire de Libourne. Il devait aller jusqu'à Poitiers; là, il serait pris en charge par un réseau de la région. Le rendez-vous était fixé devant le porche de Notre-Dame-la-Grande, le jour du marché, et le mot de passe était : « Connaissez-vous l'église Sainte-Radegonde? » auquel Pierrot devait répondre : « Non, mais je connais Saint-Hilaire. »

C'était la quatrième fois en une semaine que Paris était réveillé par les sirènes et que ses habitants se retrouvaient dans les caves ou dans le métro. Excédée,

Léa refusa de quitter sa chambre, malgré les mises en garde répétées des journaux et de la radio. Chaque jour, des gens se faisaient tuer pour avoir refusé de descendre dans les abris.

Il faisait très lourd, l'orage qui avait menacé d'éclater durant toute la journée s'était éloigné. Léa se mit à la fenêtre, suivant d'un œil indifférent les faisceaux lumineux qui fouillaient le ciel à la recherche des avions dont on entendait le sourd bourdonnement. Brusquement, elle prit en haine les hauts immeubles qui lui cachaient le ciel, non parce qu'ils la privaient d'un éventuel spectacle mais parce qu'ils limitaient son espace tels les murs d'une prison.

« J'étouffe », murmura-t-elle.

Alors se présentèrent à elle les grands espaces entourant Montillac, la mer au-delà de l'horizon, le silence habité des nuits, l'odeur puissante de la terre surchauffée quand quelques grosses gouttes de pluie en libèrent un à un les parfums. Léa ferma les yeux de volupté.

Trois jours après, elle prenait le train pour Bordeaux. Une semaine plus tard, Camille et son fils la rejoignaient.

21

Il faisait très chaud. Tous les jours, quand le soleil commençait à baisser, Camille et Léa prenaient leurs bicyclettes et, abritées sous de grands chapeaux de paille, descendaient se baigner dans la Garonne en face de Langon. Charles était de la partie et se sentait tout à fait en sécurité dans son siège d'osier, derrière sa « tante » Léa. Camille, elle, était chargée du panier contenant le goûter, la bouteille de limonade bien fraîche, les serviettes et les livres.

Les deux jeunes femmes, également bonnes nageuses, aimaient à faire la course et c'était à qui arriverait la première de l'autre côté de la rivière. Quelquefois, elles compliquaient le jeu : il fallait plonger pour ramasser un galet, rester le plus longtemps possible sous l'eau ou contourner les piliers du pont là où le courant était dangereux. A la course, c'était toujours Léa qui gagnait, sous l'eau, c'était Camille. Charles nageait comme un petit chien. C'était chaque jour toute une comédie pour l'arracher à ses jeux.

Après le bain, elles s'allongeaient au soleil, n'échangeant que très peu de paroles, submergées de bien-être. Il fallait les cris persistants de l'enfant pour les tirer de leur somnolence. Tout était si calme, hormis le piaillement des mouettes, le trisse des hirondelles, les rires des gamins que recouvrait parfois le grondement d'un train passant sur le viaduc tout proche. C'était un bruit familier et rassurant.

Sans s'être donné le mot, depuis leur retour, elles n'avaient évoqué ni la Résistance, ni le départ de Pierrot, pris en charge par le réseau. Ces jours de soleil aux bords de la rivière étaient comme une parenthèse que l'une et l'autre désiraient voir se prolonger. Les nouvelles de Laurent, qui avait enfin rejoint le colonel Leclerc et s'entraînait durement à Sabratha étaient bonnes. Quant à François, il avait fait savoir qu'il viendrait quelques jours en septembre. Lucien, passé en Suisse, ne disait rien de son horrible blessure. Adrien faisait la navette entre Toulouse et Bordeaux, apportant son aide là où elle était nécessaire; Jean et Raoul Lefèvre étaient toujours détenus au fort du Hâ, mais leur mère pouvait les voir tous les quinze jours, leur moral était à toute épreuve. Elles n'avaient pas encore revu Mathias qui, d'après ses parents, était devenu « un monsieur ». Léa appréhendait beaucoup ces retrouvailles, Ruth, Sidonie et même Bernadette avaient fait du bon travail durant leur absence, menant la vie dure à Fayard qui était revenu à la charge. Il souhaitait plus que jamais racheter la propriété. Ruth lui avait dit que s'il en reparlait, elle le mettrait à la porte. La vendange s'annonçait bonne et la guerre allait bientôt finir.

Appuyée sur ses coudes, Léa suivait machinalement des yeux un nageur qui venait de plonger de la rive de Langon. Sa brasse était souple et rapide. Il aborda et se laissa tomber non loin d'elles sur l'herbe du rivage. Il resta quelques instants immobile, un peu essoufflé puis, lentement, se retourna.

D'un seul coup le ciel s'assombrit et Léa eut froid.

« Bonjour », dit Maurice Fiaux.

Camille tressaillit. Avec appréhension, elle leva la tête.

« Bonjour, firent-elles d'une voix atone.

– Quel bel été, n'est-ce pas? Vous venez souvent ici? Moi, c'est la première fois de l'année... j'ai tellement de travail à Bordeaux, vous n'imaginez pas... Quand êtes-vous rentrées?... Je suis allé à deux reprises à Montillac, personne. Les oiseaux s'étaient envolés...

– Nous étions à Paris, chez mes tantes.

– Je sais », dit-il sèchement.

Camille détourna la tête.

« Laure n'est pas rentrée avec vous? ajouta-t-il radouci.

– Elle a préféré rester à Paris. C'est plus gai pour elle. Laure n'a jamais aimé la campagne et s'est toujours ennuyée à Montillac, dit Léa.

– Je la comprends. Elle aurait pu aller à Bordeaux chez son oncle, maître Delmas? Un homme remarquable, qui a beaucoup d'amis, de relations...

– Mais il est un peu strict et à cheval sur les convenances, il ne lui aurait certainement pas laissé autant de liberté qu'elle en a à Paris.

– Vous savez, Léa, les mœurs ont bien changé depuis quelque temps, même à Bordeaux. C'est devenu maintenant une ville où l'on s'amuse. Vous devriez venir y faire un tour, cela remonterait le moral de votre ami Raphaël Mahl...

– Il est toujours là?... Pourquoi n'a-t-il pas le moral?

– Oh! vous le connaissez!... Il est tombé amoureux d'un petit voyou de Mériadec qui le trompe, le bat et lui prend tout son argent. Alors, il a fait quelques bêtises...

– Lesquelles?

– Il a été un petit peu loin dans des trafics louches. La police l'a arrêté. Grâce à nos relations nous avons pu le faire sortir, mais les flics l'ont à l'œil. Ceci ne serait pas bien grave s'il n'avait pas essayé de nous rouler. »

Léa ne put retenir un sourire. Sacré Raphaël!

« Cela vous fait rire? Il n'y a vraiment pas de quoi. Moi, j' m'en fiche, à sa place j'en aurais fait autant, j'aurais tenté le coup, ça en valait la peine, mais ce n'est pas l'avis de mes camarades. Ils voulaient le descendre... j'ai eu du mal à les convaincre qu'il pouvait nous être utile en nous rendant quelques services pour sauver sa peau.

– Mais c'est ignoble! s'exclama Camille.

– Que voulez-vous, madame, c'est la guerre. Mahl connaît le rôle que certaines personnes jouent dans la Résistance, l'aide qu'elles apportent aux terroristes et aux juifs. Dans l'affaire Terrible, il nous a été très utile.

– L'affaire Terrible?...

– Vous n'êtes pas au courant?... Tout le monde en parle dans la région. La Gestapo a réussi un joli coup de filet à La Réole. D'abord le capitaine Gaucher, arrêté à la gare transportant un poste émetteur dans sa valise, puis, quelques jours après, le 19 août, Adois... Ça ne vous dit rien?

– Non.

– C'est le nom de guerre d'un menuisier de La Réole... »

Léa enfonçait ses ongles dans la terre pour ne pas crier. Elle s'efforça à demander :

« Quel rapport entre Raphaël Mahl et un menuisier de La Réole? Notre ami ne s'intéresse pas au travail manuel!

– Non, mais il s'intéresse aux francs-maçons.

– Je ne savais pas.

– C'est Beckmann, adjoint du Dr Hans Luther, le chef du K.D.S. de Bordeaux, chargé de la surveillance des ecclésiatiques et des francs-maçons, qui a eu l'idée de l'employer quand il a su qu'il avait fait partie d'une loge à Paris. Il en a été exclu avant la guerre pour malversation, mais a gardé des relations avec quelques frères. D'où ses rapports avec la loge de La Réole. Ce qui lui a permis de connaître les activités de Jacques Terrible le menuisier.

– Raphaël l'a dénoncé?...

– Ce n'était pas nécessaire, d'autres l'avaient fait avant lui.

– D'autres personnes ont été arrêtées?

– Oui, mais j'ai oublié leurs noms. Si cela vous intéresse, je peux me renseigner.

– Je disais ça comme ça.

– Ils ont été fusillés? demanda Camille.

– Non, ils peuvent donner des tas d'informations sur le réseau dont la mission était le parachutage, le stockage d'armes, les faux papiers, la centralisation des renseignements, l'organisation de l'hébergement des juifs et des réfractaires au S.T.O.

– Où sont-ils?

– A la prison Saint-Michel à Toulouse. »

Il y avait deux jours que ces arrestations avaient eu lieu et elles l'apprenaient seulement maintenant de la bouche de cette petite fripouille. Ensemble, elles se détournèrent pour cacher leur dégoût.

Sept heures sonnèrent au clocher de Langon.

« Nom de Dieu! je vais être en retard... Adieu... je passerai vous voir un de ces jours. »

Quelques gouttes d'eau les éclaboussèrent quand il plongea. Elles ne bougèrent pas.

« Maman... maman... je peux aller me baigner comme le monsieur? »

Camille saisit son petit garçon et le serra contre elle. Il protesta.

« Tu fais mal... »

Elle embrassa les joues bronzées.

« Oui, mon chéri... tu peux aller te baigner... »

Sans s'être concertées, le lendemain de leur rencontre avec Maurice Fiaux et les jours qui suivirent, elles ne quittèrent pas Montillac. Pour elles, l'été et les baignades dans la Garonne étaient terminés. Comme assommées, elles furent pendant longtemps sans pouvoir parler de ce qu'elles avaient appris et s'épuisèrent au potager : il fallait rassembler les pommes de terre, cueillir les haricots verts, arroser, biner.

Elles rentraient le soir harassées, les mains abîmées, heureuses de cette fatigue qui calmait, un peu, leur inquiétude.

Le soir, après le dîner, Léa errait à travers les vignes à cette heure où le soleil enveloppe de rose et d'or la campagne bordelaise. Elle aimait avec son cœur, avec sa peau, cette terre riche où la main de l'homme était partout présente avec un bonheur d'équilibre et d'harmonie qui chaque fois la ravissait. Depuis cette rencontre maudite le charme n'opérait plus. Elle errait sur les chemins, cherchant les lieux qui apaiseraient cette panique envahissant par vagues son esprit torturé. Mais tous avaient perdu leur magie. Ni le calvaire de Verdelais, ni la bicoque de la Gerbette à moitié enfoncée dans la terre, ni la Croix de Borde d'où l'on dominait toute la région, ni l'église de Saint-Macaire et sa Vierge des marins ne lui redonnaient la paix. Elle s'exténuait en de longues courses à bicyclette dans des lieux où on ne la connaissait pas, vers Langoiran, Targon ou sur l'autre rive, Villandraut, Bazas... rien n'y faisait. Sans cesse la voix de l'agent de la Gestapo, dont l'image se mêlait à celle de Mathias, s'insinuait dans son cerveau :

« Dans l'affaire Terrible, il nous a été très utile... Adois... ça ne vous dit rien?... C'est le nom d'un menuisier de La Réole... »

Bien que Maurice Fiaux ait laissé entendre que Raphaël n'avait pas dénoncé Jacques Terrible, Léa ne pouvait s'empêcher de penser qu'il n'était pas innocent dans cette arrestation comme il n'avait pas été innocent dans celle de Sarah Mulstein. Elle ne parvenait pas à dominer la peur abjecte qui s'emparait d'elle la couvrant de sueur, lui donnant la nausée et lui coupant les jambes. La prochaine fois c'est elle qu'il donnerait à la Gestapo. Il savait ou avait deviné suffisamment de choses pour l'envoyer dans les caves de la route du Médoc et les cellules du fort du Hâ. Peut-être même devant un peloton d'exécution. Léa voyait les fusils braqués... s'entendait supplier ses bourreaux...

C'est dans cet état que François Tavernier la trouva. Même la fatigue des vendanges n'avait pas réussi à endormir sa terreur.

Enlacés, Léa et François regardaient le soleil se lever sur la campagne dorée à peine roussie par touches légères.

Depuis cinq jours, chaque matin ils s'étaient levés, épuisés et heureux, admirant avec la même exaltation incrédule ces promesses de bonheur qui montaient avec l'aube. Finie la peur immonde, la présence d'un homme, ses caresses l'avaient chassée. Dans ses bras, elle se riait des Raphaël Mahl, des Maurice Fiaux, de la Gestapo. Léa puisait dans le plaisir une force nouvelle.

La guerre avait emporté tous les préjugés. Même Bernadette Bouchardeau ne s'étonnait pas que Léa partageât sa chambre avec un homme qui n'était pas son mari. Il était vrai que l'attitude de la jeune fille ne leur laissait guère le choix. A son air, tout le monde avait compris qu'elle n'accepterait pas la moindre réflexion. Tous se l'étaient tenu pour dit.

Devant cette matinée d'automne qui se levait si belle, Tavernier reculait le moment d'annoncer à Léa son prochain départ. Il était inquiet à l'idée de la laisser seule. Il savait la Gestapo sur la piste du père Adrien Delmas. Le dominicain venait d'échapper de justesse à Toulouse aux hommes lancés à sa poursuite. Tôt ou tard, Dohse enverrait ses agents l'arrêter pour l'interroger, comme il le faisait pour les proches parents de ceux soupçonnés d'appartenir à la Résistance. Il avait fallu une chance incroyable et un faisceau de protections subtiles pour que cela n'ait pas déjà eu lieu. De plus, la présence à Montillac de Camille d'Argilat précédemment détenue à cause de son mari, les liens existant entre le docteur Blanchard et les habitants du château devaient obligatoirement conduire le chef de la Gestapo de Bordeaux à vouloir l'entendre.

La veille, il avait remis aux deux jeunes femmes des faux papiers qui, avait-il dit, pouvaient leur être utiles et conseillé impérativement de prendre contact avec Françoise avec qui il se mettrait en rapport régulièrement. Il insista pour qu'elles prennent quelque distance vis-à-vis de la Résistance. Elles étaient probablement déjà sous surveillance. La prudence la plus complète s'imposait. Il ajouta qu'il serait peut-être bon qu'elles aient des armes à condition d'avoir un lieu sûr où les cacher...

Le soir, il annonça son départ.

Par orgueil, Léa n'avait rien dit à François des difficultés croissantes qui assaillaient le domaine, ni de l'attitude de Mathias et de sa conviction que pour sauver Montillac, elle n'aurait d'autre choix que de l'épouser. Devant son silence, il pensait que l'argent du notaire et celui qu'il avait remis à Ruth au printemps étaient suffisants. Afin de ne pas la blesser, il n'en avait pas reparlé.

Chaudement couverts, abrités sous un grand parapluie, ils firent une dernière promenade à travers les vignes après avoir été saluer Sidonie à Bellevue. En revenant vers Montillac, ils pressèrent le pas pour échapper aux rafales de vent et à la pluie fine et froide qui semblait pénétrer partout.

La maison était écrasée par les lourds nuages noirs qui parcouraient le ciel, si menaçants que le cœur de Léa se serra. Le mauvais temps était venu bien tôt cette année. Tout annonçait le début d'un hiver précoce et rigoureux.

Une petite tache rouge s'agitait sur le vert de la pelouse puis vint dans leur direction, prenant peu à peu la forme d'un enfant qui courait. C'était Charles qui, échappant à la surveillance de sa mère, venait vers eux de toute la vitesse de ses petites jambes. Il se jeta dans les bras de Léa en riant.

« Tu as failli me faire tomber, coquin », s'exclama-t-elle en tournoyant avec lui sous la pluie.

Les rires et les cris du petit garçon parurent à François complètement incongrus sous ce ciel sinistre et en même temps semblaient dire : regardez, la vie continue. Oui... la vie devait continuer. Aujourd'hui il pleuvait, mais demain... Comme ils étaient beaux tous les deux, même Léa avait retrouvé son rire d'enfant!

Léa avait l'impression que la pluie n'avait pas cessé depuis le départ de François. Il ne faisait pas froid, mais toute la campagne baignait dans une brume humide et collante qui pourrissait la vigne.

Assise au bureau de son père, pour se distraire de ses travaux comptables qui étaient pour elle un vrai supplice, elle recopiait les paroles d'une chanson de Pierre Dac diffusée par Radio-Londres dans la soirée du 5 décembre et que Mireille, la femme d'Albert, le boucher de Saint-Macaire, avait prises en sténo, puis retranscrites, avant de les donner à sa jeune amie. Quand elle eut fini, Léa se leva et chanta sur l'air de Lili Marlène :

A force d'entendre chanter cette chanson,
J'ai eu le désir, dicté par la raison,
D'aller tout simplement un soir
Afin de voir
Et de savoir
Que dit Lily Marlène,
Que dit Lily Marlène.

– Hé, dis-moi, la belle, pourquoi cet air songeur?
Pourquoi dans tes yeux cette trouble lueur?
– Il n'est plus pour moi de bonheur,
Et le malheur
Est dans mon cœur...
a dit Lily Marlène,
a dit Lily Marlène.

– Voyons, n'as-tu plus confiance en ton Führer?
N'est-il pas pour toi plus grand que le Seigneur?
– Le triomph' qu'il nous a promis,
Je l'attends depuis
Trois ans et demi,
a dit Lily Marlène,
a dit Lily Marlène.

– N'es-tu donc pas encore heureuse d'appartenir
A la grande Allemagne et fière de son avenir?
– Je sais que le Reich tout entier
Est bombardé
Par des Alliés,
a dit Lily Marlène,
a dit Lily Marlène.

– Ignores-tu donc l'invincible rempart
Que votre Wehrmacht dresse de toute part?
– Je sais que le sol de Russie
Est tout rougi
Du sang nazi,
a dit Lily Marlène,
a dit Lily Marlène.

– Enfin la victoire couronnant vos drapeaux
Sur la croix gammée resplendira bientôt.
– Je sais qu'en mon âme éperdue
L'espoir n'est plus,
Nous somm' perdus,
a dit Lily Marlène,
a dit Lily Marlène.

« Bravo! dit Camille en applaudissant.

– Je ne t'avais pas entendue entrer.

– Tu étais toute à ta chanson. Tu vas pouvoir battre bientôt Suzy Solidor sur son propre terrain.

– J'y penserai. Quoi de neuf?

– Rien. Toujours cette pluie... As-tu vérifié les comptes de Fayard?

– Oui, mais je ne vois rien d'anormal ou je n'y comprends pas grand-chose.

– Demande à M. Rabier.

– Le comptable de papa... mais il est complètement gâteux. Rappelle-toi, l'année dernière, toutes les erreurs qu'il a commises dans les déclarations fiscales et le temps que j'ai perdu avec le trésorier de Langon qui ne voulait rien savoir.

– Ne pouvons-nous prendre, pendant quelque temps, un expert comptable de Bordeaux?

– Je n'ai pas d'argent!... Regarde ce paquet de factures... je n'ai pas un centime pour les payer. La banque a déjà appelé deux fois depuis le début de la semaine. »

Accablée, Léa se laissa tomber sur le fauteuil derrière le bureau. Camille s'approcha d'elle et lui caressa les cheveux.

« Si tu savais combien je suis malheureuse de ne rien pouvoir faire pour toi...

– Je t'en prie, tais-toi. »

Les deux jeunes femmes restèrent un moment silencieuses.

« As-tu pensé aux cadeaux pour Noël? demanda Léa en relevant la tête.

– Oui. Mais ce Noël-là sera le plus pauvre de tous. Ruth a trouvé dans le grenier une vieille voiture à pédales...

– C'est la mienne! » s'exclama Léa d'un ton possessif.

Camille ne put s'empêcher de rire.

« Tu veux bien la donner à Charles?

– Bien sûr, fit-elle en riant à son tour, rougissant un peu.

– Ruth a acheté de la peinture rouge pour la repeindre. »

On frappa à la porte. C'était Albert, le boucher de Saint-Macaire, le visage défait, essoufflé.

« Qu'y a-t-il? » crièrent ensemble Camille et Léa.

Il mit quelque temps à répondre, essayant de reprendre son souffle.

« Votre fils? »... demanda Camille.

Il fit non de la tête.

« Alors quoi?... parlez.

– Ils ont arrêté le père Delmas.

– Oh! mon Dieu », fit Camille en s'appuyant contre la bibliothèque.

Un grand froid envahissait Léa.

« Comment l'avez-vous appris?

– Ce matin de bonne heure, un camarade, instituteur près de La Réole, appartenant au réseau Buckmaster, est venu à la boucherie pour me prévenir et m'a demandé de vous avertir.

– Comment le savait-il?

– Par un gendarme de La Réole qui vous avait vue avec le père Terrible. D'après lui, la Gestapo ne connaît pas l'importance de sa prise. Votre oncle a été arrêté par hasard à Bordeaux au cours d'une rafle. On l'aurait sans doute relâché s'il n'avait eu sur lui des cartes d'identité en blanc. C'est un des gendarmes qui l'ont arrêté qui a prévenu son collègue de La Réole, ils sont du même réseau.

– Si un gendarme l'a reconnu, d'autres peuvent le faire et le dénoncer.

– Il a beaucoup changé, physiquement, mais c'est le risque. Dès qu'on saura où il est, nous tenterons de le faire évader. D'ici là, il faut prier le Ciel pour qu'il ne parle pas. Dès ce soir nous déménagerons les armes cachées dans les séchoirs à tabac de Barie et à Belle-Assise; les frères Lafourcade viendront nous donner un coup de main.

– Peut-on vous aider?

– Oui, on a deux pilotes anglais qui doivent repartir dans deux jours. Ils ne sont plus en sécurité près de Viot. Pouvez-vous les cacher?

– Seront-ils plus en sécurité ici? demanda Camille. Nous avons toutes les raisons de nous méfier de Fayard.

– Madame Camille, il faut prendre le risque. Ce soir, on vous les amènera en passant par Bellevue. Moi, pendant ce temps-là, je me serai invité à boire un coup chez mon vieil ami Fayard. Ça vous va?

– Très bien, Albert. On les mettra dans la petite pièce près du bureau. Personne n'y va jamais, elle sert de débarras. Elle est au rez-de-chaussée, ce qui est pratique s'ils devaient quitter la maison rapidement, dit Léa.

– Merci. Si vous remarquez quelque chose de suspect, appelez-moi à Saint-Macaire en me disant : « Votre viande était bien dure, aujourd'hui », je comprendrai et nous garderons nos Anglais.

– Comment savoir pour oncle Adrien? »

Le boucher haussa les épaules.

« Depuis l'arrestation de Grand-Clément au mois d'août, puis sa libération, beaucoup des nôtres ont été arrêtés. Nous avons perdu nos informateurs du camp de Mérignac et du fort du Hâ. Nous devons nous montrer très prudents pour les nouvelles recrues. Le seul lien que nous ayons pour le moment est le gendarme de Bordeaux. Dès qu'il sait quelque chose, il appelle La Réole.

– Et si j'allais à Bordeaux? dit Léa.

– Surtout pas! Il y a assez d'une personne de la même famille d'arrêtée.

– Maître Delmas pourrait peut-être intervenir, fit Camille.

– C'est un collaborationniste, il ne fera rien pour son frère. Rappelle-toi ce qu'il m'a dit : pour lui Adrien est mort. »

22

« TU vois, on est bons princes... tu choisis : les droits communs ou les politiques... entends par là, les communistes, les saboteurs et autres terroristes.

– Je croyais qu'ils étaient tous mélangés, sans distinction.

– C'était vrai au début puis on s'est rendu compte que les petits maquereaux du port, les petits trafiquants de marché noir pouvaient nous être utiles. Alors pour qu'ils ne soient pas contaminés par les rouges et les gaullistes – c'est une idée de Poinsot – on en garde quelques-uns à l'écart et on les injecte dans les cellules des politiques quand on a besoin d'apprendre des choses. C'est fou ce qui se dit la nuit dans une cellule où six ou sept hommes sont enfermés... Tu n'imagines pas...

– J'imagine très bien. Tout ça n'est pas follement engageant. Vous n'avez rien d'autre à me proposer?

– Nous avons bientôt un convoi de juifs pour l'Allemagne... si tu veux te joindre à eux; tu ne seras pas dépaysé, entre juifs...

– Ça ne m'emballe pas non plus... très peu pour moi, les voyages sans retour.

– Allez, décide-toi.

– Je ne pourrais pas avoir une cellule pour moi tout seul?

– Et puis quoi encore!... Avec moquette, téléphone et salle de bain?

– Oh! oui, ça me plairait bien.

– Arrête de te foutre de notre gueule... le patron est trop bon... moi, c'est deux balles dans la nuque... ou dans le cul... vicieux comme t'es, t'aurais peut-être aimé ça...

– Mon goût des gros calibres ne va pas jusque-là. »

Un sévère crochet du droit envoya Raphaël Mahl heurter les classeurs métalliques du bureau où ses anciens camarades l'interrogeaient depuis le matin, achevant de lui réduire les lèvres en bouillie. Le plus acharné était Maurice Fiaux qui cognait comme s'il avait un compte personnel à régler. Curieusement, Raphaël qui se savait lâche, avait supporté ce passage à tabac avec amusement. Pourtant, ils n'y avaient pas été de mainmorte, ses petits amis de la Gestapo. Seul Mathias Fayard n'avait pas participé à cette corrida. Il était drôle... Depuis quelque temps le beau Mathias, sombre et irascible, trouvait toujours de bonnes excuses pour ne pas participer aux arrestations et surtout aux interrogatoires. Raphaël Mahl se redressa péniblement... Ce n'était pas le moment de se pencher sur les états d'âme du compagnon d'enfance de Léa. Léa... c'est un peu à cause d'elle qu'il en prenait plein la gueule.

« Je crois que je préfère les droits communs », fit-il avant de s'évanouir.

Les cahots de la voiture le ramenèrent à lui. Un soldat allemand conduisait, avec, à ses côtés, un officier. A l'arrière, un autre soldat et Maurice Fiaux l'encadraient. Juste en face de l'impressionnante porte du fort du Hâ, le bouquiniste chez lequel, la veille encore, il avait été fouiner, fermait sa boutique...

On le remit aux gardiens allemands. Maurice Fiaux partit sans se retourner. Pour les formalités d'écrou, on le conduisit au premier étage. Dans la pièce où on le fit entrer, une balustrade séparait l'arrivant des fonctionnaires chargés de le réceptionner. Des écriteaux rédigés en français, espagnol et allemand invitaient le nouveau venu à se tenir face au mur et à ne pas parler. Derrière cette clôture, trois vastes tables et des armoires garnissaient la pièce.

D'une salle voisine parvenait le crépitement des machines à écrire. Ce bruit monotone provoqua chez Raphaël Mahl un immense ennui, il avait toujours détesté l'ambiance des bureaux; déjà, chez Gallimard, il évitait soigneusement le secrétariat. « La bureaucratie me poursuit », pensa-t-il. Derrière la balustrade, les employés militaires s'appliquaient à faire des lettres gothiques. Raphaël, qui avait, malgré l'ordre de la pancarte, tourné la tête, frémit en se rappelant les cours d'écriture chez les bons pères et les coups de règle qui pleuvaient sur ses doigts. Jamais il n'avait pu écrire son nom ni le titre du devoir du jour en belle ronde comme l'exigeaient les professeurs.

Un employé se leva et lui demanda ses papiers d'un air endormi. Il ne parut pas remarquer l'état de sa figure.

« Avez-vous de l'argent, monsieur? »

Son gardien qui ne l'avait pas quitté, le poussa vers la balustrade. Raphaël inclina la tête.

« Vous devez me le remettre ainsi que vos bijoux, votre montre et votre cravate. Tout cela vous sera rendu à la sortie, monsieur. »

Sur un imprimé, il inscrivit avec soin l'identité du nouveau détenu, compta l'argent contenu dans le portefeuille et nota la somme.

« Une montre en or avec bracelet en or... une chevalière en or avec diamant...

– Mettez : *gros* diamant.

– ... avec gros diamant... une gourmette en or... une chaîne et une médaille en or... »

Raphaël eut un pincement au cœur en posant la médaille. C'était celle de son baptême et, bizarrement, il y tenait. Il aimait se rappeler certaines scènes de son enfance choyée entre une grand-mère un peu folle qu'il adorait et un oncle un peu dévoyé mais plein de charme.

« Cravate. »

Il eut du mal à faire glisser le nœud imbibé de sang.

L'employé mit le tout dans un grand sac en papier et lui tendit la fiche signée.

La porte s'ouvrit et trois hommes encore en plus mauvais état que lui furent brutalement poussés dans la pièce... L'un d'eux, les mains massacrées, les yeux fermés par les coups, avançait en aveugle.

« *Wir bringen Ihnen Terroristen. Sie haben das Auto eines Offiziers gesprengt. Einer von den beiden muss wohl Engländer sein... alles was er bei dem Verhör sagte, war : « Piss off filthy Huns, go and fuck you*[1]. »

Raphaël ne put s'empêcher de sourire.

« ... *der Leutnant, der Englisch versteht, hat dies absolut nicht gefallen und er hat ihn daraufhin selbst verhört*[2].

– *Hat er geantwortet*[3] ?

– *Nein, wenn er nicht schrie, machte er schlechte Witze*[4]. »

Cet Anglais devenait de plus en plus sympathique à Mahl. Il devait être plutôt joli garçon en temps

1. On vous amène des terroristes. Ils ont fait sauter la voiture d'un officier. L'un d'eux doit être anglais... Quand on l'a interrogé, tout ce qu'il savait dire, c'était : « Je vous emmerde, les Boches, allez vous faire enculer. »

2. Le lieutenant qui comprend l'anglais n'a pas aimé ça et a tenu à l'interroger lui-même.

3. Il a répondu ?

4. Non, quand il gueulait pas, il rigolait.

ordinaire, cela se devinait malgré ses yeux fermés, son visage déformé et ses lèvres tuméfiées.

« *Hat er Papiere*[1] ?

– *Nein... Alles was er bei sich hatte, ist das*[2]. »

Le sergent allemand jeta sur la planche une photographie représentant une très jolie jeune femme. Raphaël poussa un profond soupir.

« Encore un hétérosexuel! » pensa-t-il en se détournant.

L'Anglais et un des prisonniers ne devaient pas avoir plus de vingt ans. L'autre était de beaucoup plus âgé. Des cheveux et une grosse moustache pour l'heure poissée de sang, poivre et sel, de profondes rides sur le front et les joues jusqu'aux lèvres. Sans son regard, on l'aurait pris pour un paysan du Lot-et-Garonne. Un de ses yeux était fermé.

« Ils doivent avoir reçu l'ordre de nous éborgner ou de nous rendre aveugles », pensa Raphaël.

« *Los, kommen Sie... beeilen Sie sich, es ist zu Ende*[3]. »

Le gardien qui ne l'avait pas quitté le poussa vers la sortie.

« Votre nom, monsieur? demanda l'employé au faux paysan.

– Alain Dardenne. »

Raphaël Mahl s'arrêta. Cette voix lui rappelait quelque chose. Le soldat allemand lui posa la main sur l'épaule.

« *Vorwärts*[4]. »

On le conduisit dans une pièce voisine, pareille à l'autre, où on lui demanda s'il était communiste, franc-maçon, résistant ou gaulliste. A toutes ces questions, il répondit non. Etait-il juif?... Oui, à moitié. Par sa mère?... Non, par son père. Apparemment

1. Il a des papiers?
2. Non... tout ce qu'il avait sur lui, c'est ça.
3. Allez, venez... dépêchez-vous... c'est fini.
4. Avancez...

satisfait de ses réponses, l'employé, tellement semblable au précédent que c'en était drôle, lui remit sa fiche complétée en lui disant avec son épouvantable accent :

« Au revoir, monsieur. »

Bousculé par son gardien, Raphaël Mahl dut descendre un escalier en colimaçon aux marches irrégulières. Toujours bousculé, presque courant, il traversa la salle des gardes et suivit un étroit couloir, très haut de plafond, le long duquel donnaient douze portes. C'était les cellules « d'accueil »... Le gardien ouvrit celle portant le numéro 5 et projeta avec une brutalité inutile le détenu dans sa cellule...

Longtemps, Mahl resta debout, tête baissée. Quand il la redressa, il regarda autour de lui et éclata de rire. Ce rire lui arracha un cri de douleur : il avait oublié sa mâchoire tuméfiée et ses lèvres déchirées.

L'étroitesse de la pièce, un mètre trente environ, la faisait paraître très haute, elle devait avoir un peu moins de trois mètres de haut. Deux lits en bois superposés, garnis de paillasses tachées, dégageaient une odeur de paille moisie et de vomi.

Raphaël s'allongea sur le lit du bas, s'enroula dans la mauvaise couverture et s'endormit en pensant : « Alors, ils ont réussi à l'arrêter... »

Durant deux jours, Raphaël n'eut pour toute nourriture que l'eau au goût de rouille de son broc. « A ce régime, je vais vite retrouver ma ligne », pensa-t-il.

Le troisième jour, on vint le chercher à six heures du matin.

« Dehors. »

Le gardien le conduisit dans une sorte de corps de garde où il dut se déshabiller complètement. Devant lui, on vida ses poches, puis on lui rendit ses vêtements et ses chaussures en lui ordonnant de les remettre. Rien... il n'avait plus rien... ni papiers, ni argent, ni carnet de notes, ni le plus petit bout de crayon. On lui donna une couverture déchirée, une cuvette destinée à faire sa toilette et à manger, un quart cabossé et une cuillère d'étain sans oublier le reçu des objets confisqués et une petite carte portant son numéro matricule et celui de sa cellule ainsi que sa profession. Maintenant, il était le numéro 9793.

Suivi par son gardien, Raphaël Mahl, portant son maigre bien, déboucha dans un vaste vestibule ovale. La première chose qu'il remarqua fut un énorme poêle qui trônait au milieu et dont le tuyau sortait par le vitrage éclairant le hall. Sur trois étages, les cellules l'entouraient avec leurs épaisses portes sombres espacées de deux mètres portant un gros numéro en lettres noires et une planchette où étaient inscrits sur des étiquettes de couleurs différentes : rouges, vertes, jaunes, les matricules des prisonniers enfermés à l'intérieur. Toutes possédaient un judas grillagé.

« Arrêtez. »

Le gardien s'était immobilisé devant le numéro 85. Un autre gardien ouvrit la porte avec une clef imposante. Il faisait assez sombre; de chaque côté de la cellule, des hommes étaient rangés au garde-à-vous. Ils étaient six, Raphaël devint le septième. Dès la porte refermée, ils se précipitèrent vers lui.

« Eh ben, mon pauvre vieux, ils t'ont salement arrangé, les salauds...

– J' m'appelle Kéradec Loïc, j' suis Breton... d' Pont-Aven... j' suis marin. Et toi?

– Moi, j' suis Espagnol... mon nom est Fernando Rodriguez.

– Moi... c'est Dédé Desmotte, de Bordeaux.

– Georges Rigal, je suis de Bordeaux également, étudiant.

– Moi, c'est Marcel Rigaux... j' suis ouvrier aux chantiers du port.

– Docteur Lemaître, médecin à Libourne. Laissez-moi vous examiner... Ça n'a pas l'air trop grave. »

Tous, à part le médecin qui devait avoir une quarantaine d'années, étaient jeunes, très jeunes.

« Raphaël Mahl, écrivain et journaliste, de Paris.

– On est gâtés les potes, un écrivain... il va pouvoir nous raconter des histoires, fit Dédé d'une voix grasseyante.

– Ravi de vous connaître, tenez, posez vos affaires », dit le médecin en lui montrant le petit réduit près de l'entrée.

C'était les cabinets avec un lavabo fendu au-dessus duquel, sur une étagère, étaient rangés les quarts, les cuillères, le savon, le dentifrice et une grosse boîte d'insecticide.

Raphaël mit son quart et sa cuillère à côté des autres. Il n'avait ni dentifrice ni brosse à dents.

Les prisonniers s'étaient rassis sur les deux lits, désœuvrés et silencieux. Ils se poussèrent pour lui faire une place. Mahl regarda autour de lui. La cellule, voûtée à environ deux mètres cinquante du plancher déformé, devait être de quatre mètres sur deux. Huit mètres carrés pour sept personnes... Dans le fond, une grille fermait une sorte de vasistas lui aussi muni de la même hotte et du même grillage que les fenêtres des cellules d'accueil.

« Il n'y a que deux lits?

– Oui, répondit Rigaux, le soir on les rapproche et on met des paillasses par terre... On était déjà serrés à six... On se serrera un peu plus. »

Raphaël lui sourit pour cette bonne parole.

« Allez, raconte... quelles sont les nouvelles? demanda le jeune Loïc.

– Quelles nouvelles?...

– Té! celles de dehors; hé, patate... dit Dédé Desmotte.

– Excusez-moi... je n'ai pas l'habitude. Que voulez-vous savoir?

– Ben... la guerre... ousqu'elle en est?
– Ça va pas fort pour les Allemands...
– Ça, on le savait, fit l'Espagnol.
– Laisse-le parler.
– Ciano, le gendre de Mussolini, a été exécuté...
– Hourrah!...
– De Gaulle et Churchill se sont rencontrés à Marrakech...
– Hourrah!...
– Les Alliés ont débarqué à Anzio...
– Hourrah!...
– Berlin a été bombardé plus de cent fois...
– Hourrah!...
– Des résistants français ont été exécutés à la hache à Cologne. »

Un lourd silence suivit cette information.

« Tu permets qu'on l'annonce aux autres? »

Raphaël les regarda avec étonnement.

« Faut pas croire... nous aussi nous avons notre radio. On l'appelle : « Radio-Barreaux. »

– Et ça fonctionne comment?

– Tu verras ce soir après l'extinction des feux. A tour de rôle on se met près de la fenêtre ouverte et on écoute. Ceux du rez-de-chaussée appellent ceux du premier étage qui appellent ceux du deuxième qui appellent ceux du troisième. Les murs de la cour forment une excellente caisse de résonance. Les nouvelles, pas toujours exactes, nous viennent des nouveaux venus, des rares visites auxquelles nous avons droit et des camarades qui sortent pour un interrogatoire. Ensuite, il y a concert.

– Concert?

– Oui... faut pas croire, nous avons même des professionnels. C'est mieux qu'à Radio-Paris. Il y a des chanteurs portugais, polonais, espagnols, tchèques, anglais et même un Russe.

– Et les Allemands vous laissent faire?

– Tu sais, ils s'ennuient autant que nous, alors la

musique ça les distrait. J'ai même vu un jour à travers la fente de la porte, le sous-officier de garde en train de pleurer en écoutant un fado. On s'arrête quand la sentinelle donne de grands coups de pied dans les portes.

– Ils sont nombreux la nuit?

– Non, trois sentinelles, une par étage, qui font la ronde toute la nuit, et un sous-officier de garde assis à sa table en face de notre cellule.

– Tu as parlé de visites... tout le monde y a droit?

– En principe oui, dix minutes une fois par mois, le jeudi. Avez-vous été déjà condamné? demanda le médecin.

– Non.

– Alors vous n'y avez pas droit. Seuls les condamnés peuvent recevoir des visites, pas les prévenus.

– Et pour le courrier?

– Censuré bien sûr. On peut en recevoir mais rarement en faire parvenir. Ainsi moi, je n'ai pas pu donner de nouvelles à ma femme... elle ne sait pas si je suis vivant ou mort... »

« *Aufstehen! Aufstehen*[1]! »

La sentinelle de nuit accompagna son ordre d'un violent coup de pied dans le bas de la porte. En passant, elle tourna le bouton électrique placé à l'extérieur de chaque cellule. La lampe incrustée dans la voûte diffusa une maigre lumière; avec des grognements, les hommes commencèrent à se lever.

Raphaël se redressa, frissonnant, ses rares cheveux hirsutes.

« Qu'est-ce qui se passe?

– C'est l'heure de se lever. Dépêche-toi, la lumière ne reste pas longtemps allumée.

1. Debout! Debout!

– Pourquoi? demanda Raphaël en se grattant.
– Pour nous emmerder. Allez... magne-toi. »
Mahl se leva en grognant, les membres endoloris. La paillasse posée à même le sol n'était pas bien épaisse.
« Pousse-toi, qu'on remette les lits en place. »
Bousculé, il se réfugia avec les autres dans un coin pendant que Loïc et Dédé repoussaient les lits et jetaient dessus les paillasses soigneusement recouvertes par les couvertures. Près de l'entrée, ils empilèrent par-dessus vestes, couvertures apportées par les familles qu'ils recouvrirent d'un vieux dessus-de-lit à fleurs. Ce tissu fleuri avait quelque chose d'incongru dans cet endroit.

Dans le couloir, on entendait les prévôts apportant le « café »... Loïc qui était ce jour-là l'homme de chambre posa deux cuvettes sur le pas de la porte. Tous se mirent au garde-à-vous en entendant le sous-officier tirer les trois verrous et tourner la clef. D'un rapide coup d'œil, l'Allemand vérifia que tout son monde était bien là tandis que la sentinelle pointait son arme vers eux. Rassuré, il recula laissant la place à une immense marmite tirée par deux prisonniers. L'un d'eux plongea une louche dans la mixture et la versa dans la cuvette, son camarade mit dans l'autre une miche de pain déjà coupée. La porte à peine refermée, ils tendirent leur quart à Loïc qui les remplit. Comme presque toujours, il y avait du rabiot. L'homme de chambre distribua les morceaux de pain; deux cents grammes environ chacun. C'était la ration pour la journée. Les compagnons de Raphaël burent avec avidité le breuvage, dont le seul mérite était d'être chaud, après y avoir émietté un peu de pain. Le goût et l'odeur étaient rebutants.

« Au début, on a du mal à s'y faire... mais vous verrez... on s'habitue, dit le médecin à Raphaël Mahl qui n'arrivait pas à avaler malgré la faim qui lui tordait l'estomac.
– Je m'y habituerai sans doute. Il le faudra bien.

Mais aujourd'hui, je ne peux pas... si l'un de vous en veut.

– Donnez-le à Loïc. C'est le plus jeune, il a toujours faim, dit le docteur Lemaître.

– C'est toujours à lui qu'on donne du rab... c'est pas juste, s'écria Dédé.

– Gueule pas... on va partager », fit Loïc.

Jamais Raphaël Mahl n'aurait pensé que la vie en prison fût aussi dure. Il était pourtant tombé dans ce que les prisonniers appelaient « une bonne cellule ». Il n'en pouvait plus de la promiscuité, de la vermine, du froid, des disputes qui éclataient à propos de n'importe quoi, de l'infecte soupe aux rutabagas et surtout de ne pouvoir ni lire ni écrire. Il en devenait enragé et se montrait de plus en plus irascible. Si encore il avait pu avoir des conversations avec ses compagnons. Depuis le départ du médecin et de l'étudiant, envoyés en Allemagne, disait-on, trois jours après son arrivée et remplacés par deux jeunes ouvriers communistes, le niveau des discussions avait considérablement baissé. La naïveté de ces gens le sidérait. Ils avaient, dans l'ensemble, une idée de la guerre complètement irréelle. Au bout de quinze jours, il demanda à parler au commandant de la prison qui accepta, contre toute attente, de le recevoir.

Après l'avoir conduit aux douches et fait raser (luxe inouï!), on l'emmena chez le commandant. Maurice Fiaux et un de ses amis étaient là.

« Je ferai ce que vous voudrez, mais sortez-moi de là.

– Monsieur n'est pas satisfait du service de l'hôtel?... de son confort?...

– Non, je suis très déçu, je me plaindrai à la direction.

– Tu peux te plaindre, on est là pour t'écouter... pas vrai, Raymond?

– Oui, bien sûr.

– Tu sais que tu manques beaucoup aux petites tantes des Quinconces. L'une d'elles me disait encore pas plus tard qu'hier...

– Arrête tes conneries. Tu me fais sortir ou pas?

– Cela ne dépend pas seulement de moi... Monsieur le directeur a aussi son mot à dire. N'est-ce pas, monsieur le directeur?

– Naturellement. M. Mahl a certainement entendu pas mal de choses depuis qu'il est ici.

– Allez, raconte... ça doit être passionnant.

– D'accord, mais promettez-moi de me sortir d'ici avant de vous servir de mes renseignements. »

Maurice Fiaux fit un signe de tête au directeur.

« Vous avez ma parole, monsieur Mahl. Nous vous écoutons. »

Durant ces quinze jours, dans sa cellule et au cours de la promenade, Raphaël avait glané des informations sur certaines personnes incarcérées, notamment sur la présence de résistants et de pilotes anglais non identifiés par les autorités allemandes. Froidement, il donna le nom sous lequel ils étaient inscrits à la prison.

« Par hasard, tu n'aurais pas vu l'oncle de ton amie, la belle Léa Delmas?

– Je ne l'ai aperçu qu'une fois avant la guerre, à Paris, lors d'un prêche à Notre-Dame. J'étais loin de la chaire et puis... il a dû changer.

– Dommage... il y a une bonne récompense pour celui qui permettra de l'arrêter.

– Oui, c'est dommage. »

Le directeur se frotta les mains de satisfaction.

« Bravo, monsieur Mahl. Je regrette que vous nous quittiez... on aurait fait du bon travail ensemble. »

Raphaël le salua et se leva. Fiaux l'accompagna à la porte et mit la main sur la poignée.

« Tout compte fait, notre ami ne nous quitte pas tout de suite...

– Quoi?... mais tu m'avais promis. »

Raphaël essaya de forcer le passage. Maurice Fiaux le repoussa sèchement au milieu de la pièce.

« Je ne t'ai rien promis du tout. C'est monsieur le directeur qui a fait cette promesse...

– Tu étais d'accord!... tu lui as fait un signe... je l'ai vu.

– Tu auras mal vu. »

Raphaël bondit et saisit Maurice Fiaux au cou, tentant de l'étrangler.

« Fumier! »

Le prénommé Raymond sortit son revolver et d'un coup de crosse l'assomma. Le grand corps amaigri de Mahl roula sur le sol où il fut roué de coups.

« Ça suffit, dit Fiaux essoufflé, ne l'abîmons pas trop, le chef a besoin de lui. »

Fumant une cigarette et devisant avec le directeur, ils attendirent patiemment que le prisonnier reprît connaissance.

Au bout d'une dizaine de minutes, il se redressa en portant la main à l'arrière de sa tête. Quelque chose de chaud et d'humide coula entre ses doigts. Avec horreur, il regarda sa main.

« Raymond y a été un peu fort, mais c'était le seul moyen de te faire lâcher. Pour un peu, mon salaud, tu m'étranglais... sans même entendre ma proposition.

– Va te faire foutre!

– Sois poli, veux-tu? Tu n'as pas les moyens de faire le mariole... ou tu fais ce que je te demande ou tu te retrouves au fin fond de la Pologne à moins... que je fasse courir le bruit dans la maison que c'est toi qui as donné les pilotes...

– Tu n'oserais pas faire ça?

– Je vais m' gêner... avec une lope qui tente de m'étrangler! »

Péniblement Raphaël Mahl se releva et se laissa tomber sur une chaise.

« Que veux-tu que je fasse?

– A la bonne heure!... voilà comment je t'aime...

doux et compréhensif. Donne-lui une cigarette... Bien... maintenant, écoute. Dohse pense qu'on aurait pu arrêter par hasard un gros ponte de la Résistance tel le père Delmas. La Gestapo de Toulouse et celle de Bordeaux donneraient n'importe quoi pour l'avoir entre leurs mains. Voilà ce que je te propose, tu retournes dans ta cellule...

– Non! je t'en prie...

– Attends. Je disais donc : tu retournes dans ta cellule pour trois ou quatre jours. A la promenade, on fera sortir successivement tous les prisonniers. Toi et ceux de ta cellule serez de toutes les promenades.

– Ils risquent de se poser des questions.

– On s'en fout... l'important c'est que tu observes attentivement chaque détenu. Voici les photos de ceux qui nous intéressent. »

Maurice Fiaux posa sur le bureau du directeur une vingtaine de portraits plus ou moins nets, plus ou moins anciens. Raphaël Mahl reconnut deux visages dont celui de Loïc Kéradec. Il ne dit rien. La dernière photo était celle d'Adrien Delmas, glabre, vêtu de la longue robe des dominicains. « Comme il a changé », pensa Raphaël.

« Regarde-les bien... Le chef est sûr que certains d'entre eux sont ici. Quelle meilleure planque qu'une prison? Non?... »

Mahl ne répondit pas, faisant semblant d'être absorbé par les photos.

« Tu les reconnaîtras?

– S'ils sont là, il n'y a pas de problèmes.

– Je savais qu'on pouvait compter sur toi.

– Et moi? Puis-je compter sur vous? Qui me dit qu'après, vous ne me laisserez pas croupir ici?

– Je comprends. C'est une fois dehors que tu nous les donneras.

– Comme ça, ça va... Où me conduirez-vous après?

– Dans un premier temps au camp de Mérignac

avec droit de visite, courrier, colis et tous les bouquins que tu voudras. Ensuite, tu choisis. Ou tu continues avec nous ou tu vas travailler en Allemagne comme travailleur volontaire.

– Le passage par le camp de Mérignac est vraiment indispensable?

– Oui, parce que c'est logique. Je t'explique : on n'a pas assez de choses contre toi pour te garder au fort du Hâ, mais comme on n'a pas très confiance, on te met en observation à Mérignac; ceci, tes camarades de cellule et les autres peuvent très bien le comprendre. S'ils apprennent que tu es un mouton, je ne donne pas cher de ta peau. T'as compris? »

Raphaël haussa les épaules sans répondre.

« Nous reviendrons te chercher dans quatre jours. Monsieur le directeur signera ta levée d'écrou.

– Peut-on me conduire à l'infirmerie?

– Surtout pas! ces marques de coups, c'est ta meilleure protection. »

Le gardien le poussa si brutalement qu'il roula aux pieds de ses compagnons de captivité au garde-à-vous. Quand la porte se fut refermée, ils se penchèrent sur lui.

« Les brutes!... ils l'ont salement amoché. »

A l'aide d'une serviette mouillée, Loïc lui nettoya le visage et la plaie de sa tête.

« Il faut l'envoyer à l'infirmerie... Fernando, appelle le gardien.

– Ce n'est pas la peine... ils n'ont pas voulu...

– Les vaches!

– C'est con que le toubib soit plus là.

– Tu l'as dit, bouffi... passe-moi une de tes serviettes propres. »

Loïc fit une sorte de turban comprimant la plaie et allongea Raphaël sur un des lits.

– Merci », dit-il avant de tomber dans un sommeil comateux.

Les coups frappés à la porte annonçant l'heure de la soupe le tirèrent de sa léthargie. Une migraine épouvantable le plaquait sur la paillasse sordide.

« Debout! hurla le sous-officier, il est interdit de se coucher durant le jour. »

Raphaël tenta d'obéir et parvint à s'asseoir. Tout tournait autour de lui.

« Vous voyez bien qu'il est malade.

– Lui pas malade... lui paresseux... debout! »

Au prix d'un effort dont il ne se serait pas cru capable, il se mit debout.

« Vous voyez... vous pas malade. »

La porte à peine refermée, le blessé s'évanouit.

Le lendemain, Raphaël Mahl allait un peu mieux. On le conduisit à l'infirmerie où on lui banda la tête. « Comme ça, je dois ressembler à Apollinaire », se dit-il en regagnant sa cellule. Dans l'après-midi, tout son étage descendit à la promenade.

Il faisait beau, mais froid. Les détenus sautaient, piaillaient comme des enfants, on se serait cru dans une cour de récréation. C'était si rare d'avoir droit à la promenade. Après quelques coups de gueule des gardiens un silence relatif revint. Ils rentrèrent au bout de dix minutes, Raphaël n'avait reconnu personne.

Le surlendemain, tôt dans l'après-midi, on entendit crier dans le couloir :

« Foume... foume... »

Cela voulait dire que les détenus dont l'étiquette n'était ni jaune ni rouge allaient pouvoir sortir dans le vestibule, se mettre en file indienne et dans la cour pour la séance de « fume ». Là, en demi-cercle, mains tendues, un sous-officier leur jetait une cigarette offerte par la Croix-Rouge puis donnait à un prisonnier du feu que celui-ci répartissait. C'était le moment où s'échangeaient messages et nouvelles.

Appuyé contre le mur, Raphaël Mahl tirait avec délices sur sa cigarette. L'âcre fumée du tabac noir lui piquait les yeux, mais curieusement apaisait son mal de tête. Savourant ce bref moment de répit, il se sentait devenir léger.

En entrant dans la cour, tout de suite il l'avait vu. « C'est curieux, pensa-t-il, j'aurais cru qu'il avait une étiquette rouge. »

Comme lui, à l'écart des autres, le faux paysan fumait. Son visage creusé avait repris son aspect normal, il ne semblait plus se ressentir de ses blessures. Raphaël s'approcha de lui. Leurs regards se croisèrent.

« Fini... fini... », hurla le sous-off.

Tirant avidement une dernière bouffée, les fumeurs jetèrent leurs mégots dans un quart rempli d'eau et se mirent sagement en rang. La fume avait duré six minutes. Mahl s'effaça pour laisser passer le faux paysan.

« Après vous, mon père », chuchota-t-il.

L'autre ne put réprimer un tressaillement.

Ainsi ce qu'il avait redouté venait d'arriver : il était reconnu. Quand, dans le bureau « d'accueil », il avait vu Raphaël Mahl, Adrien Delmas s'était attendu au pire. Rien ne se passant, il s'était dit que l'écrivain ne l'avait pas identifié. Il n'en était rien... Il ne comprenait pas; pourquoi ne l'avait-il pas dénoncé alors qu'il en avait dénoncé d'autres, tant à Paris qu'à Bordeaux? Comme ces deux résistants communistes et ces deux pilotes anglais qui avaient été arrachés de leurs cellules et conduits 197, route du Médoc pour y être interrogés par Dohse et ses sbires. Pourquoi lui avoir fait clairement comprendre qu'il l'avait reconnu? Etait-ce par sympathie?... Pour le prévenir d'un danger?... ou tout simplement pour qu'il se trahisse... Cette dernière éventualité lui semblait la plus plausible. Durant la séance de fume, il avait reçu un message lui disant qu'il allait être transféré au camp de Mérignac et que de là on organiserait son évasion. Le père Delmas ne dormit pas de la nuit.

Raphaël Mahl, non plus, ne dormit pas. Outre ses maux de tête, il était dévoré de vermine et se grattait jusqu'au sang. Malgré cela, il était de bonne humeur : bientôt il allait sortir. D'accord, il y aurait le camp de Mérignac durant quelque temps mais cela ne l'inquiétait pas trop, il connaissait l'endroit et le directeur, il se débrouillerait.

Loïc grogna dans son sommeil.

Raphaël était triste pour le petit, d'autant qu'il s'était montré toujours agréable avec lui, affectueux même. Mais il n'avait pas le choix. De plus, il était convaincu que ce n'était pas par hasard que la photo du jeune marin avait été glissée parmi les autres.

Deux jours plus tard, on vint le chercher. Le soir même, Loïc Kéradec était à son tour conduit au Bouscat, route du Médoc. Comme les autres s'étonnaient d'un si maigre gibier, Raphaël Mahl dit qu'il leur avait donné la première fois tous ceux qui pouvaient les intéresser. A part le Breton, il n'avait reconnu personne. Il ne dit pas un mot sur le père Delmas.

Au camp de Mérignac, Rousseau le directeur, le mit aux écritures, c'est-à-dire au registre des entrées et des sorties du camp, le gendarme français chargé de ce travail étant débordé. Par faveur spéciale, il fut autorisé à rester jusqu'au soir.

Le baraquement de réception était un des seuls à peu près convenablement chauffés. Raphaël Mahl, son travail terminé, traînait une chaise dans le coin le plus éloigné des gendarmes bruyants et bavards, et se plongeait dans la lecture des livres donnés par Maurice

Fiaux. Par quel hasard extraordinaire cette petite ordure avait-elle mis la main sur quelques-uns de ses auteurs préférés : les *Mémoires* de Pepys qui avait été un de ses livres de chevet. Quelle joie de l'avoir de nouveau avec soi! Le cher Stendhal était là avec *Lucien Leuwen* et Balzac avec *Les Illusions perdues* et Rousseau et ses *Confessions... Les Travailleurs de la mer* et *Quatre-vingt-treize* du père Hugo. Il ne manquait que Chateaubriand pour que son bonheur fût complet. Mais il lui était si présent à l'esprit et au cœur!... Il attendait avec impatience l'atlas de poche et la Bible qu'il avait demandés à Fiaux ainsi qu'un petit carnet pour noter le plan d'un roman qu'il mûrissait. Dès qu'il serait sorti d'ici il ferait des portraits à la façon de La Bruyère. Il se voyait très bien les classant par types : les gens du monde, ceux de la mode, du spectacle, des livres, de la politique, des affaires et pourquoi pas ceux du milieu, de la police, du plaisir et de l'Eglise... C'était une bonne idée, dès qu'il aurait ce carnet, il pourrait l'approfondir. Etre un grand écrivain! reconnu et aimé de tous!... Il se voyait prix Nobel de littérature, élégant et séduisant dans son habit, académicien... Il demanderait à Jean Cocteau de dessiner la poignée et la garde de son épée : ce serait une occasion de se réconcilier avec le cher Jeannot. Finis les boîtes de nuit, l'alcool, les garçons trop faciles.

Sa destinée amoureuse était bien singulière. On ne lui avait jamais résisté, on ne l'avait jamais repoussé, mais on ne l'avait jamais aimé d'amour. Chaque fois qu'il l'avait désiré, il avait su charmer jusqu'à ce qu'on vînt se coucher à ses côtés; il avait pris des baisers et des corps, fait quelquefois soupirer de plaisir, mais jamais il n'avait entendu à son oreille le chant enfantin et naïf de l'amour aveugle. Il avait fasciné, il n'avait pas été aimé. Quand il partait, le charme était rompu. Quelqu'un qu'il avait aimé passionnément l'avait quitté après six mois de coucheries en lui disant d'un ton rêveur : « Au fond, tu es irremplaçable. » Cela avait été son meilleur compliment. Tant d'amour refoulé lui remontait au cœur. Peut-être devait-il cela à l'amertume secrète et terrible qui le rongeait et que beaucoup de frivolité n'avait pas réussi à distraire. Tout était bien fini aujourd'hui, il allait se consacrer à son œuvre. Dès qu'il serait sorti, il trouverait un endroit beau et calme, propice à la création. Immédiatement, il avait pensé à Montillac... Il se voyait méditant à travers les vignes ou sur la terrasse... pourquoi n'écrirait-il pas à Léa?... Cette petite avait suffisamment de cœur pour ne pas lui refuser l'hospitalité. D'ailleurs, il la méritait bien. Un mot de lui et le cher oncle dominicain et résistant était arrêté... Raphaël ne comprenait pas très bien pourquoi il n'avait pas dénoncé cet homme, qu'après tout, il ne connaissait pas. En fait, c'était la faute des autres... Il n'avait pas du tout apprécié les méthodes de Maurice Fiaux et de ses petits camarades... qu'ils se débrouillent sans lui. Il avait là une carte qu'il entendait jouer au moment opportun. Il savait sur les activités du dominicain des choses que le commissaire Poinsot et la Gestapo ignoraient. On verrait le moment venu. En attendant, il allait écrire à Léa pour lui demander des livres et des vivres et de venir lui rendre visite si elle le pouvait.

Il fut tiré de ses rêveries par l'arrivée de nouveaux prisonniers. Il se leva pour prendre le registre des entrées. Le gendarme de service lui tendait les cartes d'identité des détenus, une à une. Moreau Pierre, demeurant à Langon... Lagarde Jacques, demeurant à Bordeaux... Dardenne Alain, demeurant à Dax... Raphaël Mahl releva la tête. Les regards des deux hommes se heurtèrent. Pas un muscle de leur visage ne bougea.

« Au suivant. »

Raphaël reprit son travail.

Quelques jours plus tard, Maurice Fiaux vint lui rendre visite avec la Bible et l'atlas demandés.

« Tiens, je t'ai apporté une pipe et du tabac. Les cigarettes sont dures à trouver en ce moment...

– Merci.

– Comment ça se passe?

– Pas trop mal. Je commence à être un peu las de la fréquentation des gens du peuple : ils ont tous nos défauts sans nos qualités.

– Tu oublies que ma mère était femme de ménage.

– Peut-être, mais c'est son patron qui t'a élevé. Tu as des goûts en dehors de ta condition et tu as foutrement raison. Le peuple français me dégoûte, son manque de curiosité, sa stupidité, son esprit de revendication s'épanouissent ici comme certaines fleurs sur le fumier. On ne parle du peuple que pour le parer des vertus qui nous manquent. C'est absurde, il ne possède ni ces vertus ni nos qualités. Il a, par contre, presque tous nos défauts. Crois-moi, il y a peu de différence entre un domestique de ferme et le veau qu'il garde.

– Voilà qui est bien dit. As-tu remarqué quelque chose d'intéressant depuis que tu es ici?

– Pas grand-chose que tu ne saches. On trafique beaucoup, des paquets et des lettres arrivent chaque jour clandestinement grâce à la complicité des gendarmes. Certains détenus s'absentent même quelques heures dans la journée pour aller voir leur femme ou leur petite amie.

– Oui, on sait tout ça... tu n'as pas eu connaissance de relations avec des réseaux de résistance ou de la présence de résistants?

– Le camp est grand, je n'ai pas encore eu l'occasion d'entrer dans tous les baraquements. Pour me faciliter la tâche tu devrais m'apporter davantage de livres. Je les louerai, ce qui me donnera une raison supplémentaire d'entrer dans les chambrées.

– Ça n'est pas une mauvaise idée... je vais voir avec

Poinsot, s'il est d'accord, je t'enverrai toutes les semaines un carton de bouquins.

– Pas des choses trop compliquées, le niveau n'est guère élevé. Profites-en pour ajouter un ou deux lainages et une bonne paire de chaussures, je crève de froid. Du saucisson, des gâteaux secs et du cognac seraient aussi les bienvenus.

– Hé là! il faut gagner tout ça. A chaque renseignement, une gâterie ou une petite laine. C'est correct... non?

– D'accord... d'accord... ce que vous êtes pingres.

– On n'est pas pingres, prudents seulement. Ouvre l'œil et les oreilles, il y a des rumeurs qui courent dans les bistrots et les salons de Bordeaux, comme quoi on aurait arrêté un gars important de la Résistance...

– Lequel?

– Va savoir?... on a mis partout toutes sortes de mouchards, pas un n'est revenu avec le bon renseignement.

– Ce serait quelqu'un de la région?

– Le chef n'en sait rien, mais il ne le croit pas. Si c'était quelqu'un de connu comme le père Delmas, il y a longtemps qu'on l'aurait dénoncé.

– Sans aucun doute.

– Bon, c'est pas tout ça, on bavarde, on bavarde et pendant ce temps-là, le boulot ne s' fait pas. Salut, à bientôt. Ah! j'oubliais : je n' sais pas ce que j'ai en ce moment, j'oublie tout... la fatigue sans doute... Tu sais, le marin qui était dans ta cellule?

– Loïc?

– Oui... le pauvre, il n'a pas résisté à l'interrogatoire... une petite nature... au bout de trois jours le petit con est mort sans avoir parlé, remarque, si tu veux mon avis, il n'avait pas grand-chose à dire... Tu n'imagines pas le ramdam que ça a fait au fort du Hâ! Ils gueulaient, les mecs, ils gueulaient... tellement fort que le directeur a fait appel à du renfort. Les plus excités ont été enfermés au mitard; il n'y avait pas assez de cachots. Tu imagines, s'ils savaient que c'est toi qui l'as donné?... Je voudrais pas être à ta place. »

Pas un trait du visage de Raphaël Mahl n'avait bougé pendant que Maurice Fiaux parlait. Au prix d'un effort qui le couvrait de sueur malgré le froid, il se retint de se jeter sur la petite crapule, tant il sentait que celle-ci n'attendait que ça.

« Je n'aimerais pas être à la tienne non plus. »

Mahl tourna les talons et se dirigea vers son baraquement.

Dans la journée, il était interdit de s'étendre sur les lits sous peine de sanctions. Sous le regard réprobateur de ses compagnons assis autour du poêle ou jouant aux cartes par terre sur une couverture, il s'allongea et ferma les yeux.

Adrien Delmas referma lentement le livre qu'il lisait, retira ses lunettes, se leva de sa chaise et alla vers l'homme couché, mû par une brusque impulsion.

Les jambes agitées de légers soubresauts, Raphaël étreignait les côtés du lit, la poitrine oppressée, le visage blême marqué de taches rouges. Le dominicain s'approcha.

Une odeur aigre montait de la couche, la même qu'exhalaient certains condamnés à mort en Espagne à la veille d'être exécutés : l'odeur de la peur. Que lui avait-on dit? De quoi l'avait-on menacé pour qu'il soit dans cet état? Depuis huit jours qu'ils partageaient la même baraque, jamais le père Adrien ne l'avait vu comme ça.

« Vous êtes souffrant?... Avez-vous besoin de quelque chose? »

Non, fit-il de la tête en ouvrant les yeux qu'il referma aussitôt.

Qu'il s'en aille!... un mot de plus et il appelait le gendarme de garde et lui demandait d'aller chercher le directeur pour le dénoncer. Sa vie, ou sa mort, dépendait de lui. Cette pensée provoqua une légère érection. Il avait remarqué que chaque fois qu'il possédait un pouvoir destructeur sur quelqu'un, son sexe se gonflait. Curieusement, bien que profondément pervers, il n'avait jamais cherché à exploiter ce fantasme et avait toujours considéré cette tension de son sexe avec un détachement amusé.

A peine avait-il profité cinq ou six fois de la crainte qu'il inspirait aux jeunes garçons faisant leurs débuts de tapette dans les boîtes montmartroises, pour les plier à des caprices qui lui semblaient d'une grande banalité. Une fois, au séminaire, où il avait passé plusieurs années, il avait forcé un séminariste plus jeune que lui à le sucer en échange de son silence sur ses lectures interdites. A l'époque, il avait pour les gens d'Eglise un mélange d'attirance et de répulsion, au point de vouloir en être tout en essayant de les détourner de leur vocation par des propos et des actes si sournois que le père abbé mit des années à s'apercevoir de son manège avant de le renvoyer. Ce père abbé qui ressemblait assez à Adrien Delmas au temps où il prêchait à Notre-Dame : même stature, grand et fort, regard qui paraissait voir au-dedans de vous, belle voix et grandes mains... Raphaël sentait la présence du dominicain. Mais bon Dieu! qu'il s'en aille...

« Puis-je vous aider?

– Foutez-moi la paix! » hurla-t-il.

Ce cri suspendit les conversations. Sans en tenir compte, Adrien reprit à voix basse :

« Je crois savoir ce qui vous préoccupe... Je ne vous dirai rien de ce qui pourrait se dire en pareille circonstance... Je ne vous dirai rien si ce n'est que quoi que vous fassiez, je vous pardonnerai et que dans le doute qui m'accable je prierai pour vous. »

Raphaël se redressa et prit le faux paysan par le col de sa chemise et lui souffla au visage :

« Ta gueule, sale moine... tes prières et ton pardon, tu peux te les foutre au cul.

– Contenez-vous, tout le monde nous regarde.
– Qu'ils nous regardent, ces enculés, ces minables!
– Taisez-vous ou vous allez passer un sale quart d'heure.
– Qu'ils viennent... allez... venez, mes mignons... venez voir tata Raphaël,... j' vous baise tous autant qu' vous êtes... »
Deux d'entre eux se levèrent.
Raphaël ne vit pas venir le coup de poing qui lui écrasa le nez ni celui qui l'assomma.
Quand il revint à lui, le dominicain finissait de lui nettoyer le visage.
« Encore vous, fit-il d'une voix lasse.
– Reposez-vous, on va vous conduire à l'infirmerie.
– Est-ce bien nécessaire?... Excusez-moi, j'ai été grotesque tout à l'heure... J'avais appris une mauvaise nouvelle. »

Dans la bagarre, Raphaël Mahl avait eu le nez cassé et une épaule démise; c'est à l'infirmerie que Maurice Fiaux vint le voir en compagnie de Mathias Fayard. Tous les deux portaient un carton de livres.
« Voilà tes bouquins.
– Merci.
– Rousseau m'a dit que tu t'étais fait casser la gueule et que sans un grand péquenaud ils t'auraient fait avaler ton bulletin de naissance.
– Faut rien exagérer.
– Qu'as-tu appris de nouveau?
– Pas grand-chose. Au baraquement 3, ils ont introduit un poste de radio et écoutent Londres tous les soirs. Les communistes du camp se sont organisés et font circuler un journal clandestin.
– Tu as réussi à en avoir un?
– Oui, là, dans la poche de ma veste. »
Fiaux sortit de la poche une feuille ronéotypée qu'il parcourut rapidement.

« Toujours les mêmes conneries!... Rien d'autre?
– Non. Je n'ai encore repéré aucun résistant, rien que des mecs sans importance. C'est du côté du fort du Hâ que vous devriez voir.
– Tu es bien sûr que tu ne nous caches rien? Le patron pense que tu ne nous dis pas tout.
– Quel intérêt aurais-je à vous cacher quelque chose à partir du moment où j'ai accepté de collaborer avec vous? Je ne peux pas vous inventer un pseudo-chef de la Résistance.
– Pourtant les bruits persistent. Tu vas avoir de la compagnie : Marcel Rigaux et Fernando Rodriguez... ça ne te dit rien?... Vous partagiez la même cellule au fort du Hâ... »

Raphaël frissonna.

« Me laissez pas là, les gars. »

Fiaux fit celui qui n'entendait pas. Les visiteurs partirent très vite. Mathias n'avait pas dit un mot. C'était l'heure de la soupe, il faisait déjà nuit.

Mahl réintégra son baraquement.

Les deux premières personnes qu'il vit furent Rigaux et Rodriguez. Rigaux vint vers lui.

« Salut, Mahl, on pensait pas te retrouver ici. »

La porte s'ouvrit brutalement. Le directeur du camp entra en compagnie de Dohse et d'une dizaine de soldats qui pointèrent leurs armes vers les prisonniers.

« Messieurs, le lieutenant Dohse veut vous parler.
– Merci, monsieur le directeur. Messieurs, je vous dirai brièvement les choses. Nous savons qu'un dangereux terroriste se cache parmi vous. Il est de votre devoir de le démasquer, n'est-ce pas? Faute de quoi, nous serions obligés de prendre des otages. J'espère que je me fais bien comprendre. Vous avez trois jours. Passé ce délai, nous fusillerons cinq otages tous les deux jours. Bonsoir et... bon appétit, messieurs. »

Un épais silence tomba sur l'assistance après le départ des Allemands et de Rousseau. Il fut rompu par l'arrivée de la cantine ambulante. Pour une fois, il n'y eut pas de chahut autour des prévôts chargés de servir la soupe. Personne ne râla sur la qualité ni ne plaisanta sur sa composition. Chacun mangea en silence dans son coin. A la fin du repas, Marcel Rigaux et Fernando Rodriguez réunirent autour d'eux un certain nombre de détenus.

Raphaël ne quittait pas Adrien des yeux. Il savait qu'un combat terrible avait lieu dans l'esprit du dominicain : devait-il se livrer pour éviter l'exécution d'otages innocents? Se livrer au risque de parler sous la torture? Mahl savait qu'à sa place, il ne bougerait pas; sa peau était plus importante que celle des misérables enfermés avec lui. Qu'ils crèvent. D'ailleurs, à quoi servaient-ils?... on pouvait se le demander.

Les regards des deux hommes se croisèrent. « Ne dites rien », ordonnait celui de Raphaël. « Dénoncez-moi », implorait celui d'Adrien.

L'écrivain se leva et alla vers lui. Une jambe lancée en travers de son chemin le fit trébucher... un coup de pied au menton le redressa et un autre dans le derrière le fit glisser à plat ventre dans l'allée centrale... sa tête heurta la cloison rugueuse griffant son front... Rodriguez l'attrapa par un bras... Raphaël hurla... la douleur dans son épaule démise était comme un fer rouge...

« Ta gueule, pédé!

– T'es douillet comme une gonzesse! »

Un coup dans l'estomac le plia en deux...

« Messieurs... messieurs... arrêtez...

– Vous le vieux, restez en dehors de ça...

– Pourquoi le battez-vous? J'ai le droit de savoir.

– D'accord, dit Marcel Rigaux, on va vous dire pourquoi on va le saigner comme un porc. On était dans la même cellule au fort du Hâ... on avait un bon copain... un marin... un Breton... Loïc, il s'appelait. Demandez-lui à cette ordure comment il était, le petit

Loïc... grâce à lui, la prison paraissait moins dure... toujours un mot pour rire, une chanson aux lèvres et avec ça... »

Les yeux de Rigaux étaient pleins de larmes. Imparable, son poing partit et écrasa le nez blessé de Mahl... un jet de sang éclaboussa le dominicain...

Rigaux reprit :

« Il avait le cœur sur la main... partageant tout... nous consolant... nous soignant... Lui... là... que vous voulez protéger... le petit l'a soigné... l'a veillé... et lui... il l'a donné... il l'a donné à la Gestapo... »

Un grondement emplit la baraque.

« Trois jours... trois jours ils l'ont torturé au Bouscat... »

Adrien Delmas regardait avec horreur le corps effondré.

« En prison, il en avait appris des choses... il n'a pas parlé... rien... il ne leur a rien dit... ils lui ont enfoncé des aiguilles rougies sous les ongles... mis à nu les muscles des cuisses sur lesquels ils ont renversé du sel... à coups de bâton, ils lui ont brisé les jambes...

– Arrêtez! » hurla Raphaël.

Rodriguez le releva par son pull-over et le secoua en lui cognant la tête contre un bat-flanc.

« Pourquoi?... pourquoi t'as fait ça?

– Comment avez-vous su? bafouilla-t-il.

– On va t' le dire pour te montrer qu'il y a aussi dégueulasse que toi. C'est un d' tes copains... un grand beau gars qui en nous conduisant ici nous a dit que t'étais un mouton, que t'avais donné Loïc et d'autres gars et qu'ici aussi tu continuais ton sale boulot de donneuse.

– Mais pourquoi?

– Il pense que tu leur sers plus à rien... que tous ceux que tu pouvais dénoncer, tu l'as fait. »

Une grande lassitude s'empara de Raphaël Mahl tandis qu'un désir d'en finir montait en lui. Pauvres cons... comme lui ils se faisaient baiser, manipuler par une petite crapule comme Maurice Fiaux... il était sûr que l'idée était de lui : le donner en pâture aux prisonniers. Sacré Maurice! il était plutôt fort dans son genre. Lui non plus n'était pas mal : il avait réussi à le convaincre qu'il n'y avait pas de responsables de la Résistance dans le camp. Beau travail. Cela le fit sourire.

« En plus, il se fout de notre gueule!

– Fumier!

– Salope! »

De toutes parts les coups pleuvaient...

Très vite il n'eut plus de visage. A plusieurs reprises Adrien Delmas tenta d'intervenir. Mais la haine rendait sourde la multitude. Quelqu'un l'assomma... Quand il revint à lui, une odeur de chairs brûlées flottait dans la baraque. Dominant les gros rires et les cris un long hurlement montait... le dominicain se releva... assis sur le poêle, maintenu par des dizaines de mains, Raphaël Mahl grillait... tandis qu'avec des propos obscènes certains commentaient son supplice.

« Regardez comme il se tortille... il aime ça!

– Elle jouit, la salope... écoutez-la gueuler!

– Ç'aurait été meilleur si on lui avait enfoncé un fer rouge dans l' cul.

– Tu te rends compte d'une fin pour une tante!... le rêve!

– Oui... mais qu'est-que ça pue, la viande de pédé!

– C'est pas sa viande qui pue... c'est sa merde, il a chié partout.

– T'inquiète pas... maintenant, il a fini de chier et de faire chier. »

L'horreur décupla les forces du père Delmas. Il bouscula les tortionnaires et arracha Mahl du poêle. Un morceau de chair resta collé sur la plaque brûlante. Ils roulèrent dans les pieds de la foule qui s'écarta. Il y eut un moment de silence. Dans les bras d'Adrien, Raphaël ouvrit un œil et ce qui avait été une bouche esquissa un sourire qui était une grimace. Dans cette face massacrée, c'était effrayant. Il essaya de parler. Un caillot de sang glissa sur son menton.

« Ne dites rien.

– C'est trop bête... j'avais une bonne idée... pour un roman... », parvint-il à articuler.

Il y avait de l'admiration dans la stupeur avec laquelle Adrien Delmas regarda celui qui avait rêvé être un grand écrivain et qui au seuil d'une mort atroce trouvait la force de plaisanter.

« Dites... à... Léa... que je... l'aimais bien...

– Je le lui dirai.

– Otez-vous de là qu'on en finisse avec cette charogne.

– Je vous en prie! Laissez-le! ne lui avez-vous pas fait assez de mal?

– Non, dit Fernando Rodriguez en l'arrachant des bras qui tentaient de le protéger.

« Non, reprit Fernando, il faut que ça serve de leçon à tous les mouchards, à tous les collabos qui sont dans ce camp et ailleurs. Allez, les gars... finissons-en... »

Tous ces hommes qui se jettent sur lui... ce grouillement de mains sur son corps... ces visages qui se pressent contre le sien et qu'il ne voit qu'à travers un brouillard de sang... c'est comme une vapeur... cela lui rappelle le bain de vapeur d'Amel, haut lieu de pornographie clandestine, où l'on se cherche, se palpe, s'étreint avec la complicité de tous. Terrible endroit, où les bras, les mains ont une moiteur de pieuvre... descente aux enfers parmi ces hommes en grappe, secoués d'un seul spasme, d'un seul profond soupir, qui semble, d'entre ces poitrines serrées et frémissantes, monter des entrailles mêmes de la terre... Là... les mains inconnues, triturantes, expertes et détestables cherchent à le faire souffrir... à le tuer... Bientôt les images disparaissent de sa mémoire... seules des couleurs violentes comme des décharges électriques subsistent... la belle verte.. la belle bleue... la rouge... la noire... des étoiles d'argent palpitent dans la noire... noire... noir.

Là-bas, dans le fond du baraquement une main s'est levée et trace le signe de la croix.

Très vite les hommes se sont lassés de taper sur cette masse molle et informe qui les éclabousse encore de sang. Le cadavre les encombre.

« Si on mettait ce qui reste de ce porc aux ordures?

– Bonne idée. »

Dans la nuit, le cadavre de Raphaël Mahl fut jeté dans le dépotoir et recouvert d'immondices. Au petit matin, des détenus commis d'office ramassèrent le corps qui fut mis dans un mauvais cercueil.

Ni les gardiens ni les gendarmes n'avaient bougé.

23

Deux jours après le meurtre de Raphaël Mahl, Adrien Delmas s'évada grâce à sa parfaite connaissance des lieux et des habitudes des gardiens.

Il se glissa sous la bâche du camion qui venait de livrer le pain pour la semaine. Le chauffeur avait été grassement payé pour s'arrêter et feindre une panne près de l'endroit où il s'était dissimulé. Une fois dehors, il l'avait conduit à Bègles dans la banlieue de Bordeaux où l'attendaient Albert et Léa en compagnie de trois jeunes maquisards armés de mitraillettes. Ils se tassèrent tous dans la vieille camionnette du boucher.

« Mon père, un avion doit venir vous chercher ce soir, dit Albert.

– Je ne veux pas partir. Je dois rester, c'est ici que je suis le plus utile.

– Ce n'est pas l'avis de Londres. A votre place, je partirais. Pour le moment, vous êtes terriblement en danger et votre présence dans la région est un danger pour tous. Mon père, il faut obéir. »

Adrien se tut et ferma les yeux. Tous respectèrent son silence : il avait l'air si las. Léa, serrée contre lui à l'avant de la camionnette, posa sa tête sur son épaule et bientôt s'endormit.

Elle se réveilla quand ils traversèrent la place curieusement en pente de Bazas. Ils longèrent ensuite la cathédrale Saint-Jean et descendirent jusqu'au vieux lavoir, puis roulèrent quelques instants en direction de Casteljalloux, enfin tournèrent sur une petite route à droite et s'arrêtèrent à l'entrée du hameau de Sauviac. D'une maison basse devant laquelle picoraient des poulets, un vieil homme et sa femme sortirent. Albert leur dit quelques mots, ils acquiescèrent et rentrèrent chez eux après leur avoir fait signe d'entrer.

« Chez les Laforgue, mon père, vous êtes en sécurité. L'avion viendra vous chercher à huit heures ce soir. Le pépé vous conduira au terrain d'atterrissage qui est près de la Beuve, dit Albert.

– Je connais.

– D'ici là, reposez-vous. Je reviendrai chercher Léa en fin de journée.

– Merci pour tout, Albert. Comment va Mireille?

– Bien, mon père, c'est une brave, vous savez.

– Je sais... Avez-vous des nouvelles de votre fils?

– Il est dans le Cantal avec le maquis Revanche, près de Chaudes-Aigues. Les gars sont dans les bois le long de la Truyère. C'est un bon coin, difficile à attaquer, pas de danger que les Boches s'y risquent... Je dois partir. Vous inquiétez pas, mon père, avant deux mois vous serez revenu. Adieu...

– Adieu, Albert, vous prendrez soin de Léa?

– Pas besoin de m' le dire. La fille de Mme Isabelle, c'est sacré pour moi. »

L'oncle et la nièce passèrent la journée ensemble, à deviser au coin du feu. Ils partagèrent le modeste repas des Laforgue qui étaient des hôtes absolument silencieux.

Adrien raconta, avec des mots prudents, l'horrible fin de Raphaël Mahl. Quand il lui rapporta que sa dernière pensée avait été pour elle, Léa éclata en sanglots.

« Moi aussi, je l'aimais bien », dit-elle.

Le dominicain respecta son chagrin. Quand il se fut un peu apaisé, elle demanda :

« Mais pourquoi ne t'a-t-il pas dénoncé?

– Je n'en sais rien. C'est la question que je me pose depuis cette épouvantable nuit. Pourquoi ne m'a-t-il pas dénoncé? Toi qui le connaissais, tu n'as pas une idée?

– Non... Ou alors?... C'était bien dans son caractère... Il savait qu'on te recherchait, peut-être même lui avait-on demandé de t'identifier parmi les détenus et par esprit de contradiction, il se sera dit non.

– Mais on ne se laisse pas massacrer par esprit de contradiction!

– Raphaël?... Si.

– Peut-être, après tout. Les raisons d'accepter la mort sont quelquefois si étranges. Mais son regard pendant qu'ils le cognaient!... Quand il croisait le mien, il avait l'air de dire : Vous ne vous attendiez pas à ça, hein! je vous ai bien eus. »

Léa eut du mal à s'arracher des bras de son oncle. C'était comme si son père mourait une deuxième fois.

« Passe un bon Noël, ma chérie. Va pour moi à la messe de minuit et fais un salut à sainte Exupérance de ma part. Embrasse tout le monde à Montillac et dis-leur que je prie pour eux. Dieu te garde... Sois très prudente. »

Que ce Noël avait été triste malgré la joie de Charles devant sa voiture rouge et ses rires! Quant à la nuit du 31 décembre, elle leur avait paru à toutes interminable. Chacune se demandait avec angoisse si 1944 verrait enfin la guerre se terminer.

Dans la journée du 2 janvier, Léa eut la surprise de

voir arriver François Tavernier. Sa voiture était crottée jusqu'au toit et, à voir son visage, il avait roulé toute la nuit.

Il souhaita la bonne année en toute hâte à la maisonnée, embrassa le petit Charles et trouva dans sa poche un carnet qu'il lui offrit. Charles était aux anges. Ensuite, il entraîna Léa dans le bureau.

« Je suis venu dès que j'ai reçu le message de votre oncle. Pourquoi ne m'avez-vous rien dit à propos de Mathias et de son père?

– Je ne voulais pas vous ennuyer avec ça.

– Vous ne m'ennuyez jamais, vous le savez bien. Venez, j'ai très peu de temps, je dois repartir ce soir...

– Déjà!... Vous êtes fou!

– Mon temps ne m'appartient pas... Je ne devrais pas être ici. »

Léa ferma à clef la porte du bureau de son père et se jeta contre François. Ils firent l'amour tout habillés, en silence. Quand la plainte de Léa monta, elle se brisa dans un sanglot.

Un long moment, ils restèrent collés l'un à l'autre.

François, que le sommeil commençait à gagner, réagit le premier.

« Allez me faire du café. »

Léa fila à la cuisine réchauffer le café et faire cuire des œufs.

Durant deux heures, il examina les livres comptables, les hypothèques, les comptes bancaires. Il expliqua ensuite longuement à Léa comment tout cela pouvait être truqué et trafiqué. Il savait que le domaine était virtuellement entre les mains de Fayard mais n'en dit rien.

« Ce n'est pas brillant. D'abord, il vous faut un bon comptable pour vous débrouiller tout ça. Je vous en trouverai un.

– Mais, je n'ai pas d'argent!...

– Je vous en prie, laissez ça. Je m'en occupe. Voici un chèque. Cela calmera votre banquier pendant un moment. Il faut à tout prix tenir Mathias à distance pendant quelque temps. Son travail l'absorbe, mais il va passer bientôt aux actes. Maintenant, mon cœur, il faut que je reparte... Non... je vous en prie... pas de larmes. C'est le souvenir de votre sourire que je veux emporter. »

Il se leva et elle l'embrassa une dernière fois, passant et repassant sa main sur son visage mal rasé.

Léa et François sortirent. La traction-avant était garée dans l'allée de platanes, devant la maison. La nuit commençait à tomber, plongeant les vignes et les pins dans l'obscurité.

Il allait rouler toute la nuit vers Paris. L'air était doux pour la saison, mais Léa frissonna. L'idée de rester seule avec Camille lui faisait peur. Il s'était montré si gai, si tendre, jonglant avec les chiffres qu'elle ne s'était pas rendu compte à quel point elle aurait du mal à le voir partir.

Collé à la porte vitrée du vestibule, le petit Charles écrasait son nez contre le carreau; de la main, il faisait de grands signes à François. Tavernier se retourna une dernière fois et lui fit le salut militaire. Charles sautait de joie en riant. A travers la vitre, on n'entendait pas son rire.

Léa serra son châle autour de ses épaules. Il allait falloir nettoyer la vigne.

François lui prit la main et l'embrassa furtivement, comme s'il devait revenir quelques instants plus tard. Il n'avait pas cessé de sourire. Il s'installa au volant et claqua la portière. Le bruit résonna dans le silence du soir. Il mit le moteur en route sans quitter Léa des yeux.

Au moment de partir, par la vitre baissée, il lança :

« Je crois qu'il serait plus prudent que vous veniez vivre avec moi. »

La voiture roula sur l'allée de gravier, marqua un temps d'arrêt devant la route et s'éloigna dans la nuit.

Léa n'avait pas bougé.

FIN DU DEUXIÈME VOLUME

Troisième et dernier volume :

Le diable en rit encore

DU MÊME AUTEUR

Aux Éditions Fayard :

BLANCHE ET LUCIE, roman.
LE CAHIER VOLÉ, roman.
CONTES PERVERS, nouvelles.
LES ENFANTS DE BLANCHE, roman.

Aux Éditions Jean-Jacques Pauvert :

O M'A DIT, entretiens avec l'auteur d'HISTOIRE D'O.

Aux Éditions Jean Goujon :

LOLA ET QUELQUES AUTRES, nouvelles.

Aux Éditions du Cherche-Midi :

LES CENT PLUS BEAUX CRIS DE FEMMES.

Aux Éditions de la Table Ronde :

LA RÉVOLTE DES NONNES, roman.

Aux Éditions Garnier-Pauvert :

LÉA AU PAYS DES DRAGONS, conte et dessins pour enfants.

Aux Éditions Ramsay :

L'APOCALYPSE, illustrée racontée aux enfants.
LA BICYCLETTE BLEUE, roman.
101, AVENUE HENRI-MARTIN (LA BICYCLETTE BLEUE, tome 2).
LE DIABLE EN RIT ENCORE (LA BICYCLETTE BLEUE, tome 3).

A paraître :

L'ANNEAU D'ATTILA.
JOURNAL D'UN ÉDITEUR.
UNE JEUNE FILLE LAMENTABLE.

Aux Éditions Albin Michel :

POUR L'AMOUR DE MARIE SALAT.

Coédition A.M./R. Deforges :

LE LIVRE DU POINT DE CROIX.